ALLEN COUNTY PUBLIC LIBRARY

ACP

3 1833

DISCARDED

YO-BUC-214

RU FICT
ZELAZ
Zelazny, Roger.
Kniaz sveta

новая
*Коллекция*

JAN 1 4 2002

# Роджер
# ЖЕЛЯЗНЫ

## *Князь света*
### Роман

Санкт-Петербург
**АМФОРА**

2000

УДК 82/89
ББК 84.7 США
    Ж 52

Roger Zelazny
LORD OF LIGHT

Перевод с английского В. Лапицкого

Издание осуществлено при участии
ООО «Фирма "Столица-Сервис"»

Желязны Р.

Ж 52  Князь света: Роман / Пер. с англ. В. Лапицкого. —
СПб.: Амфора, 2000. — 379 с.

ISBN 5-8301-0123-8

© В. Лапицкий, перевод, 1992.
© «Амфора», оформление, 1999.

ISBN 5-8301-0123-8

Дэнни Плахта —
за дружбу, мудрость, сому

# I

Так было однажды услышано мной. Спустя пятьдесят три года после освобождения вернулся он из Золотого Облака, чтобы еще раз поднять перчатку, брошенную Небесами, пойти наперекор Порядку жизни и богам, этот порядок установившим. Последователи его молились, чтобы он вернулся, хотя и грехом были молитвы эти. Мольбам не потревожить покоя ушедшего в нирвану, при каких бы обстоятельствах это ни произошло. Но молились облаченные в шафранные рясы, чтобы он, Меченосец, Манжушри, вновь сошел к ним. И, как поведано, Бодхисатва услышал их...

Он, подавивший желания,
не зависящий от корней,
пастбищем которому пустота —
необусловленная и свободная, —
путь его неисповедим,
как птиц полет в поднебесье.

*Дхаммапада (93)*

Его последователи звали его Махасаматман и утверждали, что он бог. Он, однако, предпочитал опускать громкие Маха- и -атман и звал себя просто — Сэм. Никогда не провозглашал он себя богом. С другой стороны, и не отказывался от этого. В сложившихся условиях ни то, ни другое не сулило ему никакой выгоды. Чего не скажешь о молчании...

И вот тайна служила ему покровом.

Был сезон дождей...

Самый влажный период года...

Дождь шел дни напролет, когда вознеслись к небу молитвы, — и вознесли их не пальцы, перебирающие заузленные гирлянды молельных четок, не вращающиеся молитвенные колеса, нет, грандиозная молитвенная машина из монастыря Ратри, богини Ночи.

Направлены были высокочастотные молитвы прямо вверх, сквозь атмосферу, еще выше, в самый центр золотого облака, что зовется Мостом Богов и окружает весь мир, предстает каждую ночь бронзовой радугой и каждый полдень окрашивает красное солнце в оранжевые тона.

Кое-кто из монахов сомневался, не ересью ли будет использование подобной молитвенной техники, но машину построил и наладил сам Яма-Дхарма, отпавший из Небесного Града; а как говорили, именно он построил в незапамятные времена могучую громовую колесницу Великого Шивы — тот экипаж, что проносится по небосклону, изрыгая на своем пути огненную харкотину.

Даже находясь в немилости, считался он величайшим мастером и знатоком всех ремесел. Узнай Боги Небесного Града о его молитвенной машине — они без сомнения обрекли бы его на подлинную смерть. Надо, правда, признать, что и без этой машины обрекли бы они его на подлинную смерть, попади он к ним в руки. Каким образом улаживал он свои дела с Властителями Кармы, касалось только его, хотя никто не сомневался — так ли, иначе ли, но когда придет его час, отыщет он тот или иной способ.

Лишь вдвое моложе был он самого Небесного Града, а ведь едва ли набрался бы десяток богов, помнивших основание этой обители. Все знали, что мудрее даже, чем Бог Кубера, оказывался он, когда дело касалось путей Всеприсущего Пламени. Но это были лишь меньшие из его Атрибутов. Другим он славился, хотя и говорили об этом немногие. Высокий, но в меру, широкоплечий, но не грузный, двигался он легко и плавно. Носил красное, был немногословен.

Он и управлял молитвенной машиной; водруженный им на крышу монастыря гигантский металлический лотос неспешно вращался в своем гнезде.

На здание, на лотос, на джунгли у подножия горной цепи сплошной пеленой падал мелкий дождь. Уже шесть дней, как десятками киловатт возносил Яма молитвы, но состояние атмосферы не позволяло им быть услышанными в Горних. Сквозь зубы он помянул самых что ни на есть банальных божеств плодородия, взывая в основном к их наиболее прославленным в народе Атрибутам.

Раскат грома был ответом, и помогавшая ему обезьяна хихикнула.

— У твоих молитв и твоих проклятий итог один и тот же, о Яма, — прокомментировала она. — То есть никакого.

— Чтобы это заметить, тебе потребовалось семнадцать перерождений? — сказал Яма. — Тогда понятно, почему ты все еще маешься обезьяной.

— Да нет, — сказала обезьяна, которую звали Так. — Хотя мое падение было и не столь впечатляюще, как твое, но все-таки и я вызвал вполне персонально окрашенную злобу у...

— Замолчи! — бросил Яма, отворачиваясь от него.

Так понял, что дотронулся до больного места. Пытаясь найти для разговора другую тему, он подобрался к окну, вспрыгнул на подоконник и уставился наружу.

— К западу отсюда в облаках просвет, — сообщил он.

Подошел Яма, посмотрел, куда показывала обезьяна, нахмурился и кивнул.

**9**

— Ага, — сказал он. — Оставайся тут и корректируй.

Он подошел к пульту управления.

Наверху, над их головами, лотос поспешно развернулся и уставился прямо в брешь, замеченную Таком среди плотных облаков.

— Отлично, — буркнул Яма, — что-то подцепили.

Он протянул руку к одной из контрольных панелей, пощелкал кнопками и клавишами, подстроил два верньера.

Под ними, в монастырских подвалах, выдолбленных в толще скалы, зазвенел звонок, и тут же закипели приготовления, авральная команда заняла свои места.

— Облака смыкаются! — воскликнул Так.

— Это уже не важно, — ответил Яма. — Нашу рыбку мы подцепили. Из нирваны да в лотос, он грядет.

Опять громыхнул гром, и дождь с шумом обрушился на лотос. Голубые молнии, словно змеи, извивались над вершинами гор.

Яма выключил главный рубильник.

— Как ты думаешь, каково ему будет опять облечься во плоть? — спросил Так.

— Чисти-ка свой банан в четыре ноги!

Так предпочел счесть это за разрешение покинуть комнату и оставил Яму выключать аппаратуру в одиночестве. Путь его лежал вдоль по коридору и вниз по широким ступеням. На лестничной площадке до него донеслись звуки голосов и шарканье сандалий, шум приближался со стороны боковой залы.

Не раздумывая, он вскарабкался по стене, цепляясь за вырезанные на ней фигурки пантер и слонов. Взобравшись на балку, он нырнул в густую тень и замер там.

**10**   Появились двое монахов, облаченных в темные рясы.

— Она что, не могла очистить им небо? — сказал первый.

Второй, постарше, более массивный, пожал плечами.

— Я не мудрец, чтобы отвечать на подобные вопросы. Ясно, что она озабочена, иначе бы никогда не предоставила она им это святилище, а Яме — подобную возможность. Но кому ведомы пределы ночи?

— Или настроение женщины, — подхватил первый. — Я слышал, что даже жрецы не знали о ее появлении.

— Вполне возможно. Как бы там ни было, это кажется хорошим знаком.

— Воистину.

Они миновали площадку, и Так слушал, как удаляются и затихают звуки их шагов.

Он все не покидал своего насеста.

«Она», о которой упомянули послушники, могла быть только богиней Ратри, ей и поклонялись монахи, давшие в своем святилище приют последователям Махатмы Сэма, Просветленного. Нынче и Ратри тоже числилась среди отпавших от Небесного Града и влачащих существование в шкуре смертных. У нее было сколько угодно причин, чтобы ворошить прошлое; и Так вдруг понял, на какой риск она пошла, предоставив свое святилище — не говоря уже о личном своем присутствии — для подобного предприятия. Если слушок об этом достигнет надлежащих ушей, на карту будет поставлена сама возможность будущего ее восстановления в правах. Так помнил ее — темноволосую красавицу с серебристо-серыми глазами, проносящуюся мимо в лунной колеснице из черного дерева и хрома, запряженной черным и белым жеребцами, с возницей в черном и белом; да, проносящуюся по Небесной Перспективе, соперничая во славе с самою Сарасвати. Сердце чуть не выпрыгнуло из его волосатой груди. Он должен снова увидеть ее. Однажды ночью, давным-давно, в благословенные времена — и в лучшей форме — он танцевал с нею на балконе... под звездами. Недолог был этот танец. Но он помнил его; и до чего же трудно обезьяне обладать подобными воспоминаниями...

Так слез с балки.

Северо-западную оконечность монастыря венчала высокая башня. И была в той башне комната. По поверью, хранила она в себе постоянное присутствие богини. Ежедневно в ней прибирали, меняли белье, возжигали благовония и возлагали святые приношения. Двери ее обычно были заперты.

Но имелись в ней, конечно, и окна. Вопрос о том, может ли кто-нибудь пробраться внутрь через окно, оставался открытым. По крайней мере, для людей. Ибо для обезьян он был решен Таком окончательно.

Взобравшись на крышу монастыря, Так начал карабкаться на башню, цепляясь за скользкие кирпичи, за выступы и выбоины, а небеса, словно псы, рычали у него над головой; наконец он прильнул к стене под выступающим наружу подоконником. Сверху как заведенный барабанил по камню дождь.

Таку почудилось, будто где-то рядом поют птицы. Он увидел край мокрого синего шарфа, свисающего из окна.

Ухватившись за выступ, Так подтянулся и заглянул внутрь.

Он увидел ее со спины. Одетая в темно-синее сари, она сидела на маленькой скамеечке в противоположном конце комнаты.

Так взобрался на подоконник и кашлянул.

Она резко обернулась. Под вуалью невозможно было разобрать черты ее лица. Поглядев на него сквозь дымку ткани, она встала и подошла к окну.

Он смутился. Некогда гибкая ее фигура сильно раздалась в талии; всегда грациозная на ходу, как колеблемая ветвь, нынче она слегка косолапила; слишком мрачной выглядела она, даже сквозь вуаль прочитывались резкие линии носа, жесткие очертания скул.

Он склонил голову.

— «И ты к нам подступила, и мы с твоим приходом очутились дома, — пропел он, — как в гнездах птицы на ветвях».

Она застыла в неподвижности, словно собственная статуя в главном зале монастыря.

— «Храни же нас от волка и волчицы, храни от вора нас, о Ночь, и дай же нам продлиться».

Она медленно простерла вперед руку и возложила ее ему на голову.

— Мое благословение с тобой, малый мира сего, — сказала она, помолчав. — Сожалею, но мне больше нечего тебе дать. Я не могу обещать тебе покровительство или даровать красоту — для меня самой и то, и другое — недоступная роскошь. Как тебя звать?

— Так, — сказал он.

Она прикоснулась ко лбу.

— Когда-то я знала одного Така, — промолвила она, — в незапамятные времена, в туманном далеке...

— Это был я, мадам.

Она тоже уселась на подоконник. Чуть погодя он понял, что она всхлипывает под покровом вуали.

— Не плачь, богиня. С тобой Так. Помнишь Така от Архивов? Пресветлого Копейщика Така? Он по-прежнему готов исполнить любое твое приказание.

— Так... — сказала она. — Ох, Так! И ты тоже? А я и не знала! Я никогда не слышала...

— Очередной поворот колеса, мадам, и — кто знает? Все может обернуться даже лучше, чем было когда-то.

Ее плечи вздрагивали. Он протянул руку, отдернул ее. Она повернулась и схватила ее.

Бесконечным было молчание, потом она заговорила:

— Естественным путем дела в порядок не придут, нам не обрести былого, Пресветлый Копейщик Так. Мы должны проложить наш собственный путь.

— О чем ты говоришь? — спросил он и добавил: — Сэм?

Она кивнула:

— И никто иной. Он — наш оплот против Небес, дорогой Так. Если удастся призвать его, у нас появится шанс еще пожить.

— Потому-то ты и рискнула, потому-то положила голову в пасть тигра?

— Почему же еще? Когда нет никакой реальной надежды, нужно чеканить собственную. Даже и фальшивая монета может сгодиться.

— Фальшивая? Ты не веришь, что он был Буддой?

Она усмехнулась.

— Сэм был величайшим шарлатаном на людской — да и на божественной — памяти. Однако и самым достойным противником, с каким когда-либо сталкивался Тримурти. Почему тебя так шокируют мои слова, архивариус? Ты же знаешь, что он позаимствовал и структуру, и материю своего учения, путь и достижение, даже одеяние из запрещенных доисторических источников. Это было просто-напросто оружие — и ничего более. Главной его силой было его лицемерие. Если бы мы могли вернуть его...

— Леди, святой ли, шарлатан ли, но он вернулся.

— Не шути со мной, Так.

— Богиня и леди, я только что покинул Владыку Яму, когда он отключал молитвенную машину, хмурый от успеха.

— Эта авантюра направлена была против такой огромной силы... Владыка Агни обмолвился однажды, что ничего подобного никогда не удастся свершить.

Так встал.

— Богиня Ратри, — сказал он, — кто, будь то бог, человек или нечто среднее, разбирается в подобных материях лучше Ямы?

— Я не знаю, Так, ибо такого не отыщешь. Но откуда тебе известно, что он выловил нам ту самую рыбку?

— Ибо он — Яма.

— Тогда возьми мою руку, Так. Веди меня опять, как ты делал однажды. Посмотрим на спящего Бодхисатву.

И он повел ее через двери, вниз по лестнице, в нижние покои.


Подземелье заливал свет, рожденный не факелами, а генераторами Ямы. Водруженную на платформу кровать с трех сторон отгораживали ширмы. За ширмами и драпировками скрывалась и большая часть механизмов. Дежурившие в комнате монахи в шафрановых рясах бесшумно двигались по обширным покоям. Яма, мастер из мастеров, стоял у кровати.

При их появлении кое-кто из вышколенных, невозмутимых монахов не удержался от восклицаний. Так обернулся к женщине рядом с ним и отступил на шаг, затаив дыхание.

Это была уже не раздобревшая матрона, с которой он только что разговаривал. Вновь он стоял рядом с бессмертной Ночью, о которой написано было: «Богиня переполнила обширное пространство — и в глубину, и в вышину. Сияние ее развеяло мрак».

Он взглянул на нее и тут же закрыл глаза. Она все еще несла на себе отпечаток своего далекого Облика.

— Богиня... — начал было он.

15

— К спящему, — прервала она. — Он шевелится.

И они подошли к ложу.

И тут перед ними открылась картина, которой суждено было в будущем в виде фресок ожидать паломников в
конце бесчисленных коридоров, рельефом застыть на
стенах храмов, живописно заполнить плафоны множества дворцов: пробудился тот, кто был известен как Махасаматман, Калкин, Манжушри, Сиддхартха, Татхагата,
Победоносный, Майтрея, Просветленный, Будда и
Сэм. Слева от него была богиня Ночи, справа стояла
Смерть; Так, обезьяна, скорчился в изножье кровати
вечным комментарием к сосуществованию божественного и животного.

А был явившийся в обычном, смуглом теле средних
размеров и возраста; черты его лица были правильны и
невыразительны; когда он открыл глаза, оказались они
темными.

— Приветствую тебя, Князь Света, — так обратилась к нему Ратри.

Глаза мигнули. Им никак не удавалось сфокусиро-
ваться. Все в комнате замерли.

— Привет тебе, Махасаматман — Будда! — сказал
Яма.

Глаза глядели прямо перед собой — не видя.

— Привет, Сэм, — сказал Так.

Лоб чуть наморщился, глаза, покосившись, уставились на Така, перебежали на остальных.

— Где?.. — спросил он шепотом.

— В моем монастыре, — ответила Ратри.

Безучастно взирал он на ее красоту.

Затем он сомкнул веки и изо всех сил зажмурился, вокруг глаз разбежались морщинки. Гримаса страдания
превратила его рот в лук, зубы, крепко стиснутые зубы,
**16** в стрелы.

— Вправду ли ты тот, чье имя мы произнесли? — спросил Яма.

Он не отвечал.

— Не ты ли до последнего сражался с армией небес на берегах Ведры?

Рот расслабился.

— Не ты ли любил богиню Смерти?

Глаза мигнули. На губах промелькнула слабая усмешка.

— Это он, — сказал Яма; затем: — Кто ты, человече?

— Я? Я ничто, — ответил тот. — Может быть, листок, подхваченный водоворотом. Перышко на ветру.

— Хуже некуда, — прокомментировал Яма, — ибо в мире предостаточно листьев и перьев, и мне не стоило работать так долго лишь ради того, чтобы преумножить их число. Мне нужен был человек, способный продолжить войну, прерванную из-за его отсутствия, могучий человек, способный пойти наперекор воле богов. Мне казалось, что ты таков.

— Я, — и он опять покосился, — Сэм. Я — Сэм. Однажды — давным-давно... я сражался, не так ли? И не раз...

— Ты был Махатмой Сэмом, Буддой. Помнишь?

— Может, и был...

В глазах у него медленно разгоралось пламя.

— Да, — подтвердил он. — Да, был. Смиреннейший из гордых, гордец среди смиренных. И я сражался. Учил Пути... какое-то время. Опять сражался, опять учил, прошел через политику, магию, яд... Дал великую битву, столь ужасную, что солнце отвратило от бойни свой лик — от месива людей и богов, зверей и демонов, духов земли и воздуха, огня и воды, ящеров и лошадей, мечей и колесниц...

— И ты проиграл, — прервал его Яма.

— Да, проиграл. Но некоторое впечатление мы все-таки произвели, не так ли? Ты, бог смерти, был моим колесничим. Да, все это возвращается сейчас ко мне. Нас взяли в плен, и Властители Кармы стали нашими судьями. Ты ускользнул от них — Путем Черного Колеса. Я же не мог.

— Так все и было. Твое прошлое явственно легло перед ними. Тебя судили. — Яма поглядел на монахов (склонив головы, они сидели теперь прямо на полу) и понизил голос: — Дать тебе умереть подлинной смертью означало превратить тебя в мученика. Дозволить тебе разгуливать по миру — в какой бы то ни было форме — значило оставить открытой дверь для твоего возвращения. И вот так же, как и ты позаимствовал свое учение у Гаутамы из иного места и времени, так и они позаимствовали оттуда же рассказ о том, как окончил он свои дни среди людей. Тебя осудили и признали достойным нирваны. Твой атман был перенесен не в другое тело, а в огромное магнитное поле, что окружает нашу планету. Минуло более полувека. Ныне официально ты — аватара Вишну, чье учение было неправильно истолковано некоторыми из наиболее рьяных твоих последователей. Лично же ты продолжал существовать лишь в форме самосохраняющейся системы магнитных волн разной длины, которую мне и удалось уловить.

Сэм закрыл глаза.

— И ты посмел вернуть меня назад?

— Да, это так.

— Я все время осознавал свое положение.

— Я подозревал об этом.

Глаза его, вспыхнув, широко открылись.

— И тем не менее ты посмел отозвать меня оттуда?

— Да.

Сэм опустил голову.

— По справедливости зовешься ты богом смерти, Яма-Дхарма. Ты отобрал у меня запредельный опыт. Ты разбил о черный камень своей воли то, что вне понимания, вне великолепия, доступных смертным. Почему ты не мог оставить меня, как я был, в океане бытия?

— Потому что мир нуждается в тебе, в твоем смирении, в твоем благочестии, в твоем великом учении, в твоем макиавельском хитроумии.

— Я стар, Яма, — промолвил тот. — Я так же стар, как и сам человек в этом мире. Ты же знаешь, я был одним из Первых. Одним из самых первых, явившихся сюда, чтобы строить, чтобы обустраивать. Все остальные ныне мертвы — или стали богами — dei ex machini... Этот шанс выпал и мне, но я прошел мимо него. Много раз. Я никогда не хотел быть богом, Яма. На самом деле. Только много позже, когда я увидел, что они делают, начал я копить силы. Но было уже поздно. Они были слишком сильны. Теперь же я просто хочу спать, спать вечным сном, вновь познать Великий Покой, нескончаемое блаженство, слушать песни, которые поют звезды на берегу великого океана.

Ратри нагнулась и заглянула ему в глаза.

— Ты нужен нам, Сэм, — сказала она.

— Я знаю, знаю, — отвечал он ей. — Опять все та же история. У вас имеется норовистая лошадка, так что нужно ее отменно нахлестывать очередную милю.

Он улыбнулся при этих словах, и она поцеловала его в лоб.

Так подпрыгнул и заскакал по кровати.

— Веселится род людской, — отметил Будда.

Яма протянул ему руку, а Ратри — шлепанцы.

―――――

Чтобы прийти в себя после покоя, что превыше всякого разумения, требуется, конечно, время. Сэм спал. Ему снились сны, во сне он кричал или же просто стонал. У него не было аппетита, но Яма подобрал для него тело крепкое и отменно здоровое, вполне способное перенести все психосоматические изменения, порожденные отзывом его из божественности.

Но он так и сидел бы часами, не двигаясь, уставившись на какой-то камешек, или зернышко, или листик. И невозможно его было в этом случае пробудить.

Яме виделась в этом некая опасность, и он решил обсудить ситуацию с Ратри и Таком.

— Плохо, теперь этим способом уходит он от мира, — начал он. — Я говорил с ним, но это просто бросать слова на ветер. Ему никак не вернуть то, что он оставил позади. И сама эта попытка стоит ему его силы.

— Быть может, ты неправильно воспринимаешь его усилия, — заметил вдруг Так.

— Что ты имеешь в виду?

— Погляди, как он уставился на семечко, которое сам положил перед собой. Посмотри на морщинки в уголках его глаз.

— Ну и что же в этом такого?

— Он косится. У него что, изъяны зрения?

— Да нет.

— Тогда почему он косится?

— Чтобы лучше зернышко изучить.

— Изучить? Он учил совсем другому пути. И однако же он все-таки изучает. Он вовсе не медитирует, пытаясь обрести в глубине предмета освобождение от субъекта. Отнюдь.

— Чем же он тогда занят?

— Обратным.

— Обратным?

— Он изучает объект, наблюдая его пути, пытаясь связать тем самым самого себя. Внутри предметов он ищет оправдание своего существования. Еще раз пытается он закутаться в ткань Майи, мировой иллюзии.

— Я уверена, что ты прав, — перебила Ратри. — Как же нам помочь ему в этой попытке?

— Я не уверен, миссис...

Но Яма кивнул, и в солнечном луче, падавшем через узкий портик, блеснули его темные волосы.

— Ты сумел ухватить как раз то, чего я не заметил, — признался он. — Он еще не вполне вернулся, хотя и облачен в тело, передвигается пешком и говорит, как мы. Но мысли его все еще вне пределов нашего разумения.

— Что же делать? — повторила Ратри.

— Берите его с собой в долгие сельские прогулки, — сказал Яма. — Потчуйте деликатесами. Ублажайте его душу стихами и пением. Найдите ему что-нибудь покрепче для питья — здесь, в монастыре, нет ничего подходящего. Разоденьте его в светлые шелка. Добудьте ему куртизанку, а лучше — трех. Окуните его заново в жизнь. Только так можно будет освободить его от оков Божественности. Как же я не заметил этого раньше...

— Ничего удивительного, — сказал Так.

Огонь вспыхнул в глубине глаз Ямы, и черен был этот огонь; потом он улыбнулся.

— Мне воздается сполна, малыш, — признался он, — за все те комментарии, которые я, может быть, и неосознанно, отпустил в адрес твоих волосатых ушей. Я приношу тебе, о обезьяна, свои извинения. Ты и в самом деле человек — умный и наблюдательный.

Так поклонился ему.

Ратри хихикнула.

— Скажи нам, умница Так, — быть может, мы слишком долго были богами и утратили должный угол зрения, — как нам лучше взяться за дело, чтобы поскорее очеловечить его и добиться наших целей.

Так поклонился ему, потом Ратри.

— Как ты и предложил, Яма, — подтвердил он. — Сегодня, миссис, возьми его на прогулку к подножию гор. Завтра Владыка Яма отведет его к самой кромке леса. На следующий день я свожу его туда, где царят деревья и травы, цветы и лианы. А там поглядим. Поглядим.

— Быть посему, — сказал Яма, и так оно и было.


В следующие несколько недель отношение Сэма к этим прогулкам менялось: сначала это было лишь едва заметное предвкушение, затем — сдерживаемый энтузиазм и, наконец, горячее рвение. Все продолжительнее и продолжительнее становились его одинокие прогулки, сначала он уходил на несколько часов только утром, затем — утром и вечером. Потом он стал пропадать где-то целыми днями, подчас — сутками.

К концу третьей недели Яма и Ратри беседовали на террасе в ранний утренний час.

— Мне это не нравится, — начал Яма. — Мы не можем принуждать его, навязывая ему насильно нашу компанию сейчас, когда он этого не желает. Но там, на воле, опасно, особенно для вновь рожденного, такого, как он. Хотел бы я знать, как он проводит там время.

— Что бы он ни делал, все пойдет ему на пользу, — возразила, взмахнув полной рукой, Ратри и положила в рот пастилку. — Он уже не производит впечатления не от мира сего. Он больше разговаривает и даже жестикулирует. Пьет вино, когда мы его угощаем. К нему возвращается аппетит.

— Однако, если ему повстречается агент Тримурти, он может навсегда погибнуть.

Ратри задумчиво жевала.

— Маловероятно, чтобы в эти дни по округе бродил кто-то из них, — заявила она. — Животные видят в нем ребенка и не причинят ему вреда. Люди увидят святого отшельника. Демоны издавна боятся его и, стало быть, уважают.

Но Яма покачал головой.

— Все не так просто, леди. Хоть я и разобрал большую часть своих механизмов и спрятал их в сотне лиг отсюда, такая концентрированная переброска энергии, к которой мне пришлось прибегнуть, не может остаться незамеченной. Рано или поздно сюда явятся посетители. Я использовал экранирующие ширмы и сбивающие устройства, но в некоторых проекциях вся эта область должна выглядеть так, словно по карте прошлось Всеприсущее Пламя. Скоро надо будет сниматься с места. Лучше бы подождать, пока наш питомец полностью не выправится, но...

— А какие-нибудь естественные причины не могут вызвать те же энергетические эффекты, что и твои машины?

— Могут, и произойти это может как раз поблизости; именно поэтому я и выбрал это место в качестве нашей базы — будем надеяться, что это сойдет нам с рук. Но я все же сомневаюсь в этом. Пока мои шпионы не заметили по соседству никакой необычной активности. Но в день его возвращения кто-то видел, как промчалась на гребне бури громовая колесница, выслеживая что-то то ли в небесах, то ли под ними. Случилось это далеко отсюда, но я не верю, что не было тут никакой связи.

— И тем не менее она не вернулась.

— Мы, по крайней мере, об этом не знаем. Но я боюсь...

— Тогда надо уходить немедленно. Я слишком уважаю твои предчувствия. Ты могущественней любого из Павших. Мне, например, очень трудно даже просто удержать приятный внешний облик более чем на несколько минут...

— Силы, которыми я обладаю, — сказал Яма, подливая ей чая, — уцелели, поскольку они иной природы, чем твои.

И он улыбнулся, обнажив ровный ряд зубов. Улыбка прошлась по его лицу, от шрама на левой щеке до уголков глаз. Чтобы поставить на этом точку, он сморгнул и продолжал:

— Большая часть моей силы имеет форму знания, и даже Властителям Кармы не под силу отобрать его у меня. Почти у всех богов мощь их проявляется посредством специфической физиологии, которую они при воплощении в новое тело частично теряют. В процессе припоминания разум постепенно изменяет в той или иной степени любое тело, порождая новый гомеостаз и обеспечивая неспешный возврат былого могущества. Ну а моя сила возвращается быстро, и она почти полностью со мной. Но даже если бы это было и не так, я все равно мог бы использовать в качестве оружия свои знания — это тоже сила.

Ратри отхлебнула чая.

— Мне нет дела до ее источников, но если твоя сила велит сниматься с места, надо ее слушаться. Когда отправляемся?

Яма вытащил кисет и свернул под разговоры сигарету. Его темные гибкие пальцы, как заметила Ратри, всегда двигались с грацией пальцев играющего музыканта.

— Я бы сказал, что не стоит задерживаться здесь больше чем на неделю, от силы дней на десять. А потом придется разлучить его с этим столь милым его сердцу захолустьем.

Она кивнула.

— И куда тогда?

— Может, в какое-нибудь заштатное южное королевство, где мы могли бы странствовать безбоязненно.

Он зажег сигарету, затянулся.

— У меня есть идея получше, — сказала она. — Ты не знаешь, но в качестве некой смертной я — хозяйка Дворца Камы в Хайпуре.

— Блудотория, мадам?

Она нахмурилась.

— Так его прозвали пошляки, и не смей тут же называть меня «мадам», это отдает старинной насмешкой. Это место отдохновения, удовольствий, святости, а для меня и весьма доходное. И оно, я уверена, послужит прекрасным укрытием; пока наш подопечный полностью не оправится, мы сможем спокойно разрабатывать там наши планы.

Яма хлопнул себя по бедру.

— Ай-ай-ай! И кому вздумается разыскивать Будду в лупанарии? Отлично! Превосходно! Тогда — в Хайпур, дорогая богиня, в Хайпур, во Дворец Любви!

Она гневно выпрямилась и притопнула сандалией о каменные плиты пола.

— Я не позволю тебе в подобном тоне отзываться о моем учреждении!

Он потупил глаза и с трудом согнал со своего лица улыбку. Затем встал и поклонился.

— Приношу свои извинения, милая Ратри, но меня осенило столь внезапно...

Он замолчал и посмотрел в сторону, через секунду на нее взглянула уже сама уравновешенность и благопристойность. Он продолжал как ни в чем не бывало:

— ...что я был захвачен врасплох кажущейся неуместностью подобной идеи. Теперь же я вижу всю ее мудрость. Это самое совершенное прикрытие, и оно же снабдит вас обоих средствами и, что еще важнее, станет источником частной информации из кругов торговцев, воинов и священнослужителей. Подобные учреждения составляют совершенно необходимую часть общества. Ну а тебе твое дает положение и голос в гражданских делах. Бог — одна из древнейших профессий в мире. И вполне естественно, что мы, павшие, обретаем прибежище под сенью другой не менее почтенной традиции. Я приветствую твою идею и благодарю тебя за мудрость и предвидение. И уж конечно, не буду порочить мероприятие благодетеля и сообщника. На самом деле я с нетерпением ожидаю этого визита.

Она улыбнулась и уселась обратно.

— Я принимаю твои елейные извинения, сын змеи. Что бы ты ни сделал, невозможно на тебя сердиться. Налей-ка мне еще чаю, будь любезен.

Они расслабились, Ратри смаковала чай. Яма курил. Вдали грозовой фронт растянулся мрачным занавесом поперек всего окоема. Солнце, однако, еще сияло над ними; время от времени на террасу проникал холодный ветерок.

— Ты видел кольцо, железное кольцо, которое он носит? — спросила Ратри, положив в рот еще одну пастилку.

— Да.

— Не знаешь, где он его раздобыл?

— Нет.

— И я. Но чувствую, что надо это разузнать.

— А!

— Как бы это проделать?

— Я подрядил Така, ему в лесу вольготнее, чем нам. Как раз сейчас он его и выслеживает.

Ратри кивнула.

— Правильно, — сказала она.

— Я слышал, — сменил тему Яма, — что боги все еще по случаю посещают самые приметные дворцы Камы, обычно скрывая свой облик, но иногда и во всей мощи. Правда ли это?

— Да. Всего год тому назад в Хайпур явился Бог Индра. Три года назад нанес визит поддельный Кришна. Изо всей Небесной братии именно Кришна Неутомимый вызывает у обслуживающего персонала наибольший ужас. Беспорядки растянулись на целый месяц, он сокрушил уйму мебели, лекари трудились не покладая рук. А опустошение, которое он учинил в винных погребах и кладовых! Но однажды ночью он заиграл на своей свирели — а услышав ее, ну как не простишь старому Кришне все что угодно. Но той ночью мы не услышали истинной магии, ибо есть лишь один истинный Кришна — темный и волосатый, с налитыми кровью пылающими глазами. Этот же, все разгромив, танцевал на столах; что до музыки, то она оставляла желать лучшего.

— Заплатил ли он за причиненный урон чем-либо, кроме песен?

Она рассмеялась.

— Ладно-ладно, Яма. Не будем задавать друг другу риторические вопросы.

Он пыхнул дымом.

— Сурья, солнце, уже почти окружен, — сказала Ратри, выглянув из-под навеса, — и Индра убивает дракона. Вот-вот хлынет ливень.

Монастырь покрыла серая пелена. Ветер усиливался, и по стенам заплясали капли дождя. Как расшитый бисером полог, дождь прикрыл открытую сторону террасы. Яма подлил чаю. Ратри взяла очередную пастилку.

Так пробирался по лесу. Он перепрыгивал с дерева на дерево, с ветки на ветку, не теряя из виду петлявшую внизу тропинку. Мех его намок, ибо листья обрушивали на него по ходу дела микроливень росинок. За спиной у него клубились тучи, но утреннее солнце еще сияло на востоке, и в его красно-золотистых лучах лес превращался в феерию красок. Вокруг, в сплетении ветвей, лиан, листьев, травы, стеной поднимавшихся по обе стороны тропинки, распевали птицы, и их пение сливалось в единый хор. Листву пошевеливал ветерок. Тропинка внизу вдруг резко свернула в сторону и, вынырнув на поляну, на ней потерялась. Так соскочил на землю и продолжил свой путь пешком, пока тропинка вновь не юркнула в лес и он не смог опять вернуться на деревья. Теперь, как он отметил, его вожатая, постепенно меняя свое направление, вилась более или менее параллельно горному хребту. Вдалеке заворчал гром, и чуть погодя Так ощутил новое, холодное дуновение ветра. Раскачавшись на ветке, как на трамплине, он перелетел на соседнее дерево — прямо сквозь усеянную сверкающими каплями росы паутину, вспугнутые им птицы отхлынули вопящей волной ярчайшего оперения. Тропинка по-прежнему льнула к горам и обернулась уже в обратном направлении. Время от времени она натыкалась на другие, крепко утоптанные, желтые тропинки, пересекала их, расходилась, подчас разветвлялась, и Таку приходилось спускаться с деревьев на землю и изучать отметины на ее поверхности. Да, Сэм свернул здесь; Сэм остановился попить у этого родника — вот здесь, где оранжевые грибы вымахали выше человеческого роста и готовы были укрыть от дождя целую компанию; Сэм подобрал на дороге вон ту ветку; здесь он остановился застегнуть сандалию; здесь он прислонился к дереву, в котором явно обитала дриада...

Так прикинул, что отстает от своей добычи примерно на полчаса, — вполне достаточно времени, чтобы добраться туда, куда хочешь, и заняться, чем только душа ни пожелает. Отблески зарниц сверкнули над вздымавшимися теперь уже прямо у него над головой горами. Опять заворчал гром. Тропинка прильнула к самому подножию гор, лес поредел, и Таку приходилось вприпрыжку скакать среди высокой травы. Потом тропа начала упорно карабкаться в гору, с обеих сторон от нее появились все более и более величественные нагромождения голых камней и скал. Но Сэм здесь прошел, и Так, стало быть, пройдет тоже.

Далеко над головой переливающийся цветочной пыльцой Мост Богов исчезал под неуклонно накатывавшимся с востока валом туч. Сверкали молнии, и, теперь уже ни секунды не раздумывая, за ними грохотал гром. Здесь, на открытом месте, ветер набрал силу, трава пригибалась под его напором, резко похолодало.

На Така упали первые капли дождя, и он юркнул под укрытие каменного гребня, который следовал вдоль тропы как неширокая преграда, чуть, наудачу, наклоненная против дождя. Так продолжил свой путь у самого его основания, а хляби небесные разверзлись, мир обесцветился, с неба исчез последний голубой лоскуток.

Море бушующего света разверзлось вдруг над головой и трижды пролилось потоками, которые безумным крещендо устремились вниз, чтобы разбрызнуться о каменный клык, криво чернеющий под ветром в четверти мили далее, вверх по склону.

Когда Так опять начал различать предметы вокруг себя, он увидел нечто непонятное. Словно каждая из обрушившихся на склон молний оставила какую-то свою часть стоять, покачиваясь в сером воздухе, подрагивая от пульсации пламени, которому, казалось, не было дела до беспрестанно утюжившей склон влаги.

Потом Так услышал смех — или же это был лишь отголосок последнего раската грома?

Нет, это был смешок — исполинский, сверхчеловеческий!

А чуть позже разнесся яростный вопль. Потом новая вспышка, еще раз загрохотало.

Еще одна огненная воронка раскачивалась позади каменного клыка.

Минут пять Так отлеживался. Затем все повторилось — вопль, за ним три ослепительные вспышки и грохот.

Теперь там уже было семь огненных столпов.

Посмеет ли он приблизиться, подобраться к этим штуковинам, скрываясь по другую сторону от каменного клыка?

А если посмеет и сумеет, и если, как он чувствовал, тут был замешан Сэм, что он сможет поделать, если даже и самому Просветленному не под силу контролировать ситуацию?

Ответа он не знал, но обнаружил, что движется вперед, распластавшись в сырой траве, забирая все время влево.

Когда он был уже на полпути, это случилось опять, и десять башен громоздилось там теперь; красные, золотые, желтые, они отклонялись и возвращались, отклонялись и возвращались, словно их основания пустили в скалы корни.

Он скорчился там, промокший и дрожащий, пытаясь понять, достанет ли ему смелости, и убедился, что ее у него совсем немного. И тем не менее он пополз дальше, пока не сумел добраться до странного этого места и заползти за клык.

Там можно было наконец выпрямиться, ибо вокруг высилось много большущих каменных глыб и валунов. Укрываясь за ними от возможного взгляда снизу, он осторожно продвинулся вперед, не отрывая взгляда от клыка.

Там виднелось дупло. У самого его основания имелась сухая неглубокая пещерка, а внутри нее были различимы две коленопреклоненные фигуры. Отшельники, погруженные в молитву? Неужели?

И тут оно случилось. Самая ужасная вспышка, какую он только когда-либо видывал, обрушилась на скалу — не мгновенно, не на один только миг. Словно огнеязыкий зверь лизал урча камень, вылизывал его, быть может, целых полминуты.

Когда Так открыл глаза, он насчитал двадцать пылающих башен.

Один из святых наклонился вперед и сделал какой-то жест. Другой рассмеялся. До расщелины, где лежал Так, донеслись звуки и слова:

— Очи змеи! Теперь я!

— Сколько теперь? — спросил второй, и Так узнал голос Махатмы Сэма.

— Вдвое — или ничего! — прорычал тот и наклонился вперед, затем откинулся назад и сделал тот же жест, что и Сэм чуть ранее.

— Нина из Шринагина! — пропел он и наклонился, повторяя тот же жест.

— Святые семь, — мягко произнес Сэм.

Второй взвыл.

Так зажмурился и заткнул уши, предчувствуя, что последует за этим воплем.

И он не ошибся.

Когда ослепительное пламя и оглушительный грохот миновали, он осторожно глянул вниз на феерически освещенную сцену. Считать он не стал. Похоже, что штук сорок огневых единиц маячило теперь там, отбрасывая вокруг жуткие отсветы; их число удвоилось.

Ритуал возобновился. На левой руке Будды сверкало — своим собственным, бледным, чуть зеленоватым светом — железное кольцо.

И опять он услышал слова: «Вдвое — или ничего», и опять в ответ раздалось: «Святые семь».

На сей раз он решил, что скала расколется под ним. На сей раз он подумал, что пламя выжжет ему ретину сквозь плотно сомкнутые веки. Но он ошибся.

Когда он открыл глаза, взгляду его предстала уже целая армия колеблющихся перунов. Их сияние врезалось ему прямо в мозг, и он, поспешно прикрыв глаза рукой, опустил взгляд.

— Ну, Ралтарики? — спросил Сэм, и светлый изумрудный луч играл на его левой руке.

— Еще раз, Сиддхартха. Вдвое — или ничего.

На миг завеса дождя разорвалась, и в ослепительном сиянии огненных призраков Так увидел, что плечи того, кого звали Ралтарики, венчала голова буйвола, и успел заметить у него вторую пару рук.

Так поежился.

Зажмурился, заткнул уши, стиснул зубы и стал ждать.

Ждать пришлось не долго. Кругом грохотало, сверкало, длилось и длилось, пока Так не потерял наконец сознание.

Когда он пришел в себя, все кругом было серо, между ним и скалистым щитом оставался только присмиревший, спокойно моросящий дождь. У подножия скалы виднелась только одна фигура, и у нее не было видно ни рогов, ни лишних рук.

Так не двигался. Он ждал.

— Это, — сказал Яма, протягивая ему аэрозоль, — репеллент, он отпугивает демонов. В будущем, когда ты надумаешь забраться подальше от монастыря, обязательно пользуйся им. Я считал, что в округе нет ракшасов, а не то я дал бы его тебе раньше.

Так взял сосуд и положил его перед собой на стол.

Они сидели за легкой трапезой в покоях Ямы. Бог смерти откинулся назад в своем кресле со стаканом вина — вина для Будды — в левой руке и полупустым графином в правой.

— Значит, тот, кого зовут Ралтарики, и в самом деле демон? — спросил Так.

— И да, и нет, — отвечал Яма. — Если под «демоном» ты понимаешь злобное, сверхъестественное существо, обладающее огромной силой, ограниченным сроком жизни и способностью временно принимать практически любую форму, тогда ответ будет «нет». Это — общепринятое определение, но в одном пункте оно действительности не соответствует.

— Да? И в каком же это?

— Это не сверхъестественное существо.

— Но все остальное...

— Справедливо.

— Тогда я не вижу никакой разницы, сверхъестественное оно или нет, коли оно злобно, обладает огромной силой и сроком жизни, да и к тому же может менять по собственной воле свой внешний вид.

— Да нет, в этом, видишь ли, кроется большая разница. Разница между непознанным и непознаваемым, между наукой и фантазией — это вопрос самой сути. Четыре полюса компаса — это логика, знание, мудрость и непознанное, оно же неведомое. И некоторые склоняются в этом последнем направлении. Другие же наступают на него. Склониться перед одним — потерять из виду три остальных. Я могу подчиниться непознанному, но непознаваемому — никогда. Человек, склоняющийся в этом последнем направлении, — либо святой, либо дурак. Мне не нужен ни тот ни другой.

Так пожал плечами и отхлебнул вина.

— Ну а демоны?..

— Познаваемы. Я много лет экспериментировал с ними, и, если ты помнишь, я был одним из четверых, спустившихся в Адский Колодезь, когда Тарака скрылся от Владыки Агни в Паламайдзу. Разве ты не Так от Архивов?

— Я был им.

— Ведь ты же читал тогда записи о первых контактах с ракшасами?

— Я читал о днях обуздания...

— Тогда ты знаешь, что они — исконные обитатели этого мира, что они были здесь еще до появления человека с исчезнувшей Симлы.

— Да.

— Они — порождение скорее энергии, чем материи. Их собственные легенды повествуют, что когда-то у них были тела и жили они в городах. Однако в поисках личного бессмертия вступили они на другой путь, нежели человек. Им удалось отыскать способы увековечивать себя в виде стабильных энергетических полей. И покинули они свои тела, чтобы вечно жить в виде силовых вихрей. Но чистым интеллектом при этом не стали. По-прежнему влачат они на себе всю полноту собственных «я» и, рожденные материей, навсегда подвержены все-пожирающей страсти к плоти. Хотя они и способны временно принимать плотское обличье, не могут они вернуть

34

его себе без посторонней помощи. Веками бесцельно блуждали они по всему миру. Потом пришествие Человека нарушило их покой. Чтобы преследовать пришельца, облеклись они в формы его кошмаров. Вот почему нужно было их победить, обуздать и сковать в безднах под Ратнагари. Мы не могли уничтожить их всех. Мы не могли допустить, чтобы продолжали они свои попытки овладеть инкарнационными машинами и людскими телами. Вот почему были они загнаны в ловушку, вот почему заключены в огромные магнитные бутылки.

— Ну а Сэм освободил многих, чтобы они исполняли его волю, — перебил Так.

— Ну да. Он заключил и поддерживал кошмарный пакт, по которому кое-кто из них еще может обитать в этом мире. Среди всех людей они уважают, может быть, лишь одного Сиддхартху. Но есть у них и один общий со всеми людьми порок.

— Какой же?

— Они страстно любят азартные игры... Они готовы играть на что угодно, и игорные долги — единственный для них вопрос чести. Так и должно быть, иначе они не доверяли бы другим игрокам — и лишились бы тем самым своего, быть может, единственного удовольствия. Поскольку огромна была их сила, даже принцы готовы были на игру с ними — в надежде выиграть их услуги. Так были потеряны целые королевства.

— Если ты считаешь, — сказал Так, — что Сэм играл с Ралтарики в одну из древних игр, какими же могли быть ставки?

Яма допил вино, налил еще.

— Сэм глупец. Нет, не то... Он игрок. Это совсем другое. Ракшасы контролируют множество низших энергетических существ. Сэм посредством того кольца, что он нынче носит, управляет теперь целой армией огненных элементалей, выигранных им у Ралтарики. Это смертельно опасные, неразумные создания — и в каждом сила разряда молнии.

Так допил свое вино.

— Но какую ставку мог сделать в этой игре Сэм?

Яма вздохнул.

— Все мои труды, все наши усилия более чем за полвека.

— Ты имеешь в виду — свое тело?

Яма кивнул.

— Человеческое тело — высший стимул, самая заманчивая приманка, какую только можно предложить демону.

— Зачем же Сэму так рисковать?

Яма уставился невидящим взглядом на Така.

— Вероятно, это — единственный для него способ пробудить свою волю к жизни, опять взвалить на себя свой долг, — поставив самого себя на край пропасти, рискуя самим своим существованием при каждом броске кости.

Так подлил себе вина и тут же выпил его.

— Для меня вот это и есть непознаваемое, — сказал он.

Но Яма покачал головой.

— Только непознанное, — поправил он. — Сэм отнюдь не святой и, уж конечно же, не дурак.

— Хотя почти, — решил Яма и под вечер опрыскал демоническим репеллентом весь монастырь.


На следующий день явился поутру к монастырю маленький человек и уселся перед главным входом, поставив чашу для подаяния у самых своих ног. Одет он был просто, в потертую хламиду из грубой темной материи, доходившую ему до колен. Левый его глаз прикрывала черная повязка. Длинными темными прядями свисали с черепа остатки волос. Острый нос, маленький подбородок и высоко поставленные плоские уши придавали его лицу сходство с лисьей мордой. Единственный его зеленый глаз, казалось, никогда не моргал, лицо туго обтягивала обветренная кожа.

Просидел он так минут двадцать, пока его не заметил один из послушников Сэма и не сообщил об этом кому-то из темнорясых монахов ордена Ратри. Монах, в свою очередь, разыскал одного из жрецов и передал информацию ему. Жрец, желая произвести на богиню впечатление добродетелями ее последователей, немедленно послал за нищим, накормил его, выдал ему новую одежду и предоставил келью для отдыха, чтобы тот мог оставаться в монастыре, сколько пожелает.

Пищу нищий принял с достоинством брамина, но не стал есть ничего, кроме хлеба и фруктов. Он принял также и темное одеяние ордена Ратри, сбросив свою прокопченную блузу. Затем он осмотрел келью и новый тюфяк, положенный там для него.

— Благодарю тебя, достойный жрец, — произнес он глубоким и гулким голосом, неведомо как умещавшимся в его хрупком теле. — Благодарю тебя и молю, чтобы твоя богиня обратила на тебя свою улыбку за доброту и любезность, явленные от ее имени.

На это улыбнулся и сам жрец, все еще в надежде, что как раз сейчас Ратри пройдет через зал и оценит доброту и любезность, явленные им от ее имени. Но она не прошла. На самом деле мало кому из ее ордена удавалось увидеть ее, даже по ночам, когда она преисполнялась силы и проходила среди них: ведь только шафраннорясые ожидали пробуждения Сэма и доподлинно знали, кто он такой. Обычно она проходила по монастырю, пока ее послушники были погружены в молитву, или же уже после того, как они расходились по своим кельям. Днем она обычно спала; видели они ее всегда с прикрытым лицом и закутанной в просторную рясу; пожелания свои и приказы она передавала через Гандхиджи, главу ордена, ему в этом цикле уже исполнилось девяносто три года, и был он почти слеп.

Ее монахи, как и монахи в шафрановых рясах, любопытствовали о ее внешности и стремились добиться от нее благосклонности. Считалось, что благословение богини обеспечит следующую инкарнацию в брамина. Не стремился к этому один Гандхиджи, ибо принял он путь подлинной смерти.

Так как она не появилась в зале, жрец продолжил беседу.

— Меня зовут Баларма, — заявил он. — Могу ли я узнать твое имя, достопочтенный господин, и, может быть, твою цель?

— Меня зовут Арам, — сказал нищий, — и я принял обет десятилетней нищеты и семилетнего молчания. К счастью, семь лет уже минуло, и я могу сейчас поблагодарить своих благодетелей и ответить на их расспросы. Я направляюсь в горы, чтобы разыскать там подходящую пещеру, в которой мог бы предаться медитациям и молитве. Я, пожалуй, воспользовался бы на несколько дней вашим гостеприимством, перед тем как возобновить свое путешествие.

— В самом деле, — сказал Баларма, — нам будет оказана честь, если святой подвижник сочтет подобающим почтить наш монастырь своим присутствием. Желанным гостем ты будешь для нас. Если тебе понадобится что-либо для твоего долгого пути и мы будем способны тебе в этом помочь, прошу, скажи нам об этом.

Арам уставился на него своим немигающим зеленым глазом и промолвил:

— Монах, который первым меня приметил, носил не темную рясу вашего ордена, — и он дотронулся до темного одеяния. — Мне показалось, что мой несчастный глаз уловил какой-то другой цвет.

— Да, — ответствовал Баларма, — ибо послушники Будды обрели у нас приют, недолго отдыхая здесь, в нашем монастыре.

— Это воистину интересно, — кивнул Арам, — ибо хотелось бы мне поговорить с ними и узнать при случае побольше об их Пути.

— Коли ты останешься на время здесь, тебе предоставится много таких возможностей.

— Тогда я так и поступлю. А долго ли будут они здесь?

— Сие мне неведомо.

Арам кивнул.

— Когда смогу я поговорить с ними?

— Сегодня вечером, в тот час, когда все монахи собираются вместе и беседуют на любые темы, — все, кроме принявших обет безмолвия.

— Ну а до тех пор я посвящу свое время молитве, — сказал Арам. — Благодарю тебя.

Каждый слегка поклонился, и Арам вошел в свою келью.


В тот вечер Арам был среди монахов в час общения. В это время члены обоих орденов встречались друг с другом и пускались в богоугодные беседы. Сэм там не присутствовал, не было и Така, ну а Яма и вовсе здесь не появлялся.

Арам уселся за длинный стол в рефектории напротив нескольких буддистских монахов. Некоторое время он поговорил с ними, обсуждая доктрину и практику, касту и вероучение, погоду и текущие дела.

— Кажется странным, — сказал он чуть погодя, — что ваш орден проник так далеко на юг и на запад.

— Мы — странствующий орден, — откликнулся монах, к которому он обратился. — Мы следуем ветру. Мы следуем своему сердцу.

— В земли, где проржавела почва, в сезон гроз? Может, где-то здесь имело место какое-то откровение, которое могло бы расширить мои представления о мире, узнай я о нем?

— Все мироздание — сплошное откровение, — сказал монах. — Все меняется — и в то же время остается. День следует за ночью... каждый день — иной, но все же — это день. Почти все в мире — иллюзия, однако формы этой иллюзии следуют образцам, составляющим часть божественной реальности.

— Да-да, — вмешался Арам. — В путях иллюзии и реальности я многоопытен, но спрашивал-то я о том, не появлялось ли в округе новых учителей, не возвращался ли кто из старых или, быть может, имела место божественная манифестация, которая могла бы помочь пробуждению моей души.

С этими словами нищий смахнул со стола красного, размером с ноготь большого пальца жука, который ползал рядом с ним, и занес над ним сандалию, чтобы его раздавить.

— Молю, брат, не причиняй ему вреда, — вмешался монах.

— Но их всюду множество, а Властелины Кармы утверждают, что, во-первых, человек не может вернуться в мир насекомым, а, во-вторых, убийство насекомого не отягчает личной кармы.

— Тем не менее, — объяснил монах, — поскольку вся жизнь едина, в этом монастыре принято следовать доктрине ахимсы и воздерживаться от прерывания любого ее проявления.

40

— Но ведь, — возразил Арам, — Патанджали утверждает, что правит намерение, а не деяние. Следовательно, если я убил скорее с любовью, чем с ненавистью, то я словно бы и не убивал. Признаю, что в данном случае все не так и, без сомнения, налицо злой умысел; стало быть, груз вины падет на меня, убью я или нет, — из-за наличия намерения. Итак, я мог бы раздавить его и не стать ничуть хуже — в соответствии с принципом ахимсы. Но поскольку я здесь гость, я, конечно же, уважу местные обычаи и не совершу подобного поступка.

И он отодвинул от жука свою ногу: тот не сдвинулся с места, лишь чуть пошевеливая красными своими усиками.

— Воистину, вот настоящий ученый, — сказал монах ордена Ратри.

Арам улыбнулся.

— Благодарю тебя, но ты не прав, — заявил он. — Я лишь смиренный искатель истины, и при случае мне, бывало, выпадала удача прислушиваться к умным речам. Если бы мне везло так и в дальнейшем! Если бы неподалеку оказался какой-нибудь замечательный учитель или ученый, по раскаленным углям пошел бы я к нему, чтобы сесть у его ног и выслушать его слова или последовать его примеру. Если...

И он вдруг прервался, ибо все вокруг уставились на дверь у него за спиной. Не оглядываясь, он молниеносно раздавил жука, что замер около его руки. Две крохотные проволочки проткнули сломанный хитин его спинки, наружу проступила грань крошечного кристаллика.

Тогда Арам обернулся, и его зеленый глаз, скользнув вдоль рядов сидевших между ним и дверью монахов, уставился прямо на Яму; тот был облачен во все алое — галифе, сапоги, рубаха, кушак, плащ и перчатки; голову венчал кроваво-красный тюрбан.

— «Если»? — сказал Яма. — Ты сказал «если»? Если бы какому-либо мудрецу или же божественной аватаре случилось оказаться поблизости, ты бы хотел с ним познакомиться? Так ли ты сказал, чужак?

Нищий поднялся из-за стола и поклонился.

— Я — Арам, — заявил он, — странник и спутник каждому, кто ищет просветления.

Яма не поклонился в ответ.

— Зачем же ты перевернул собственное имя, Владыка Иллюзий, когда лучше любого герольда оповещают о тебе твои слова и деяния?

Нищий пожал плечами.

— Я не понимаю, о чем ты говоришь.

Но губы его опять искривила усмешка.

— Я тот, кто домогается Пути и Права, — добавил он.

— Мне в это трудно поверить, ведь на моей памяти ты предаешь уже тысячи лет.

— Ты говоришь об отпущенных богам сроках.

— Увы, ты прав. Ты грубо ошибся, Мара.

— В чем же?

— Тебе кажется, что дозволено будет тебе уйти отсюда живым.

— Ну конечно, я предвижу, что так оно и будет.

— Не учитывая многочисленные несчастные случаи, которые могут обрушиться в этом диком краю на одинокого путника.

— Уже много лет путешествую я в одиночку. И несчастные случаи всегда были уделом других.

— Ты, наверное, считаешь, что даже если тело твое будет здесь уничтожено, твой атман перенесется прочь, в где-то заранее заготовленное другое тело. Уверен, кто-нибудь уже разобрался в моих заметках, и этот фокус стал для вас возможным.

Брови нищего чуть нахмурились и сдвинулись на долю дюйма теснее и ниже.

— Тебе невдомек, что сокрытые в этом здании силы делают такой перенос невозможным.

Нищий вышел на середину комнаты.

— Яма, — воззвал он, — ты безумец, коли собираешься сравнивать свои ничтожные после падения силы с мощью Сновидца.

— Может, и так, Повелитель Мара, — ответил Яма, — но слишком уж долго я дожидался этой возможности, чтобы откладывать ее на потом. Помнишь мое обещание в Дезирате? Если ты хочешь продлить цепь своих перерождений, у тебя нет другого выхода, тебе придется пройти через эту, единственную здесь дверь, которую я преграждаю. Ничто за пределами этой комнаты не в силах тебе ныне помочь.

И тогда Мара поднял вверх руки, и родилось пламя.

Все пылало. Языки пламени жадно лизали каменные стены, деревянные столы, рясы монахов. Волны дыма пробегали по комнате. Яма стоял в центре пожарища и не шевелился.

— Неужели ты не способен на большее? — спросил он. — Твое пламя повсюду, но ничто не сгорает.

Мара хлопнул в ладоши, и пламя исчезло.

Вместо него возник гигантский коброид. Его голова раскачивалась вдвое выше самого рослого из монахов, серебристый капюшон раздувался; изогнувшись в виде огромного S, он готовился к смертельному выпаду.

Яма не обратил на него никакого внимания, его сумрачный взгляд, зондируя, словно жало ядовитого насекомого, буравил единственный глаз Мары.

Коброид поблек и рассеялся, так и не завершив своего броска. Яма шагнул вперед.

Мара отступил на шаг.

Они замерли так, и сердца их бились — раз, другой, третий, — прежде чем Яма сделал еще два шага вперед, и Мара опять отступил. На лбу у обоих сверкали капельки пота.

Нищий явно подрос, волосы его стали заметно гуще; тело окрепло, а плечи раздались вширь. Движения его обрели некую грацию, которой ранее, конечно же, не было и в помине.

Он отступил еще на шаг.

— Да, Мара, перед тобой бог смерти, — процедил Яма сквозь крепко сжатые зубы. — Павший я или нет, в глазах моих — реальная смерть. И тебе придется встретить мой взгляд. За спиной у тебя стена, и дальше пятиться будет некуда. Смотри, силы уже начинают покидать твои члены. Холодеют твои руки и ноги.

Зарычав, Мара оскалился. Загривок его толщиной поспорил бы с бычьим. Бицепсы напоминали бедра взрослого мужчины. Грудь — как наполненная силой бочка, ноги попирали пол, словно стволы платанов в лесу.

— Холодеют? — переспросил он, вытягивая вперед руки. — Этими руками, Яма, я могу переломить пополам гиганта. Ты же всего-навсего изношенный бог падали, не так ли? Твой сердитый взгляд исподлобья способен исторгнуть душу у старца или калеки. Ты можешь заморозить глазами бессловесных животных или людишек низших каст. Я настолько же выше тебя, насколько звезды в небе выше океанских бездн.

Руки Ямы в алых перчатках, словно две кобры, обрушились ему на шею.

— Так отведай же той силы, над которой ты насмехаешься, Сновидец. С виду ты переполнен силой. Так используй же ее! Победи меня не словами!

Руки Ямы начали сжиматься у него на горле, и лицо Мары, его щеки и лоб зацвели алыми пятнами. Глаз,

**44**

казалось, вот-вот выкатится из своей орбиты, его зеленый лучик судорожно обшаривал окоем в поисках спасения.

Мара упал на колени.

— Остановись, Бог Яма! — с трудом выдохнул он. — Не убьешь же ты себя?

Он менялся. Черты его лица заколебались и потекли, будто он лежал под покровом бегущих вод.

Яма посмотрел вниз на свое собственное лицо и увидел, как его руки вцепились ему в запястья.

— Вместе с тем как покидает тебя жизнь, Мара, растет твое отчаяние. Не настолько уж Яма ребенок, чтобы побояться разбить зеркало, которым ты стал. Пробуй, что у тебя там еще осталось, или умри как человек, все равно именно это и ждет тебя в конце.

Но еще раз заструилась над Марой вода, и еще раз изменился он.

И на сей раз заколебался Яма, прервался вдруг его напор.

По его алым перчаткам разметались ее бронзовые кудри. Бледно-серые глаза жалобно молили его. На шее у нее висело ожерелье из выточенных из слоновой кости черепов, своей мертвенной бледностью они почти не отличались от ее плоти. Сари ее было цвета крови. Руки почти ласкали его запястья.

— Богиня! — шепнул он.

— Ты же не убьешь Кали?.. Дургу?.. — едва выдавила она в удушье.

— Опять не то, Мара, — прошептал он. — Разве ты не знал, что каждый убивает то, что любил? — И руки его сомкнулись, и раздался хруст ломаемых костей.

— Десятикратно будешь ты осужден, — сказал Яма, зажмурив глаза. — Не будет тебе возрождения.

И он разжал руки.

Высокий, благородного сложения человек распростёрся на полу у его ног, склонив голову на правое плечо.

Глаз его навсегда сомкнулся.

Яма перевернул ногой лежащее тело.

— Возведите погребальный костёр, — сказал он монахам, не поворачиваясь к ним, — и сожгите тело. Не опускайте ни одного ритуала. Сегодня умер один из величайших.

И тогда отвёл он глаза от деяния рук своих, резко повернулся и вышел из комнаты.


Тем вечером молнии разбежались по небосводу и дождь, как картечь, барабанил с Небес.

Вчетвером сидели они в комнате на самом верху башни, венчавшей собою северо-западную оконечность монастыря.

Яма расхаживал взад и вперёд, останавливаясь всякий раз у окна.

Остальные сидели, смотрели на него и слушали.

— Они подозревают, — говорил он им, — но не знают. Они не посмеют опустошить монастырь бога, одного из своих, чтобы не обнаружить перед людьми раскол в своих рядах, — по крайней мере, пока не будут вполне уверены. А уверены они не были, вот они и начали расследование. Это означает, что у нас ещё есть время.

Они кивнули.

— Некоему брамину, отказавшемуся от мира в поисках своей души, случилось проходить мимо, и — увы, печальное событие, — он умер здесь подлинной смертью. Тело его было сожжено, прах развеян над рекой, что впадает в океан. Вот как всё было... Ну а странствующие монахи Просветлённого как раз гостили здесь в это время. А вскоре отправились дальше. Кто знает, куда лежал их путь...

Так постарался принять как можно более вертикальное положение.

— Божественный Яма, — сказал он, — это, конечно, сгодится — на неделю, месяц, может быть, даже больше, но история эта пойдет прахом, как только первый из присутствующих в монастыре попадет в Палаты Кармы, подвергнется суду ее Хозяев. И как раз в подобных обстоятельствах кто-то из них может очень скоро попасть туда. Что тогда?

Яма аккуратно скручивал сигарету.

— Нужно все устроить так, чтобы моя версия стала реальностью.

— Как это может быть? Когда человеческий мозг подвергается кармическому проигрыванию, все записанное в нем, все события, свидетелем которых был он в своем последнем жизненном цикле, предстают читающему механизму его судьи столь же внятными, как и записи на свитке.

— Да, это так, — признал Яма. — А ты, Так от Архивов, никогда не слышал о палимпсестах? О свитках, которые были использованы, потом подчищены, стерты — и использованы заново?

— Конечно, слышал, но ведь разум — это не свиток.

— Неужели? — усмехнулся Яма. — Хорошо, но эту метафору употребил ты, а не я. Ну а все же, что такое истина? Истина — дело твоих рук.

Он закурил.

— Эти монахи присутствовали при странном и страшном событии, — продолжал он. — Они видели, как я принял свой Облик и обрел Атрибут. Они видели, как то же самое сделал и Мара — здесь, в этом монастыре, где мы вдохнули новую жизнь в принцип ахимсы. Они, конечно, знают, что боги способны совершать подобные поступки, не отягчая своей кармы, но шок был тем не менее силен, а впечатление живо. А ведь еще предстоит и окончательное сожжение. К моменту этого сожжения та легенда, которую я только что вам изложил, должна стать в их умах истиной.

— Как? — спросила Ратри.

— Этой же ночью, сей же час, — сказал Яма, — пока образ события пламенеет внутри их сознания, а мысли их в смятении, будет выкована и водружена на место новая истина... Сэм, ты отдыхал достаточно долго. Пора уже браться за дело и тебе. Ты должен прочесть им проповедь. Ты должен воззвать к тем благородным чувствам и тем высшим духовным качествам в них, которые превращают людей в благодарное поле для божественного вмешательства. Мы с Ратри объединим наши усилия, и для них родится новая истина.

Сэм изменился в лице и потупил глаза.

— Не знаю, смогу ли я это сделать. Все это было так давно...

— Однажды Будда — Будда навсегда. Стряхни пыль с каких-нибудь старых притч. У тебя есть минут пятнадцать.

Сэм протянул руку.

— Дай-ка мне табаку и листок бумаги.

Он принял все это, свернул сигарету.

— Огонек?.. Спасибо.

Глубоко затянулся, закашлялся.

— Я устал им лгать, — промолвил он наконец. — А это, как я понимаю, и есть настоящая ложь.

— Лгать? — переспросил Яма. — Кто предлагает тебе лгать? Процитируй им Нагорную проповедь, если хочешь. Или что-нибудь из Пополь-Вуха... Из Илиады... Мне все равно, что ты там наговоришь. Просто немножко встряхни их, немножко утешь. Больше я ни о чем не прошу.

— Ну и что тогда?

— Что? Тогда я начну спасать их — и нас!

Сэм медленно кивнул.

— Когда ты все это так преподносишь... что касается подобных тем, то я еще не вполне в форме. Ладно, я подберу пару истин и подброшу немножко набожности, но дай мне минут двадцать.

— По рукам, двадцать минут. А потом сразу пакуемся. Завтра мы отправляемся в Хайпур.

— Так скоро? — спросил Так.

Яма качнул головой.

— Так поздно, — сказал он.


Монахи сидели рядами на полу рефектория. Столы сдвинули к стене. Насекомые куда-то подевались. Снаружи, не переставая, моросил дождь.

Махатма Сэм, Просветленный, вошел в залу и уселся перед ними.

Вошла, как всегда под вуалью, одетая буддистской послушницей Ратри.

Яма и Ратри отошли в глубь комнаты и тоже уселись на пол. Так тоже был где-то рядом.

Сэм несколько минут сидел, не открывая глаз, затем негромко произнес:

— У меня много имен, но они сейчас не имеют значения.

Он чуть приоткрыл глаза, но это было единственное его движение. Ни на кого конкретно он не смотрел.

— Имена не важны, — сказал он. — Говорить — это называть имена, но не в этом важность. Однажды случается нечто, чего до той поры никогда не случалось. Глядя на это, человек созерцает реальность. Он не может поведать другим, что же он видел. Но другие хотят это узнать, и вот они вопрошают его; они говорят: «На что

оно похоже — то, что ты видел?» И он пытается расска-
зать им. Быть может, он видел самый первый в мире
огонь. Он говорит им: «Он красен, как мак, но пляшут в
нем и иные цвета. У него нет формы, как у воды; он те-
куч. Он теплый, как летнее солнце, даже теплее. Он существует какое-то время на куске дерева — и дерево исчезает, будто съеденное, остается лишь что-то черное,
сыпучее, как песок. И он исчезает вместе с деревом».
И вот слушатели вынуждены думать, что реальность эта
схожа с маком, с водой, с солнцем, с тем, что ест и испражняется. Они думают, что она, эта реальность, схожа со всем, чему она подобна по словам познавшего ее.
Но вот огонь снова и снова появляется в этом мире. Все
новые и новые люди видят его. И спустя какое-то время
огонь становится уже так привычен, как трава, облака,
как воздух, которым они дышат. И они видят, что хотя и
похож он на мак, это не мак, хотя и похож на воду, не вода, хотя похож на солнце, но не солнце, хотя и похож на
того, кто ест и испражняется, все же это не тот, кто ест и
испражняется, но нечто отличное от каждого из этих
предметов или ото всех их разом. Так что смотрят они на
эту новую суть и изобретают новое слово, чтобы назвать
ее. Они зовут ее «огонь».

Если же случится им вдруг встретить человека, который еще не видел огня, и они скажут ему о нем, не пой-
мет он, что же они имеют в виду. И опять им, в свою очередь, придется говорить ему, на что похож огонь. Но при
этом они знают по собственному опыту, что говорят они
ему не истину, а только часть истины. Они знают, что человек этот никогда не познает с их слов реальность, хотя
и могут они использовать все слова на свете. Он должен
взглянуть на огонь, ощутить его запах, согреть у него руки, всмотреться в его сердце — или остаться навеки не-
ведающим. Не важен, стало быть, «огонь», не важна

**50**

«земля», «воздух», «вода», не важно «я». Ничто не важно. Но забывает человек реальность и помнит слова. Чем больше слов он помнит, тем умнее считают его окружающие. Он взирает, как в мире происходят великие изменения, но видит он их совсем не так, как виделись они, когда человек посмотрел на реальность впервые. На язык к нему приходят имена, и он улыбается, пробуя их на вкус, он думает, что, именуя, он познает. Но еще происходит никогда доселе не бывавшее. Это все еще чудо. Великий пылающий цветок распускается, переливаясь, на кромке мира, оставляя по себе пепел мира и не будучи ни в чем из перечисленного мною — и в то же время являясь всем; это и есть реальность — Безымянное.

И вот я требую от вас — забудьте имена, что вы носите, забудьте слова, что я говорю, как только они произнесены. Взыскуйте лучше Безымянное внутри самих себя. Безымянное, которое поднимается, когда я обращаюсь к нему. Оно внимает не моим словам, а реальности внутри меня, частью которой оно является. Это атман, и слышит он не мои слова, но меня. Все остальное нереально. Определить — это утратить. Сущность всех вещей — Безымянное. Безымянное непознаваемо, оно всесильнее даже Брахмы. Вещи преходящи, сущность неизменна. И восседаете вы, стало быть, среди грезы.

Сущность грезит грезой формы. Формы проходят, но сущность остается, грезя новой грезой. Человек именует эти грезы и думает, что ухватил самую суть, сущность, не ведая, что взывает к нереальному. Эти камни, эти стены, эти тела, которые, как вы видите, сидят вокруг вас, — это маки, это вода, это солнце. Это — грезы Безымянного. Это, если угодно, огонь.

Иногда может явиться сновидец, которому ведомо, что он грезит. Он может обуздать что-либо из плоти грезы, подчинить ее своей воле — или же может пробудиться к более глубокому самосознанию. Если он выберет путь самопознания, велика будет его слава и на все века просияет звезда его. Если же выберет он вместо этого путь тантры, не забывая ни сансары, ни нирваны, охватывая весь мир и продолжая жить в нем, то могущественным станет он среди сновидцев. Обратиться его могущество может и к добру, и ко злу, как мы увидим, — хотя сами эти слова, и они тоже, бессмысленны вне именований сансары.

Пребывать в ложе сансары, однако, означает подвергаться воздействию тех, кто могуществен среди сновидцев. Коли они могущественны к добру, это золотое время. Коли ко злу — время мрака. Греза может обернуться кошмаром.

Писание гласит, что жизнь — это претерпевание. Да, это так, говорят мудрецы, ибо человек, чтобы достичь просветления, должен преизбыть круг своей Кармы. Поэтому-то, говорят мудрецы, какая выгода человеку бороться внутри грезы против того, что есть его жребий, путь, которому он должен следовать, чтобы достичь освобождения? В свете вечных ценностей, говорят мудрецы, страдание — как бы ничто; в терминах сансары, говорят мудрецы, оно ведет к добру. Какие же оправдания есть тогда у человека, чтобы бороться против тех, кто могуществен ко злу?

Он на мгновение замолк, приподнял голову.

— Сегодня ночью среди вас прошел Владыка Иллюзий — Мара, могущественный среди сновидцев, могущественный ко злу. И натолкнулся он на другого, на того, кто умеет работать с плотью снов на иной лад. Он встретил Дхарму, способного извергнуть сновидца из его сна. Они боролись, и Великого Мары больше нет. Почему боролись они, бог смерти с иллюзионистом?

Вы скажете, неисповедимы пути их, неисповедимы пути господни. Это не ответ.

Ответ, оправдание — одно и то же и для людей, и для богов. Добро или зло, говорят мудрецы, какая разница, ведь оба они принадлежат сансаре. Согласитесь, но учтите и то, о чем мудрецы не говорят. Оправдание это — «красота», то есть слово, — но загляните под это слово и узрите Путь Безымянного. А каков путь Безымянного? Это Путь Грезы. А почему Безымянное грезит? Неведомо это никому, кто пребывает в сансаре. Так что лучше спросите, о чем же грезит Безымянное?

Безымянное, частью коего все мы являемся, грезит о форме, провидит форму. А каково же высшее свойство, коим форма способна обладать, высший ее атрибут? Это красота. И Безымянное, стало быть, художник. И проблема тем самым не в добре или зле, но в эстетике. Бороться против тех, кто могущественны среди сновидцев и могущественны ко злу, то есть против уродства, — это не бороться за то, что, как учили нас мудрецы, лишено смысла на языке сансары или нирваны, это, скорее, бороться за симметрическое сновидение грезы на языке ритма и пункта, равновесия и контраста, каковые наполняют ее красотой. Об этом мудрецы ничего не говорят. Истина эта столь проста, что они, должно быть, проглядели ее. Вот почему обязывает меня эстетика данного момента обратить на это ваше внимание. Только волей Безымянного и порождается борьба против сновидцев, грезящих об уродливом, будь то боги или люди. Эта борьба также чревата страданием, и, следовательно, бремя Кармы будет ею облегчено, так же, как и претерпеванием уродства, но это страдание продуктивно в высшем смысле — в свете вечных ценностей, о которых так часто говорят мудрецы.

Истинно говорю вам, эстетика того, чему были вы сегодня свидетелями, — самой высшей пробы. Вы можете, однако, спросить меня: «Как же мне узнать, что красиво, а что уродливо, чтобы действовать, исходя из этого?» На этот вопрос, говорю я вам, ответить себе должны вы сами. Чтобы сделать это, прежде всего забудьте все, что я сказал, ибо я не сказал ничего. Покойтесь с миром в Безымянном.

Он поднял правую руку и склонил голову.

Встал Яма, встала Ратри, на одном из столов появился Так.

Они все вместе вышли из залы, будучи уверены, что на сей раз махинации Кармы разрушены.


Они шли сквозь пьянящее утреннее сиянье, под Мостом Богов. Высокие папоротники, все еще усыпанные жемчужинами ночного дождя, блестели с обеих сторон от тропы. Прозрачный пар, поднимавшийся от земли, слегка рябил контуры далеких горных вершин и верхушки деревьев. День выдался безоблачным. Свежий утренний ветерок еще навевал остатки ночной прохлады. Щелканье, жужжанье, щебет наполнявшей джунгли жизни сопровождали неспешную поступь монахов. Покинутый ими монастырь едва можно было различить над верхушками деревьев; высоко в воздухе над ним дым курсивом расписывался на небесах.

Прислужники Ратри несли ее носилки посреди группы монахов, слуг и горстки ее вооруженных телохранителей. Сэм и Яма шли в головной группе. Над ними бесшумно и незаметно прокладывал свой путь среди ветвей и листьев Так.

— Костер все еще пылает, — сказал Яма.

— Да.

— Они сжигают странника, которого, когда он остановился у них в монастыре, сразил сердечный приступ.

— Так оно и есть.

— Экспромтом ты произнес весьма впечатляющую проповедь.

— Спасибо.

— Ты и в самом деле веришь в то, что проповедовал?

Сэм рассмеялся.

— Я очень легковерен, когда речь идет о моих собственных словах. Я верю всему, что говорю, хотя и знаю, что я лжец.

Яма фыркнул.

— Жезл Тримурти все еще падает на спины людей. Ниррити шевелится в своем мрачном логове, тревожит южные морские пути. Не собираешься ли ты провести еще одну жизнь, предаваясь метафизике, — чтобы найти новое оправдание для противодействия своим врагам? Твоя речь прошлой ночью прозвучала так, будто ты опять принялся рассматривать «почему» вместо «как».

— Нет, — сказал Сэм. — Я просто хотел испробовать на них другие доводы. Трудно поднять на восстание тех, для кого все на свете — добро. В мозгу у них нет места для зла, несмотря на то, что они постоянно его претерпевают. Взгляды на жизнь у вздернутого на дыбу раба, который знает, что родится опять, может быть, даже — если он страдает добровольно — жирным торговцем, совсем не те, что у человека, перед которым всего одна жизнь. Он может снести все что угодно, ибо знает, что чем больше настрадается здесь, тем больше будет будущее удовольствие. Если подобному человеку не выбрать веру в добро или зло, быть может, красоту и уродство можно заставить послужить ему вместо них. Нужно изменить одни лишь имена.

— И это, значит, новая, официальная линия партии? — спросил Яма.

— Ну да, — сказал Сэм.

Рука Ямы нырнула в неведомую складку одеяния и тут же вынырнула обратно с кинжалом, который он приветственным жестом вскинул кверху.

— Да здравствует красота! — провозгласил он. — Да сгинет уродство!

На джунгли накатилась волна тишины.

Яма, быстро спрятав кинжал, взмахнул рукой.

— Стой! — закричал он.

Щурясь от солнца, он глядел вверх и куда-то направо.

— Прочь с тропы! В кусты! — скомандовал он.

Все пришло в движение. Облаченные в шафран фигуры хлынули с тропы. Среди деревьев очутились и носилки Ратри. Сама она стояла рядом с Ямой.

— Что такое? — спросила она.

— Слушай!

И тут-то оно и объявилось, низвергшись с небес на чудовищной звуковой волне. Сверкнуло над пиками гор, наискось перечеркнуло небо над монастырем, стерев дым с лица небес. Громовые раскаты протрубили его приход, и воздух дрожал, когда оно прорезало свой путь сквозь ветер и свет.

Был это составленный из двух перекрученных восьмерками петель крест святого Антония, и за ним тянулся хвост пламени.

— Разрушитель вышел на тропу охоты, — сказал Яма.

— Громовая колесница! — вскричал один из воинов, делая рукой какой-то знак.

— Шива, — сказал монах с расширившимися от ужаса глазами. — Разрушитель.

56

— Если бы я вовремя сообразил, насколько здорово ее сработал, — прошептал Яма, — я мог бы сделать так, чтобы дни ее были сочтены. Время от времени я начинаю раскаиваться в своем гении.

Она пронеслась под мостом богов, развернулась над джунглями и умчалась к югу. Грохот постепенно затих, опять стало тихо.

Защебетала какая-то пичуга, ей ответила другая. И вновь лес наполнился звуками жизни, путники вернулись на тропу.

— Она вернется, — сказал Яма, и так оно и было.

Еще дважды в этот день приходилось им сворачивать с тропы, когда над головами у них проносилась громовая колесница. В последний раз она покружила над монастырем, наблюдая, должно быть, как проходят погребальные обряды. Затем нырнула за горы и исчезла.

В эту ночь они заночевали под открытым небом, и то же повторилось днем позже.

На третий день они вышли к реке Диве неподалеку от маленького портового городка Куны. Здесь появилась наконец возможность воспользоваться нужным им транспортом; в тот же вечер они пустились в путь на барке, направляясь к югу, где Дива сливается с полноводной Ведрой, и далее, чтобы добраться наконец до пристаней Хайпура.

Сэм вслушивался в речные звуки. Он стоял на темной палубе, и руки его спокойно лежали на перилах. Он вглядывался в глубины вод, где вставали и падали светлые небеса, звезды тянулись друг к другу. Вот тогда ночь и обратилась к нему голосом Ратри:

— Ты проходил этим путем раньше, Татхагата?

— Много раз, — ответил он.

— Чудна Дива при тихой погоде, когда рябит и играет она под звездами.

— Воистину.

— Мы направляемся в Хайпур, во дворец Камы. Что ты будешь делать, когда мы доберемся?

— Некоторое время я потрачу на медитацию, богиня.

— О чем будешь ты медитировать?

— О своих прежних жизнях и ошибках, которые содержала каждая из них. Я должен пересмотреть и свою собственную тактику, и тактику врагов.

— Яма считает, что Золотое Облако тебя изменило.

— Очень может быть.

— Он считает, что оно смягчило тебя и ослабило. Ты всегда изображал из себя мистика, но теперь он думает, что ты и в самом деле им стал — на погибель себе и нам.

Он тряхнул головой, повернулся, но не увидел ее. То ли стояла она там невидимой, то ли отступила прочь? Он заговорил негромко, ровным голосом.

— Я сорву с небес эти звезды, — заявил он, — и швырну их в лицо богам, если это будет необходимо. Я буду богохульствовать по всей земле, в каждом Храме. Я буду вылавливать жизни, как рыбак ловит рыбу, — даже сетью, если это будет необходимо. Я опять взойду в Небесный Град, пусть даже каждая ступень станет пламенем или обнаженным мечом, а путь будут стеречь тигры. Однажды боги глянут с Небес и увидят меня на лестнице, несущим дар, которого они больше всего боятся. И в этот день начнется новая Юга.

Но сначала я должен какое-то время помедитировать, — закончил он.

Он отвернулся и опять уставился на катящиеся мимо воды.

Падающая звезда прожигала себе путь по небосводу. Корабль продолжал свой путь. Вокруг дышала ночь.

Сэм смотрел вперед, вспоминая.

## II

Однажды какой-то второстепенный раджа
какого-то заштатного княжества явился со
своей свитой в Махаратху, город, прозывав-
шийся Вратами Юга и Рассветной Столицей,
чтобы приобрести себе новое тело. Было это
в те времена, когда нить судьбы можно было
еще извлечь из сточной канавы, когда боги не
придерживались столь строго всех формально-
стей, обузданы были демоны, а Небесный Град
еще изредка доступен человеку. Вот рассказ о
том, как правитель этот столкнулся в Храме с обрядовым одноруким пандитом и навлек
на себя своей самонадеянностью немилость
Небес...

Немногие возрождаются снова среди людей,
больше тех, кто рождаются снова где-то еще.

*Ангуттара-никая (I, 35)*

День уже перевалил за середину, когда в рассветную столицу по широкой улице Сурьи въезжал князь.
Свита из сотни всадников теснилась за его белой кобылой, по левую руку от него скакал советник Стрейк, сабля покоилась в ножнах, на спинах вьючных лошадей по-
качивались тюки с его богатствами.

Зной обрушивался на тюрбаны, стекал по телам воинов на землю и вновь отражался от нее.

Навстречу им медленно ползла повозка, возница ее
покосился на стяг, который нес старший в свите; курти-
занка глядела на улицу, облокотясь о резную дверь свое-

го павильона; свора дворняг захлебывалась от лая, стараясь не попасть под копыта лошадей.

Князь был высок ростом. Его усы цветом напоминали дым. Темные, как кофе, руки бороздили набухшие вены. Но держался он еще очень прямо, а ясные, завораживающие глаза его походили на глаза древней птицы.

Поглазеть, как проходит дружина, стеклось немало зевак. Лошадьми пользовались только те, кто мог их приобрести, а немногим было по средствам позволить себе подобную роскошь. Обычным средством передвижения были ящеры — чешуйчатые твари со змеиной головой, снабженной многочисленными зубами; происхождение их было темно, жизнь — недолга, характер скверен; но лошади по каким-то причинам поколение за поколением становились все более бесплодными.

И князь въезжал в рассветную столицу, и глазел на это всяк, кто хотел.

Они свернули с улицы Солнца в более узкий проулок. Они проезжали мимо низеньких лавчонок и роскошных палат процветающих торговцев, мимо банков и Храмов, таверн и борделей. Они ехали мимо, пока впереди не показались деловые кварталы, здесь, на их границе, размещался гостиный двор Хауканы, Лучшего Среди Хозяев. У ворот они придержали лошадей, ибо сам Хаукана вышел навстречу — в простой одежде, дородный по последней моде и улыбающийся, — готовый лично ввести белую кобылу князя за ограду своего заведения.

— Добро пожаловать, Князь Сиддхартха! — возгласил он громким голосом, так что из зевак лишь глухой мог не узнать, что за гостя он приветствует. — Милости прошу в сей соловьиный край, в благоуханные сады и мраморные залы скромного сего заведения! Добро пожаловать и всадникам, что сопровождают тебя в столь замечательном путешествии, а сейчас, вне всякого сомне-

60

ния, не менее твоего жаждут изысканного отдыха и достойного досуга. Внутри ты найдешь все, чего только ни пожелаешь, как ты, надеюсь, неоднократно имел возможность убедиться в прошлом, когда обитал в залах этих в компании других высокородных гостей и знатных посетителей, увы, слишком многочисленных, чтобы упомянуть их всех, среди коих...

— И тебе день добрый, Хаукана! — воскликнул князь, ибо день выдался жарким, а речи хозяев постоялых дворов, совсем как реки, всегда грозят течь бесконечно. — Поспешим же внутрь этих стен, где среди других достоинств, слишком многочисленных, чтобы упомянуть их все, наверняка значится и прохлада.

Хаукана кратко кивнул и, взяв кобылу под уздцы, повел ее через ворота во двор; там он придержал стремя, чтобы князь спешился, затем препоручил лошадей заботам своих конюших и послал мальчугана подмести улицу перед воротами.

Мужчин тут же проводили в мраморный банный зал, где к превеликому их удовольствию слуги окатили им плечи прозрачной и прохладной водой. Затем, чуть подразнив по обычаю касты воинов друг друга, надели люди князя свежие одежды и отправились в обеденный зал.

Трапеза длилась всю оставшуюся часть дня, пока воины наконец не потеряли счет сменам блюд. По правую руку от князя, сидевшего во главе длинного, низкого стола, уставленного яствами, три танцовщицы ткали замысловатую пряжу танца, сопровождая свои движения щелчками кастаньет и предписываемой каноном мимикой; скрытые за занавесом четыре музыканта аккомпанировали их движениям соответствующей этому часу музыкой. Стол был устлан богато расшитым гобеленом, сверкавшим яркими цветами: синим, коричневым, желтым, красным, зеленым; выткана на нем была череда батальных и охотничьих сцен: всадники на ящерах и лошадях с копьями и луками нападали тут на златопанду, там на огнекочета, подбирались к зарослям изумрудных бобометов; зеленые обезьяны сражались в кронах деревьев; Птица-Гаруда сжимала в когтях небесного демона, охаживая его клювом и крыльями; из морских глубин выползала армия рогатых рыб, сжимавших между судорожно стиснутыми плавниками острия розового коралла; преграждая им путь на берег, поджидала их цепочка людей в шлемах и юбках, вооруженных копьями и факелами...

Князь почти не прикасался к пище. Попробовав очередное блюдо, он слушал музыку, изредка посмеиваясь шуткам своих людей.

Он прихлебнул шербет, кольца на его руке громко звякнули о стекло сосуда. Перед ним вырос Хаукана.

— Все ли в порядке, Князь? — спросил он.

— Да, добрый Хаукана, все в порядке, — ответил тот.

— Ты не ешь наравне со своими людьми. Тебе не нравится еда?

— Дело не в продуктах, они великолепны, не в поварах, они безукоризненны, достойный Хаукана. Просто последнее время мой аппетит не на высоте.

— А! — с видом знатока промолвил Хаукана. — У меня есть кое-что на этот случай, как раз то, что надо. Только такой, как ты, и способен по-настоящему оценить его. Долго хранилось оно на специальной полке у меня в погребе. Бог Кришна неведомо как сохранил его сквозь долгие, долгие годы. Он дал его мне много лет назад, ибо предоставленный здесь приют пришелся ему весьма по вкусу. Я схожу за ним для тебя.

И он с поклоном покинул зал.

Вернулся он с бутылкой. Еще не поглядев на наклейку, князь узнал форму бутылки.

— Бургундское! — воскликнул он.

— Точно, — сказал Хаукана. — С давно исчезнувшей Симлы.

Он понюхал бутылку и улыбнулся. А потом налил немного вина в грушевидный кубок и поставил его перед своим гостем.

Князь поднял его и долго вдыхал аромат вина. Затем, закрыв глаза, пригубил.

Все в зале из уважения к его наслаждению умолкли.

Потом он опустил бокал, и Хаукана еще раз плеснул драгоценный сок *пино нуар*, которому никогда не расти в этом мире.

Князь не притронулся к кубку. Вместо этого он повернулся к Хаукане и сказал:

— Кто самый старый музыкант в твоем заведении?

— Манкара, вот он, — ответил хозяин, указывая на седобородого мужчину, примостившегося, чтобы отдохнуть, за сервировочным столом в углу зала.

— Старый не телом, годами, — уточнил князь.

— А, наверное, это Дил, — сказал Хаукана, — если, правда, считать его музыкантом. Он утверждает, что был когда-то таковым.

— Дил?

— Мальчик при конюшне.

— А, ну да... Пошли за ним.

Хаукана хлопнул в ладоши и приказал появившемуся слуге отправиться на конюшню, привести мальчугана в мало-мальски приличный вид и поскорее прислать к пирующим.

— Прошу, не беспокойся о приличии, а просто пришли его сюда, — сказал князь.

Он откинулся назад и, закрыв глаза, погрузился в ожидание. Когда мальчик-конюший предстал перед ним, он спросил:

— Скажи, Дил, какую музыку ты играешь?

— Ту, что совсем не по нраву браминам, — ответил мальчик.

— Каков твой инструмент?

— Фортепиано, — сказал Дил.

— А ты·можешь сыграть на каком-нибудь из этих? — Он указал на оставленные музыкантами без присмотра на низенькой платформе у стены инструменты.

Мальчик присмотрелся к ним.

— Наверное, в случае необходимости я мог бы сыграть на флейте.

— Ты знаешь вальсы?

— Да.

— Не сыграешь ли ты мне «Голубой Дунай»?

Угрюмое выражение на лице мальчика уступило место тревоге. Он бросил быстрый взгляд на Хаукану, тот кивнул.

— Сиддхартха — князь среди людей, один из первых, — заявил хозяин.

— «Голубой Дунай» на одной из этих флейт?

— Будь любезен.

Мальчик пожал плечами.

— Я попробую, — сказал он. — Это было так давно... Будь снисходителен.

Он подошел к инструментам и спросил о чем-то у хозяина выбранной им флейты. Тот кивнул. Тогда он поднял ее к губам и издал несколько пробных звуков. Перевел дух, попробовал еще раз, потом обернулся.

Он опять поднес ко рту флейту, и мелодия вальса волнами заполнила зал. Князь, закрыв глаза, потягивал вино.

Когда музыкант остановился, чтобы передохнуть, он жестом велел ему продолжать; и тот играл запретные мелодии одну за другой, и профессиональные музыканты

**64**

напустили на лица профессиональное презрение, но под столом ноги их в медленном темпе постукивали в такт музыке.

Наконец князь допил свое вино. Вечер спустился на Махаратху. Он бросил мальчугану кошель с монетами и даже не взглянул на слезы, которые стояли у того в глазах, когда он выходил из зала. Затем встал, потянулся и зевнул.

— Я удаляюсь в свои покои, — сказал он пирующим воинам. — Смотрите не проиграйте в мое отсутствие все свое наследство.

И они засмеялись, и пожелали ему спокойной ночи, и заказали напитков покрепче и соленых сухариков. Последнее, что он услышал на пути в свои покои, был стук костей по столу.

Князь отправился на покой так рано, ибо на следующий день собирался встать до рассвета. Слуга получил инструкции весь день не впускать никого из возможных посетителей, утверждая, что князь не в духе.

Еще первые цветы не открылись первым утренним насекомым, когда покинул он свои апартаменты, и видел его уходящим только старый зеленый попугай. Не в шелках, расшитых жемчугом, уходил он, а в лохмотьях, как всегда поступал он в подобных случаях. И не возвещали раковины и барабаны о его выступлении, но хранила его тишина, когда пробирался он по темным городским улицам. Пустынны были улицы в этот час, разве что изредка попадется навстречу врач или проститутка, возвращающиеся после позднего вызова. Бездомная собака увязалась за ним, когда он, направляясь к гавани, проходил через деловые кварталы.

Возле самого пирса он уселся на ящик. Заря потихоньку стирала темноту с лика природы, он смотрел, как прилив покачивает корабли, все в путанице такелажа, со спущенными парусами, с вырезанными на носу фигурами чудищ или девушек. Когда бы ни оказывался он в Махаратхе, всегда, хоть ненадолго, заглядывал в гавань.

Розовый зонтик зари раскрылся над спутанной шевелюрой облаков, по домам прошелся прохладный ветерок. Птицы-падальщики с хриплыми криками пронеслись над испещренными точками бойниц башнями и спикировали на подернутую рябью гладь бухты.

Он смотрел, как выходит в море один из кораблей, как вырастает над его палубой шатер парусов, дотягивается до самых верхушек мачт и вот уже наполняется там, вверху, соленым морским ветром. Ожили и другие корабли, надежно застывшие на своих якорях. Команды готовились сгружать или загружать грузы: благовония, кораллы, масла и всевозможные ткани, металл и древесину, скот, специи. Он жадно вбирал в себя запахи товаров, вслушивался в перебранку матросов, он обожал и то и другое: от первого несло богатством, второе соединяло в себе оба остальных его увлечения — теологию и анатомию.

Немного погодя он разговорился с капитаном заморского корабля, тот присматривал за разгрузкой мешков с зерном и укрылся отдохнуть в тень от штабеля ящиков.

— Доброе утро, — обратился к нему князь. — Пусть не будет штормов или крушений на твоем пути, и да даруют тебе боги безопасную гавань и прибыльную торговлю.

Тот кивнул, уселся на ящик и принялся набивать коротенькую глиняную трубку.

— Спасибо тебе, папаша, — сказал он. — Хотя я и молюсь богам только в тех Храмах, которые выбираю сам, благословения я принимаю от любого. Благословению всегда найдется применение — особенно у моряка.

— Трудным выдалось у тебя плаванье?

— Менее трудным, чем могло бы быть, — ответил капитан. — Эта тлеющая морская гора, Пушка Ниррити, опять разрядилась в небеса громами и молниями.

— А, ты приплыл с юго-запада!

— Да, Шатисхан, из Испара Приморского. Сейчас месяц благоприятных ветров, но из-за этого они и разнесли пепел пушки намного дальше, чем можно было ожидать. Целых шесть дней падал на нас этот черный снег, и запах подземного мира преследовал нас, отравляя пищу и воду, заставлял глаза слезиться, обжигал гортани огнем. Мы устроили целый молебен, когда оставили наконец позади всю эту мерзость. Посмотри, как вымазан весь корпус моей посудины. А поглядел бы ты на паруса — они черны, как волосы Ратри!

Князь наклонился, чтобы лучше рассмотреть судно.

— Но слишком большого волнения не было? — спросил он.

Моряк покачал головой.

— У Соляного Острова мы повстречали крейсер и узнали, что страшнее всего Пушка разрядилась за шесть дней до того. Она выжгла облака и подняла огромные валы, потопившие два корабля — как доподлинно знали на крейсере — и, может быть, еще и третий.

Моряк уселся поудобнее, раскуривая свою трубочку.

— Вот я и говорю, у моряка всегда найдется применение благословению.

— Я разыскиваю одного моряка. — сказал князь. — Капитана. Его зовут Ян Ольвегг, или, быть может, сейчас он известен как Ольвагга. Не знаешь ли ты его?

— Знавал я его, — ответил собеседник, — но давно уже он не плавает.

— Да? Что же с ним стало?

Моряк повернулся и внимательно всмотрелся в него. **67**

— Кто ты такой и почему спрашиваешь? — поинтересовался он наконец.

— Зовут меня Сэм. Ян очень старый мой друг.

— Что значит «очень старый»?

— Много-много лет назад — и в другом месте — знал я его, когда был он капитаном корабля, который никогда не бороздил этих океанов.

Капитан вдруг резко нагнулся и, подобрав палку, запустил ею в собаку, которая появилась с другой стороны пирса, обогнув наваленные кучей товары. Она взвизгнула и стремглав бросилась под защиту пакгауза. Это была та самая собака, которая брела за князем почти от самого постоялого двора Хауканы.

— Остерегайся этих чертовых церберов, — сказал капитан. — Бывают собаки и такие, и сякие — и еще кое-какие. Три разных сорта, но в этом порту гони их всех с глаз долой.

И он еще раз оценивающе посмотрел на собеседника.

— Твои руки, — произнес он, указывая на них трубкой, — совсем недавно все были в кольцах. Следы от них еще остались.

Сэм поглядел на свои руки и усмехнулся.

— От твоего взгляда ничего не укроется, моряк, — произнес он. — Так что признаю очевидное. Да, я ношу кольца.

— И значит, ты, как и собаки, не тот, кем кажешься, — и ты приходишь расспрашивать об Ольвагге, да еще используешь его самое старое имя. А твое имя, говоришь, Сэм. Ты, часом, не один ли из Первых?

Сэм ответил не сразу, теперь уже он изучающе разглядывал собеседника, словно ожидая, что он еще скажет.

Может быть, догадавшись об этом, капитан продолжил:

— Ольвагга, я знаю, числился среди Первых, хотя сам об этом никогда не упоминал. То ли ты тоже из Первых, то ли из Хозяев, в любом случае тебе об этом ведомо. Стало быть, я не продаю его, говоря об этом. Но все же я хочу знать, с кем говорю, с другом или с врагом.

Сэм нахмурился.

— Ян никогда не наживал себе врагов, — заметил он. — Ты же говоришь так, будто их у него немало — среди тех, кого ты называешь Хозяевами.

Моряк не сводил с него взгляда.

— Ты не Хозяин, — заявил он наконец, — и пришел ты издалека.

— Ты прав, — признал Сэм, — но скажи, откуда ты это узнал.

— Во-первых, — начал капитан, — ты стар. Хозяин тоже мог бы воспользоваться старым телом, но не стал бы оставаться в нем надолго, так же, как не стал бы задерживаться в теле собаки. Его страх перед тем, что он вдруг умрет подлинной смертью, умрет так, как умирают старики, был бы слишком велик. Таким образом, он не остался бы в старом теле достаточно долго, чтобы приобрести такие глубокие отметины от колец на пальцах. Богачи никогда не избавляются от своих тел. Если они отказываются от перерождения, они доживают свою жизнь до самого конца. Хозяева побоялись бы, что против них поднимут оружие соратники подобного человека, умри он иначе, чем от естественных причин. Так им тело вроде твоего не добыть. Ну а на теле из жизненных резервуаров отметин на пальцах не было бы. Следовательно, я заключаю, что ты — важная персона, но не Хозяин. Если ты издавна знаком с Ольваггой, ты тоже один из Первенцев, такой же, как и он. Из-за того, что ты хочешь узнать, я вывожу, что явился ты издалека. Будь ты из Махаратхи, ты бы знал о Хозяевах, а зная о них, знал бы и почему Ольвагга не может плавать.

— Ты, похоже, разбираешься в местных делах намного лучше меня, о вновь прибывший моряк.

— Я тоже прибыл издалека, — признал капитан, чуть заметно улыбнувшись, — но за несколько месяцев я могу побывать в паре дюжин портов. Я слышу новости — новости, слухи и сплетни — отовсюду, из более двух десятков портов. Я слышу о дворцовых интригах и о политике Храмов. Я слышу секреты, нашептываемые под сенью ночи на ушко золотым девушкам под луком из сахарного тростника — луком Камы. Я слышу о походах кшатриев и о спекуляциях крупных торговцев — зерном и специями, драгоценностями и шелком. Подчас я могу, быть может, напасть на порт, где обосновались флибустьеры, и узнать там о житье-бытье тех, кого они захватили ради выкупа. Так что нет ничего удивительного в том, что я, явившись издалека, лучше знаю Махаратху, чем ты, проведи ты здесь еще неделю. Иногда мне случается даже слышать и о деяниях богов.

— Тогда не расскажешь ли ты мне о Хозяевах, и почему их следует держать за врагов? — спросил Сэм.

— Могу тебе о них кое-что порассказать, — согласился капитан, — чтоб ты не был на сей счет в неведении. Торговцы телами стали нынче Хозяевами Кармы. Личные их имена держатся в секрете, наподобие того, как это делается у богов, и они кажутся столь же безликими, как и Великое Колесо, которое, как провозглашено, они представляют. Теперь они не просто торговцы телами, они вступили в союз с Храмами. Каковые тоже изменились, чтобы твои сородичи из Первых, ставшие богами, могли общаться с ними с Небес. Если ты и в самом деле из Первых, Сэм, твой

путь неминуемо приведет тебя либо к обожествлению,

либо к вымиранию, когда ты предстанешь перед лицом этих новых Хозяев Кармы.

— Как это? — спросил Сэм.

— Детали ищи где-нибудь еще, — ответил его собеседник. — Я не знаю, какими методами все это достигается. А Яннагга-парусинника разыскивай на улице Ткачей.

— Теперь он известен под этим именем?

Моряк кивнул.

— И поосторожней с собаками, — добавил он, — да и со всем остальным — живым и способным приютить разум.

— Как твое имя, капитан? — спросил Сэм.

— В этом порту у меня либо вообще нет имени, либо есть ложное, а я не вижу никаких оснований лгать тебе. Доброго тебе дня, Сэм.

— Доброго дня и тебе, капитан. Спасибо за все.

Сэм поднялся и пошел из гавани прочь, направляясь обратно, в сторону деловых кварталов и торговых улиц.


Красный диск солнца в небе собирался пересечь Мост Богов. Князь шел по проснувшемуся городу, пробираясь между прилавками с товарами, демонстрирующими мастерство и сноровку мелких ремесленников. Разносчики мазей и порошков, духов и масел сновали вокруг. Цветочницы махали прохожим венками и букетами; виноторговцы, не произнося ни слова, заполнили со своими мехами ряды затемненных скамей, они дожидались, когда к ним по заведенному обычаю заглянут завсегдатаи. Утро пропахло готовящейся пищей, мускусом, испражнениями, маслами, благовониями, все эти запахи смешались в единое целое и, освободившись, плыли над улицей, как невидимое облако.

Поскольку сам князь был одет как нищий, ему показалось вполне уместным остановиться и заговорить с горбуном, сидевшим перед чашей для милостыни.

— Поклон тебе, брат, — сказал он. — Я забрел далеко от своего квартала. Не можешь ли ты мне сказать, как добраться до улицы Ткачей?

Горбун кивнул и выразительно встряхнул свою чашу.

Из мошны, спрятанной под рваной хламидой, князь извлек мелкую монету и бросил в чашу горбуна; монета тут же исчезла.

— Вот туда. — Горбун качнул головой в нужном направлении. — Пойдешь прямо, по третьей улице свернешь налево. Пройдешь еще два перекрестка и окажешься у Фонтанного Кольца перед Храмом Варуны. В этом Кольце улица Ткачей помечена знаком Шила.

Он кивнул горбуну, похлопал его по уродливому наросту и отправился дальше.

Добравшись до Фонтанного Кольца, князь остановился. Несколько десятков людей стояло в очереди перед Храмом Варуны, самого неумолимого и величественного среди богов. Люди эти не собирались вступать в Храм, а ожидали своей очереди для участия в чем-то. Он услышал звон монет и подошел поближе.

Они стояли в очереди к сверкающей металлом машине.

Вот очередной страждущий опустил монету в рот стального тигра. Машина замурлыкала. Человек нажал несколько кнопок, изображавших собой животных и демонов. По телам двух нагов, двух святых змеев, переплетавшихся над прозрачной панелью машины, пробежала вспышка света.

Князь придвинулся вплотную.

Человек нажал на рычаг, напоминавший торчащий из боковой стенки машины рыбий хвост.

Священный голубой свет заполнил всю внутренность машины; змеи пульсировали красным, и тут, под зазвучавшую вдруг нежную мелодию появилось молитвенное колесо и принялось бешено вращаться.

На лице у человека было написано блаженство. Через несколько минут машина отключилась. Он опустил еще одну монету и снова дернул за рычаг, чем заставил кое-кого из стоявших в конце очереди громко заворчать, рассуждая, что это уже седьмая монета, что день выдался душным, что в очереди за молитвами он не один и почему бы, если ты хочешь совершить такое щедрое пожертвование, не пойти прямо к жрецам? Кто-то бросил, что человеку этому надо, должно быть, искупить слишком много грехов. И все со смехом принялись обсуждать возможный характер этих грехов.

Заметив, что в очереди были и нищие, князь пристроился в ее хвост.

Пока подходила его очередь, он обратил внимание, что если одни проходили перед машиной, нажимая кнопки, другие просто опускали гладкий металлический диск во вторую тигриную пасть, расположенную с обратной стороны корпуса. Когда машина останавливалась, диск падал в чашу и хозяин забирал его обратно. Князь решил рискнуть и пуститься в расспросы.

Он обратился к стоящему перед ним человеку.

— Почему это, — спросил он, — у некоторых свои собственные жетоны?

— Да потому, что они зарегистрировались, — ответил тот не оборачиваясь.

— В Храме?

— Да.

— А...

Он подождал с полминуты, потом спросил:

— А те, кто не зарегистрированы, но хотят использовать это — они нажимают кнопки?

— Да, — прозвучало в ответ, — набирая по буквам свое имя, род занятий и адрес.

— Ну а если кто-то, как я, например, здесь чужак?

— Ты должен добавить название своего города.

— Ну а если я неграмотный, — что тогда?

Тот наконец обернулся к нему.

— Может быть, было бы лучше, — сказал он, — если бы ты молился по-старому и отдавал пожертвования прямо в руки жрецов. А то можешь зарегистрироваться и получить свой собственный жетон.

— Понятно, — сказал князь. — Да, ты прав. Надо обдумать все это. Спасибо.

Он вышел из очереди, обогнул Фонтан и, обнаружив место, где на столбе висел знак Шила, отправился по улице Ткачей.

Трижды спрашивал он о Янагге-парусиннике, в третий раз — у низенькой женщины с могучими руками и усиками над верхней губой. Женщина сидела, скрестив ноги, и плела коврик под низкой стрехой того, что когда-то, должно быть, было конюшней и до сих пор продолжало ею пахнуть.

Она пробурчала ему, куда идти, окинув взглядом с ног до головы и с головы до ног, взглядом странно прекрасных бархатисто-карих глаз. Князь прошел извилистой аллеей, спустился по наружной лестнице, лепившейся к стене пятиэтажного строения, оказался у двери, через которую попал в коридор на первом этаже. Внутри было темно и сыро.

Он постучал в третью слева дверь, и почти сразу ему открыли.

Открывший дверь мужчина уставился на него.

**74**     — Ну?

— Можно войти? У меня кое-что важное...

Человек чуть поколебался, резко кивнул и отступил в сторону.

Князь вошел следом. Большое полотнище холста было расстелено на полу перед стулом, на который вновь уселся хозяин, указав своему гостю на другой из двух находившихся в комнате стульев.

Это был невысокий, но очень широкоплечий человек с белоснежными волосами и начинающейся катарактой обоих глаз. Руки его были коричневыми и жесткими, с узловатыми суставами пальцев.

— Ну? — повторил он.

— Ян Ольвегг, — послышалось в ответ.

Глаза его слегка расширились, затем превратились в щелки. Он взвешивал в руке большущие ножницы.

— «Опять в краю моем цветет медвяный вереск», — произнес князь.

Хозяин застыл, потом вдруг улыбнулся.

— «А меда мы не пьем!» — сказал он, швыряя ножницы на свою работу. — Сколько же лет минуло, Сэм?

— Я потерял счет годам.

— Я тоже. Но, должно быть, прошло лет сорок... сорок пять? — с тех пор, как я тебя видел в последний раз. И мед, и эль, бьюсь об заклад, прорвали, к черту, все плотины?

Сэм кивнул.

— Даже и не знаю, с чего начать, — сказал ему старик.

— Начни с того, почему вдруг «Янагга»?

— А почему бы и нет? Звучит честно, и для работяги вполне годится. Ну а ты сам? Все еще балуешься княжением?

— Я все еще я, — сказал Сэм, — и меня все еще зовут Сиддхартхой, когда спешат на мой зов.

Его собеседник хихикнул.

75

— И Победоносным, «Бичом Демонов», — нараспев продекламировал он. — Ну хорошо. Раз ты оделся не по своему богатству, значит, по обыкновению разнюхиваешь, что к чему?

Сэм кивнул:

— И наткнулся на многое, чего не понимаю.

— Ага, — вздохнул Ян. — Ага. С чего бы начать? И как? А вот как, я расскажу тебе о себе... Слишком много дурной кармы накопил я, чтобы получить право на новомодный перенос.

— Что?

— Дурная карма, говорю. Старая религия — не только Религия, это показная, насаждаемая и до жути доказуемая религия. Но не очень-то громко про то думай. Лет этак двенадцать тому назад Совет утвердил обязательное психозондирование тех, кто домогается обновления. Это было как раз после раскола между акселеристами и деикратами, когда Святая Коалиция выперла всех молодых технарей и присвоила себе право зажимать их и дальше. Простейшим решением оказалось, конечно, проблему просто изжить — со света. Храмовая орава стакнулась с телоторговцами, заказчику стали зондировать мозги и акселеристам отказывать в обновлении или... ну... ладно. Теперь акселеристов не так уж много. Но это было только начало. Божественная партия тут же смекнула, что здесь же лежит и путь к власти. Сканировать мозг стало стандартной процедурой, предшествующей переносу. Торговцы телами превратились в Хозяев Кармы и стали частью храмовой структуры. Они вычитывают твою прошлую жизнь, взвешивают карму и определяют ту жизнь, что тебе предстоит. Идеальный способ поддерживать кастовую систему и крепить контроль деикратов. Между прочим, большинство наших старых знакомцев по самый нимб в этом промысле.

— Мой бог! — воскликнул Сэм.

— Боги, — поправил Ян. — Их всегда считали богами — еще бы, с их Обликами и Атрибутами; но они теперь сделали из этого нечто до крайности официальное. И любой, кому случилось быть одним из Первых, лучше бы, черт побери, заранее понял, к чему он стремится, — к быстрому обожествлению или к костру, когда он в эти дни вступает в Палаты Кармы. А когда тебе на прием? — заключил он.

— Завтра, — ответил Сэм, — после полудня... А как же ты бродишь тут, если у тебя нет ни нимба, ни пригоршни перунов?

— Потому что у меня нашлась пара друзей, и они навели меня на мысль, что лучше пожить еще — тихо-мирно, — чем идти под зонд. Всем сердцем воспринял я их мудрый совет, и вот все еще способен починять паруса и подчас взбаламутить соседнюю забегаловку. Иначе, — он поднял мозолистую, искореженную руку и щелкнул пальцами, — если не подлинная смерть, то, может статься, тело, прошпигованное раком, или захватывающая жизнь холощеного водяного буйвола, или...

— Собаки? — перебил Сэм.

— Ну да, — подтвердил Ян.

И он разлил спиртное, нарушив этим и тишину, и пустоту двух стаканов.

— Спасибо.

— В пекло, — и он убрал бутылку.

— Да еще на пустой желудок... Ты сам его делаешь?

— Угу. Перегонный куб в соседней комнате.

— Поздравь, я догадался. Если у меня и была плохая карма, теперь она вся растворилась.

— Чего-чего, а четкости и ясности в том, что такое плохая карма, наши приятели боги не переваривают.

— А почему ты думаешь, что у тебя она есть?

— Я хотел поторговать здесь машинами среди наших потомков. Был за это бит на Совете. Публично покаялся и тешил себя надеждой, что они забудут. Но акселеризм нынче так далек, никогда ему не вернуться, пока я не помер. Да, жалко. Хотелось бы вновь поднять паруса и — вперед, к чужому горизонту. Или поднять корабль...

— А что, зонд настолько чувствителен, что может уловить нечто столь неощутимое, как склонность к акселеризму?

— Зонд, — ответил Ян, — достаточно чувствителен, чтобы сказать, что ты ел на завтрак одиннадцать лет и три дня тому назад и где ты порезался, когда брился сегодня утром, насвистывая гимн Андорры.

— Они же были только на экспериментальной стадии, когда мы покидали... дом, — сказал Сэм. — Те два, что мы захватили с собой, являлись лишь основой для трансляции мозговых волн. Когда же произошел прорыв?

— Послушай-ка, провинциальный родственничек, — начал Ян. — Не припоминаешь ли ты такого сопляка, черт знает чье отродье, из третьего поколения, по имени Яма? Молокосос, который все наращивал и наращивал мощность генераторов, пока в один прекрасный день там у него не шарахнуло; он тогда схлопотал такие ожоги, что пришлось ему влезать во второе свое — пятидесятилетнее — тело, когда ему самому едва стукнуло шестнадцать? Парнишка, который жить не мог без оружия? Тот самый, что анестезировал по штучке всего, что шевелится, чтобы его проанатомировать, так упиваясь при этом своими изысканиями, что мы в шутку трепались, что он обожествляет смерть?

**78**      — Да, я его помню. Он еще жив?

— Если тебе угодно так это называть. Он теперь и в самом деле бог смерти — и уже не по кличке, а по титулу, важная шишка. Он усовершенствовал зонд около сорока лет назад, но деикраты до поры до времени скрывали это. Я слышал, он выдумал и кое-какие другие сокровища, способные исполнить волю богов... ну, к примеру, механическую кобру, которая может зарегистрировать показания энцефалограммы с расстояния в милю, когда она приподнимется и распустит веером свой капюшон. Ей ничего не стоит выискать в целой толпе одного-единственного человека, какое бы тело он при этом ни носил. И нет никаких противоядий против ее укуса. Четыре секунды, не больше... Или же огненосный жезл, который, как говорят, искорежил поверхность всех трех лун, пока Бог Агни стоял на берегу у моря и им размахивал. А сейчас, как я понимаю, он проектирует что-то вроде реактивного левиафана-колесницы для Великого Шивы... вот такие штучки-дрючки.

— Мда, — сказал Сэм.

— Пойдешь на зондаж? — спросил Ян.

— Боюсь, что нет, — ответил Сэм. — Послушай, сегодня утром я видел машину, которую, по-моему, лучше всего назвать молитвоматом, — это что, обычное явление?

— Да, — подтвердил Ян. — Они появились два года тому назад — идея, осенившая однажды ночью юного Леонардо за стаканчиком сомы. Нынче, когда в моде карма, эти штуковины гораздо удобнее сборщиков налогов. Когда господин горожанин является накануне своего шестидесятилетия в клинику бога выбранной им церкви, наряду с перечнем его грехов учитывается, как говорят, и реестр накопленных молитв и уже на основе их баланса решается, в какую касту он попадет, а также возраст, пол, физические кондиции нового его тела. Изящно. Точно.

— Я не пройду зондирование, — заметил Сэм, — даже если накоплю огромный молитвенный счет. Они отловят меня, как только дело дойдет до грехов.

— Какого типа?

— Грехов, которых я еще не совершил, но которые окажутся записанными в моем разуме, ибо я обдумываю их сейчас.

— Ты собираешься пойти наперекор богам?

— Да.

— Как?

— Еще не знаю. Начну, во всяком случае, с непосредственного общения. Кто у них главный?

— Одного не назовешь. Правит Тримурти, то есть Брахма, Вишну и Шива. Кто же из трех главный на данный момент, сказать не могу. Некоторые говорят — Брахма...

— А кто они на самом деле? — спросил Сэм.

Ян покачал головой:

— Поди знай. У всех у них другие тела, чем поколение назад. И все пользуются именами богов.

Сэм встал.

— Я еще вернусь или же пришлю за тобой.

— Надеюсь... Глотнем еще?

Сэм покачал головой.

— Пойду, еще раз превращусь в Сиддхартху, разговеюсь после поста на постоялом дворе Хауканы и объявлю о своем намерении посетить Храмы. Если наши друзья стали нынче богами, они должны сообщаться со своими жрецами. Сиддхартха отправляется молиться.

— За меня не надо, — сказал Ян, подливая себе самогона. — Не знаю, смогу ли я пережить гнев божий.

Сэм улыбнулся:

— Они не всемогущи.

— Смиренно надеюсь, что нет, — ответил тот, — но боюсь, что день этого уже не далек.

— Счастливого плавания, Ян.

— *Скаал.*


По пути в Храм Брахмы князь Сиддхартха ненадолго задержался на улице Кузнецов. Спустя полчаса он вышел из лавки в сопровождении Стрейка и трех своих вассалов. Улыбаясь, будто его посетило видение грядущего, он пересек Махаратху и наконец приблизился к высокому и просторному Храму Создателя.

Не обращая внимания на взгляды толпящихся у молитвомата, он поднялся по длинной, пологой лестнице; при входе в Храм его встретил верховный жрец, которого он заранее известил о своем посещении.

Сиддхартха и его люди вступили в Храм, оставили при входе свое оружие и отвесили подобающие поклоны в направлении центрального святилища, прежде чем обратиться к жрецу.

Стрейк и его спутники отступили на почтительное расстояние, когда князь вложил тяжелый кошель в сложенные руки жреца и тихо промолвил:

— Я хотел бы поговорить с Богом.

Жрец, отвечая, внимательно изучал его лицо.

— Храм открыт для всех, Князь Сиддхартха, и всякий может общаться здесь с Небесами сколько пожелает.

— Это не совсем то, что я имел в виду, — сказал Сиддхартха. — Я подумал о чем-то более личном, чем жертвоприношение и долгие литании.

— Я не вполне осознаю...

— Но ты вполне осознал вес этого кошелька, не так ли? Он наполнен серебром. Второй, который я взял с

**81**

собой, наполнен золотом — его можно будет получить после. Я хочу воспользоваться местным телефоном.

— Теле?..

— Системой связи. Если бы ты, как и я, был одним из Первых, ты бы понял намек.

— Я не...

— Заверяю тебя, мой звонок не отразится неблагоприятным образом на твоем положении старосты этого Храма. Я разбираюсь в подобных вопросах, а благоразумие мое всегда было притчей во языцех среди Первых. Вызови сам Опорную Базу и наведи справки, если это тебя успокоит. Я подожду здесь, во внешних покоях. Скажи им, что Сэм хотел бы перемолвиться словечком с Тримурти. Они захотят переговорить.

— Я не знаю...

Сэм вытащил второй кошелек и взвесил его на ладони. Жрец, не отрывая от него взгляда, облизнул губы.

— Подожди здесь, — приказал он и, повернувшись кругом, вышел из комнаты.


Или, пятая нота гаммы, сорвавшись со струны арфы, разнеслась по Саду Пурпурного Лотоса.

Брахма бездельничал на берегу искусственно подогреваемого пруда, где он купался вместе со своим гаремом. Прикрыв глаза, он возлежал, опираясь на локти и свесив ноги в воду.

На самом же деле он подглядывал из-под своих длинных ресниц за дюжиной резвящихся в пруду девушек, надеясь, что одна-другая бросят восхищенный взгляд на его темный, с рельефной мускулатурой торс. Черные на коричневом, поблескивали его усы, влага лишила их четких геометрических очертаний; волосы черным крылом были отброшены назад. Он улыбался ослепительной под упавшим солнечным лучом улыбкой.

Но ни одна из них, похоже, не замечала всего этого, улыбка его потускнела и пропала. Все их внимание было поглощено игрой в водное поло, которой они самозабвенно предавались.

Или, сигнальный колокольчик, зазвонил опять, когда легкое дуновение искусственного ветерка донесло до него запах садового жасмина. Он вздохнул. Ему так хотелось, чтобы они боготворили его — его могучее тело, его тщательно вылепленные черты лица. Боготворили его как мужчину, не как бога.

И тем не менее, хотя его особое, усовершенствованное тело и делало возможными подвиги, которые не под силу повторить ни одному смертному мужчине, все равно он чувствовал себя неловко в присутствии такой старой боевой лошадки, как Бог Шива, который, несмотря на свою приверженность нормальным телесным матрицам, казалось, сохранял для женщин гораздо большую привлекательность. Можно было подумать, что пол превозмогает биологию; и как бы он ни старался подавить воспоминания и уничтожить этот фрагмент своего духа, Брахма, который родился женщиной, до сих пор каким-то образом женщиной и оставался. Ненавидя эту свою черту, он раз за разом выбирал для перерождения замечательно мужественные мужские тела, но, поступая так, все равно чувствовал свою недостаточность, словно клеймо его собственного пола было выжжено у него на челе. От этого ему хотелось топнуть ногой и состроить гримасу.

Он встал и направился к своему павильону — мимо низкорослых деревьев, чьи искореженные силуэты были полны какой-то гротесковой красоты, мимо шпалер, сотканных с утренней славой, прудов с голубыми кувшинками, нитей жемчуга, свешивающихся с колец, выделанных из белого золота, мимо светильников в форме девушек, треножников, на которых курились пикантные благовония, мимо восьмирукой статуи синей богини, которая, если ее должным образом попросишь, играет на ви́не.

Брахма вошел в павильон и направился прямо к хрустальному экрану, вокруг которого обвился, зажав собственный хвост в зубах, бронзовый нага. Он включил механизм обратной связи.

Помехи, словно снегопад, покрыли было экран, но вот уже на экране появился верховный жрец его Храма в Махаратхе. Упав на колени, он трижды прикоснулся своей кастовой метой к полу.

— ♪ Среди четырех чинов божественных, среди восемнадцати воинств Рая, могущественнейший — Брахма, — завел священник. — ♪ Всесоздатель, Владыка Небес высоких и всего, что под ними. Лотос прорастает из твоего пупка, руки твои пахтают океаны, тремя шагами ноги твои покрывают все миры. ♪ Барабан твоей славы наполняет ужасом сердца врагов твоих. ♪ В деснице твоей колесо закона. ♪ Ты вяжешь катастрофы, как путами, змеею. ♪ Приветствую тебя! ♪ Соблаговоли услышать молитву твоего жреца. ♪ Благослови и выслушай меня, о Брахма!

— Встань... жрец, — сказал Брахма, не сумев вспомнить его имя. — Что за неотложная надобность побудила тебя срочно меня вызывать?

Жрец выпрямился, бросил быстрый взгляд на мокрого Брахму и отвел глаза.

— Владыка, — сказал он, — я не собирался нарушать покой твоего купания, но здесь сейчас находится один из твоих смиренных почитателей, который хотел бы поговорить с тобой на темы, которые, как мне показалось, могут иметь немалое значение.

— Один из почитателей! Скажи ему, что всеслышащий Брахма слышит всех, и пусть он идет молиться мне, как и все, в Храме, для этого, собственно, и созданном!

Рука Брахмы потянулась было к выключателю, но вдруг замерла.

— А как он узнал о линии Храм — Небо? — удивился он. — И о прямом общении святых и богов?

— Он говорит, — отвечал жрец, — что он из Первых, и мне нужно передать, что Сэм хотел бы переговорить с Тримурти.

— Сэм? — сказал Брахма. — Сэм? Да этого не может быть... сам Сэм?

— Он известен здесь как Сиддхартха, Бич Демонов.

— Жди моего соизволения, — промолвил Брахма, — распевая покуда подобающие стихи Вед.

— Слушаю, мой Властелин, — ответил жрец и запел.

Брахма перешел в другую часть павильона и замер перед своим гардеробом, решая, что надеть.


Князь, услышав, что его зовут, отвлекся от созерцания внутренности Храма. Жрец, чье имя он позабыл, манил его с другого конца коридора. Он пошел на зов и очутился в кладовой. Жрец нащупал потайной рычаг и толкнул ряд полок, который, словно дверь, открылся вовнутрь.

Шагнув через эту дверь, князь очутился в богато украшенной усыпальнице. Сверкающий-видеоэкран висел над алтарно-контрольной панелью, обрамленный бронзовым нагой, сжимавшим в зубах собственный хвост.

Жрец трижды поклонился.

— ♪ Привет тебе, правитель мироздания, могущественнейший среди четырех божественных чинов и восемнадцати райских воинств. ♪ Из пупа твоего произрастает лотос, руки твои пахтают океаны, тремя шагами...

— Подтверждаю правоту сказанного тобой, — перебил Брахма. — Слышу и благословляю. А теперь ты можешь оставить нас.

— ♪ ?

— Да-да. Сэм наверняка оплатил частную беседу, разве не так?

— Владыка!

— Все! Ступай!

Жрец быстро поклонился и вышел.

Брахма изучал Сэма; тот был одет в темные рейтузы, небесно-голубую камизу, зелено-голубой тюрбан Симлы, к поясу из потемневших железных колец были привешены пустые ножны.

В свою очередь и Сэм разглядывал своего визави, чей силуэт четко вырисовывался на черном фоне; одет он был в костюм из тончайшей кольчуги, на который накинул сверху щегольской плащ, сколотый на груди брошью с огненным опалом. Голову Брахмы венчала пурпурная корона, усеянная пульсирующими аметистами, а в правой руке он сжимал скипетр, украшенный девятью приносящими счастье самоцветами. Глаза — два темных пятна на темном лице. Нежные звуки вины разносились вокруг него.

— Сэм? — сказал он.

Сэм кивнул.

— Пытаюсь догадаться, кто ты на самом деле, Великий Брахма. Должен сознаться, что мне это не удается.

— Так и должно быть, — сказал Брахма, — если кому-то суждено быть богом, который был, есть и будет всегда.

— Красивое одеяние ты носишь, — заметил Сэм. — Просто очаровательное.

— Спасибо. Мне трудно поверить, что ты все еще жив. По справкам ты уже лет пятьдесят не требовал нового тела. Это весьма рискованно.

Сэм пожал плечами:

**86** — Жизнь полна риска...

— Согласен, — сказал Брахма. — Прошу, возьми стул и садись. Устраивайся поудобнее.

Сэм так и сделал, а когда он опять посмотрел на экран, Брахма восседал на высоком троне, вырезанном из красного мрамора, над ним пламенел раскрытый зонт.

— Выглядит не слишком-то удобным, — заметил Сэм.

— Сиденье с поролоном, — улыбаясь ответил бог. — Если хочешь, кури.

— Спасибо. — Сэм вытащил из привешенного к поясу кисета трубку, набил ее табаком, тщательно умял его и закурил.

— Что же ты делал все это время, — спросил бог, — соскочив с насеста Небес?

— Взращивал свои собственные сады, — сказал Сэм.

— Мы могли бы использовать тебя здесь, — сказал Брахма, — в нашем гидропонном департаменте. Что касается этого, может быть, еще могли бы. Расскажи мне о своем пребывании среди людей.

— Охота на тигров, пограничные споры с соседними царствами, поддержание высокого морального духа в гареме, немножко ботанических штудий — все в таком роде, жизнь в ее банальности, — неспешно поведал Сэм. — Теперь силы мои на исходе, и я опять взыскую свою юность. Но чтобы вновь стать молодым, как я понимаю, мне придется подвергнуться промывке мозгов? Так?

— В некотором роде, — признал Брахма.

— Могу я полюбопытствовать, с какой целью?

— Неправедный ослабнет, праведный окрепнет, — изрек, улыбаясь, бог.

— Предположим, я неправеден, — спросил Сэм, — каким образом я ослабею?

— Колесо сансары повернется для тебя вниз: тебе придется отрабатывать бремя своей кармы в низшей форме.

— А у тебя под рукой нет данных — процента тех, кто идет вниз, и тех, кто идет вверх?

— Надеюсь, ты не подумаешь, что я не всемогущ, — сказал, прикрывая скипетром зевок, Брахма, — если я признаюсь, что подзабыл эти данные.

Сэм хмыкнул.

— Ты сказал, что вам в Небесном Граде нужен садовник.

— Да, — подтвердил Брахма. — Уж не намерен ли ты обратиться к нам за работой?

— Не знаю, — сказал Сэм. — Может быть.

— Что означает — может быть, и нет, — уточнил его собеседник.

— Да, может быть, и нет, — согласился Сэм. — Что касается человеческого разума, то в былые дни не было этого невразумительного перетягивания каната. Если кто-то из Первых желал возродиться, он платил за тело и его обслуживали.

— Мы живем уже не в былые дни, Сэм. На пороге новая эпоха.

— Можно — почти что — подумать, что вы стремитесь устранить всех Первых, которые не выстроились у вас за спиной.

— В пантеоне комнаты есть для многих, Сэм. Есть ниша и для тебя, если ты решишь заявить о своих на нее правах.

— А если нет?

— Тогда наводи справки о своем теле в Палате Кармы.

— А если я выбираю божественность?

— Мозг твой зондировать не будут. Хозяевам посоветуют обслужить тебя быстро и отменно. Будет послана летательная машина, чтобы доставить тебя на Небеса.

— Все это наводит на некоторые размышления, — сказал Сэм. — Я люблю этот мир, хотя он и погряз в темноте средневековья. С другой стороны, любовь эта ничуть не поможет мне насладиться объектами моего желания, если мне будет предписано умереть подлинной смертью или принять образ обезьяны и скитаться в джунглях. Но не очень-то мне любо и то искусственное совершенство, которое процветало на Небесах, когда я в последний раз посетил их. Подожди, будь любезен, чуть-чуть, я поразмышляю.

— В моих глазах твоя нерешительность является просто наглостью, — сказал Брахма. — Тебе только что сделали такое предложение...

— Да-да, и в моих, наверное, она выглядела бы так же, если бы мы поменялись местами. Но если бы я был Богом, а ты — мною, ей-богу, я бы помолчал немного, пока человек принимает самое важное свое решение за и про свою жизнь.

— Сэм, ты чудовищный торгаш! Кто еще заставлял бы меня ждать, когда на чашу весов брошено его бессмертие? Уж не собираешься ли ты торговаться — со мной?

— Ну да, я же потомственный торговец ящерами — и я страшно хочу кое-чего.

— Что же это может быть?

— Ответы на несколько вопросов, которые преследуют меня вот уже некоторое время.

— К примеру?..

— Как тебе ведомо, я перестал посещать собрания старого Совета более сотни лет тому назад, ибо они превратились в длиннющие заседания, рассчитанные так, чтобы отсрочить принятие решений, и стали главным образом поводом для Празднества Первых. Нынче я не имею ничего против праздников. По правде говоря, века полтора я являлся на них только для того, чтобы еще разок хлебнуть добротного земного зелья. Но я чувствовал, что мы должны сделать что-то с пассажирами, равно как и с отпрысками наших многочисленных тел, а не бросать их на произвол судьбы в этом порочном мире, где они неминуемо превратятся в дикарей. Я чувствовал, что мы, команда, должны им помочь, обеспечить их преимуществами сохраненной нами технологии, а не выстраивать себе неприступный рай, используя мир в качестве комбинации охотничьих угодий и борделя. И вот я давно пытаюсь понять, почему это не было сделано. Это был бы, кажется, честный и справедливый путь управлять миром.

— Я делаю отсюда вывод, что ты акселерист.

— Нет, — сказал Сэм, — просто любопытствующий. Я любопытен, вот единственная причина.

— Тогда, отвечая на твой вопрос, — заговорил Брахма, — скажу, что причиной этому — то, что они не готовы. Если бы мы начали действовать сразу — да, тогда это могло сработать. Но нам поначалу было все равно. Потом, когда возник этот вопрос, мы разделились. Слишком много прошло времени. Они не готовы и не будут готовы еще много веков. Если их на настоящем этапе снабдить развитой технологией, это приведет к неминуемым войнам, которые уничтожат и те начинания, которые они уже претворили в жизнь. Они зашли далеко. Они дали толчок цивилизации по образу и подобию своих древних праотцов. Но они еще дети, и как дети они бы играли с нашими дарами и обжигались бы на них. Они и есть наши дети, дети наших давным-давно мертвых Первых тел, и вторых, и третьих, и неизвестно скольких еще — и отсюда наша родительская за них ответственность. Мы должны не допустить, чтобы они стали акселератами, чтобы ускорение их развития привело к индустриальной революции и уничтожило тем самым первое стабильное общество на этой планете. Наши отцовские функции легче всего выполнять, руководя ими, как мы это и делаем, через Храмы. Боги и богини — исходно родительские фигуры, и что же может быть правильнее и справедливее, чем принятие нами этих ролей и последовательное их использование?

— А зачем же тогда вы уничтожили их собственную зачаточную технологию? Печатный станок изобретался на моей памяти трижды — и всякий раз изымался.

— Делалось это по тем же причинам — они еще не готовы. И было это на самом деле не открытие, а, скорее, воспоминание. Нечто из легенд, которое кому-то удалось воспроизвести. Если нечто должно появиться, оно должно явиться результатом уже наличествующих в культуре факторов, а не должно быть вдруг вытащено за уши из прошлого, как кролик из цилиндра-фокусника.

— Похоже, ты проводишь в этом пункте очень последовательную линию. И, наверное, твои лазутчики обшаривают весь мир, уничтожая все признаки прогресса, какие только им удастся обнаружить?

— Нет, это не так, — сказал бог. — Ты рассуждаешь так, будто мы хотим навсегда нести бремя божественности, будто мы стремимся поддерживать средневековую темноту, чтобы навечно терпеть скуку нашей вынужденной божественности!

— Короче говоря, — заключил Сэм, — да. Ну а молитвомат, что установлен у самого входа в этот Храм? Он что, с точки зрения культуры — пара колеснице?

— Это совсем другое, — сказал Брахма. — Как божественное проявление, он вызывает у горожан трепет и никаких вопросов. По причинам религиозным. Это совсем не то, что дать им порох.

— Ну а если допустить, что какой-нибудь местный атеист утащит его и расковыряет на части? И если вдруг это будет Томас Эдисон? Что тогда?

— В них вмонтирована сложная система запоров. И если кто-нибудь, кроме жреца, откроет хотя бы один из них, устройство взлетит на воздух — вместе со взломщиком, разумеется.

— Как я заметил, вам не удалось не допустить изобретения перегонного куба, хотя вы и пытались. И вы шлепнули в ответ алкогольным налогом, который нужно платить Храмам.

— Человечество всегда искало избавления в пьянстве, — сказал Брахма. — Обычно это так или иначе отражалось и в религиозных церемониях, чтобы ослабить чувство вины. Да, поначалу мы попытались было подавить алкоголь, но быстро убедились, что это нам не под силу. И вот в обмен на выплаченный налог они получают благословение своей выпивке. Слабеет чувство вины, слабеет похмелье, меньше распрей — ты же знаешь, это психосоматическое, — а налог весьма невысок.

— Забавно все же, что многие предпочитают вполне мирскую выпивку.

— Ты пришел просить, а продолжаешь насмехаться, не к этому ли сводятся твои речи, Сэм? Я согласился ответить на твои вопросы, а не обсуждать с тобой деикратическую политику. Ну как, не пришел ли ты, наконец, к какому-либо решению относительно моего предложения?

— Да, Мадлен, — сказал Сэм, — а говорил ли тебе кто-нибудь когда-нибудь, как ты соблазнительна, когда сердишься?

Брахма спрыгнул с трона.

92    — Как ты смог? Как ты догадался? — завопил он.

— Я на самом деле и не смог, — сказал Сэм. — До этого момента. Это была просто догадка — на основе некоего присущего тебе маньеризма в речах и жестах, который вдруг всплыл у меня в памяти. Итак, ты добилась сокровеннейшей цели всей своей жизни, а? Готов биться об заклад, у тебя теперь тоже есть гарем. И каково же чувствовать себя жеребцом, мадам, когда начинал девицей? Бьюсь об заклад, что все до одной Лизхен в мире позавидовали бы тебе, если бы узнали. Мои поздравления.

Брахма выпрямился во весь рост, его свирепый взгляд ослеплял. Трон у него за спиной обратился в пламя. Бесстрастно бренчала вина. Он поднял скипетр и произнес:

— Приготовься, Брахма проклинает тебя...

— За что? — перебил Сэм. — За то, что я догадался о твоей тайне? Если мне суждено быть богом, то какая в том разница? Остальные же знают об этом. Или же ты сердишься, что единственным способом выпытать секрет твоей истинной личности было тебя чуть-чуть подкусить? Я-то полагал, что ты меня оценишь выше, если я продемонстрирую свои достоинства, выставив таким образом напоказ свою проницательность. Если я случайно задел тебя, приношу свои извинения.

— Дело не в том, что ты догадался, — и даже не в том, как ты догадался, — проклят ты будешь за то, что насмехался надо мной.

— Насмехался над тобой? — переспросил Сэм. — Не понимаю. Я не имел в виду ни малейшего проявления неуважения. В былые времена я всегда был с тобой в хороших отношениях. Только вспомни — и ты согласишься, что это правда. Так с чего бы мне рисковать своим положением, насмехаясь над тобой теперь?

— Просто ты сказал то, что думаешь, слишком быстро, не успев обдумать последствия.

— Нет, мой Господин. Я шутил с тобой точно так же, как шутил бы любой мужчина, обсуждая эти темы с другим мужчиной. Сожалею, если это было воспринято неправильно. Я уверен, что ты обладаешь гаремом, которому я бы позавидовал и в который, вне всякого сомнения, однажды ночью попытаюсь прокрасться. Если ты проклинаешь меня, так как был изумлен, сними проклятие.

Он пыхнул своей трубкой и скрыл усмешку за клубами дыма.

Наконец Брахма хмыкнул.

— Я чуть-чуть скор на расправу, это верно, — объяснил он, — и, быть может, слишком чувствителен, когда речь заходит о моем прошлом. Конечно, мне часто приходилось шутить подобным образом с другими мужчинами. Ты прощен. Я снимаю свое начинавшееся проклятие.

— А твое решение, как я понимаю, — принять мое предложение? — добавил он.

— Ну да, — сказал Сэм.

— Хорошо. Мне всегда была свойственна братская привязанность к тебе. Ступай теперь и пришли моего жреца, чтобы я проинструктировал его о твоей инкарнации. До скорого свидания.

— Несомненно, Великий Брахма, — кивнул Сэм и поднял свою трубку. Потом он толкнул ряд полок и в поисках жреца прошел в зал. Много разных мыслей теснилось у него в голове, но на этот раз он оставил их невысказанными.

Вечером князь держал совет с теми из своих вассалов, кто уже успел посетить в Махаратхе родичей или приятелей, и с теми, кто собирал по городу новости и слухи. От них он узнал, что во всей Махаратхе насчитывалось только десять Хозяев Кармы и обитали они во дворце на склоне холма, возвышавшегося над юго-восточной частью города. По расписанию посещали они клиники или читальные залы Храмов, куда являлись за приговором горожане, обратившиеся за возрождением. Сама Палата Кармы представляла собой массивное черное сооружение во дворе дворца, сюда вскоре после вынесения приговора поступал перерождаемый, чтобы перенестись в свое новое тело. Пока еще было светло, Стрейк с двумя советниками успел сделать наброски дворцовых укреплений. Пара вельмож из княжеской свиты была направлена через весь город пригласить на поздний ужин и пирушку Шана Ирабекского, престарелого правителя и отдаленного соседа, с которым трижды вступал Сиддхартха в кровопролитные пограничные стычки и иногда охотился на тигров. Шан прибыл в Махаратху со своими родственниками дожидаться, когда его назначат на прием к Хозяевам Кармы. Еще один человек послан был на улицу Кузнецов, там он сговорился с мастерами, чтобы они удвоили княжеский заказ и Подготовили все еще до рассвета. Чтобы заручиться их согласием, прихватил он с собой изрядное количество денег.

Потом на двор к Хаукане прибыл в сопровождении шестерых родственников Шан Ирабекский; хоть и принадлежали они к касте кузнецов, но явились вооруженными, словно воины. Увидев, однако, сколь тихой обителью был постоялый двор и что никто из других гостей или посетителей не вооружен, они отложили свое оружие и уселись во главе стола, рядом с князем.

Шан был человеком высокого роста, но сильно сутулился. Облачен он был в каштанового цвета одеяния и темный тюрбан, спускавшийся на его большие, словно молочно-белые гусеницы, брови. Снежно-белой была его густая борода, когда он смеялся, можно было заме-

тить черные пеньки зубов, а нижние веки его покрасне-
ли и вспухли, словно устали и наболели после многих лет,
на протяжении которых удерживали они за собой выпу-
ченные, налитые кровью глаза в их очевидных попытках
вылезти из орбит. Он флегматично смеялся и стучал по
столу, уже в шестой раз повторяя: «Слоны нонче вздоро-
жали, а в грязи ни на черта не годны!» Фраза эта отно-
силась к их беседе касательно лучшего времени года для
ведения войны. Только полнейший новичок был бы настолько невоспитан, чтобы оскорбить посланца соседа в
сезон дождей, решили они, и, следовательно, его можно
будет с тех пор называть *нуво руа*.

Медленно тянулся вечер, врач князя извинился и вышел, чтобы присмотреть за приготовлением десерта и
подсыпать наркотик в пирожные, предназначенные
Шану. Медленно тянулся вечер, и после сладкого Шана все чаще и сильнее тянуло закрыть глаза и уронить
голову на грудь. «Хорошая вечеринка, — пробормотал
он, похрапывая, и, наконец: — Слоны ни на черта не
годны...» и заснул так, что его было не разбудить. Его
родичи были не в настроении провожать его в такое время домой, поскольку все тот же врач добавил им в вино
хлоралгидрат и в настоящий момент они вповалку хра-
пели на полу. Наиболее обходительный вассал из княжеской свиты договорился с Хауканой об их размеще-
нии, а самого Шана взяли в апартаменты князя, где
вскорости его и посетил врач, который расстегнул на
нем одежду и заговорил с ним мягким, убеждающим голосом.

— Завтра после полудня, — говорил он, — ты будешь Князем Сиддхартхой, а это будут твои вассалы. Ты
явишься в Палату Кармы вместе с ними и потребуешь
там тело, которое без предварительного взвешивания
твоей кармы обещал тебе Брахма. Ты останешься

Сиддхартхой и после переноса, а потом вернешься сюда со своими вассалами, чтобы я тебя обследовал. Ты понял?

— Да, — прошептал Шан.

— Тогда повтори, что я тебе сказал.

— Завтра после полудня, — сказал Шан, — я буду Сиддхартхой во главе своих вассалов...

Ясной выдалась утренняя заря, и под ее сенью сводились разные счеты. Половина людей князя покинула верхом город, направляясь на север. Когда они достаточно удалились от Махаратхи, путь их начал потихоньку сворачивать к юго-востоку, петляя между холмов; остановились они лишь раз, чтобы облачиться в боевые доспехи.

Полдюжины людей отправилось на улицу Кузнецов, откуда вернулись они с тяжелыми холщовыми мешками, содержимое которых поделили между собой три дюжины воинов, сразу после завтрака отправившихся в город.

Князь держал совет со своим врачом, Нарадой.

— Если я неправильно оценил милосердие небес, то и в самом деле я проклят.

На что доктор улыбнулся и промолвил:

— Сомневаюсь, чтобы ты ошибся.

И так потихоньку утро сменилось полднем, над городом встал золотой Мост Богов.

Когда очнулись их подопечные, им помогли с похмельем. Шану дали послегипнотических снадобий и с шестью вассалами Сиддхартхи отправили его во Дворец Хозяев. Заверив, естественно, сородичей, что он все еще спит в княжеских покоях.

— В данный момент самый рискованный пункт, — сказал Нарада, — это Шан. Не узнают ли его? Нам на руку, что он — заштатный монарх далекого королевства. Он совсем недавно в городе, причем все это время провел в основном со своими сородичами и до сих пор не подавал запрос о новом теле. Хозяева, должно быть, еще не знают, как выглядишь ты сам...

— Если только меня не описал им Брахма и его жрец, — перебил князь, — меня не удивит, если вся наша беседа была записана, а лента передана им с целью установления моей личности.

— Но почему же они должны были так поступить? — возразил Нарада. — Вряд ли они ожидают подвоха и изощренных предосторожностей от того, кому оказывают благодеяние. Нет, я полагаю, мы сумеем с этим справиться. Шану, конечно, не пройти зондирования, но он вполне сойдет для поверхностного осмотра, особенно в компании твоих вассалов. В данный момент он уверен, что он и есть Сиддхартха, и в этом отношении способен пройти любой тест на детекторе лжи — серьезней же, как мне кажется, испытаний его не ждет.

Итак, они ждали. Три дюжины людей вернулись с пустыми сумками, собрали свои пожитки, оседлали коней и один за другим лениво затрусили через город, вроде бы в поисках увеселений, но на самом деле неведомая сила медленно сносила их в юго-восточном направлении.

— До свидания, добрый Хаукана, — говорил князь, пока оставшиеся вассалы паковали свои пожитки и седлали лошадей. — Как всегда, только доброе услышат о тебе и о твоем пристанище все, кто попадется на пути моем в окрестных краях. Я сожалею, что вынужден столь внезапно прервать свое пребывание здесь, но я должен спешить и, покинув Палату Кармы, сразу же отправлюсь усмирять восставшую провинцию. Ты же знаешь, стоит правителю отвернуться, как тут же разгорается смута. Итак, хотя я и хотел бы скоротать еще недельку под твоей гостеприимной крышей, но, боюсь,

это удовольствие придется отложить до следующего

раза. Если кто-то будет спрашивать обо мне, говори, чтобы искали меня в Гадесе.

— Гадес, мой Господин?

— Самая южная провинция моего королевства, отличающаяся исключительно жарким климатом. Постарайся не забыть и точно передать это, особенно жрецам Брахмы, которые, возможно, в ближайшие дни заинтересуются моим местопребыванием.

— Будет исполнено, мой Господин.

— И позаботься, прошу тебя, о мальчике Диле. Я хотел бы послушать его игру, когда посещу тебя в следующий раз.

Хаукана низко поклонился и приготовился произнести ответную речь, поэтому князь поспешил бросить ему последнюю мошну, полную монет, и, добавив пару слов касательно вин Симлы, вскочил в седло и столь решительно начал раздавать приказания своим воинам, что у Хауканы не было никакой возможности вставить хоть слово.

Они выехали через ворота и были таковы, оставив позади лишь медика да трех воинов, которых ему предстояло избавить за ближайший день от недомогания, вызванного ни с того ни с сего, вероятно, переменой климата; они должны были нагнать остальных в пути.

Отряд пересек весь город, избегая главных улиц, и постепенно оказался на дороге, ведущей к Дворцу Хозяев Кармы. Проезжая по ней, Сиддхартха обменивался тайными знаками с тремя дюжинами своих людей, лежавших в засаде в разных точках подступавшего к дороге леса.

На середине пути ко дворцу князь и восемь его спутников бросили поводья, словно собираясь передохнуть, а остальные в это время поравнялись с ними, осторожно пробираясь между деревьев.

Вскоре, однако, они увидели впереди какое-то движение. Показались семеро всадников, и князь догадался, что это шесть его копейщиков и Шан. Когда расстояние между двумя группами уменьшилось, князь со своими людьми двинулся им навстречу.

— Кто вы такие? — воскликнул высокий всадник с острым взглядом, чуть осадив свою белую кобылу. — Кто вы такие, что заступаете дорогу Князю Сиддхартхе, Бичу Демонов?

Князь присмотрелся к нему — мускулистый и загорелый, лет двадцати с небольшим, с ястребиным профилем и величественной осанкой — и вдруг почувствовал, что его подозрения были необоснованны и он подвел сам себя подозрительностью и недоверчивостью. По гибкому, тренированному экземпляру, сидевшему на его собственной белой кобыле, было ясно, что Брахма торговался честно, предоставляя ему в пользование прекрасное, сильное тело, которым сейчас обладал старый Шан.

— Князь Сиддхартха, — сказал один из его людей, сопровождающих правителя Ирабека, — похоже, что все было по-честному. С ним, по-моему, все в порядке.

— Сиддхартха! — вскричал Шан. — Кто это, к кому это ты смеешь обращаться по имени своего хозяина? Сиддхартха — я, я — Бич...

Он не договорил, голова его запрокинулась, и звуки забулькали в горле: его настиг припадок. Он окоченел, зашатался и выпал из седла. Сиддхартха бросился к нему. В уголках рта у Шана появилась пена, глаза его закатились.

— Эпилепсия! — вскричал князь. — Они собирались подсунуть мне порченый мозг.

Остальные столпились вокруг и помогали князю держать Шана, пока приступ не прошел и рассудок не начал возвращаться в тело.

— Ч-что случ-чилось? — спросил он.

— Предательство, — ответил Сиддхартха. — Предательство, о Шан Ирабекский! Один из моих людей проводит теперь тебя к моему персональному врачу для обследования. После того как ты отдохнешь, я предлагаю тебе подать жалобу в читальный зал Брахмы. Мой врач займется тобой у Хауканы, а потом ты будешь свободен. Я сожалею, что все так произошло. Вероятно, все уладится. Ну а если нет — вспоминай последнюю осаду Капила и считай, что мы квиты — по всем статьям. День добрый, братец князь.

Он поклонился, а его люди помогли Шану взгромоздиться на Хауканову гнедую, одолженную заблаговременно Сиддхартхой.

Из седла своей кобылы князь наблюдал, как удаляется Шан, а затем, повернувшись к собравшимся вокруг него людям, заговорил достаточно громко, чтобы его услышали и в лесу:

— Внутрь войдут девять из нас. Дважды взовет рог — и следом пойдут остальные. Если они будут сопротивляться, заставьте их пожалеть о своей неосторожности, ведь на тройной призыв рога явятся с холмов пятьдесят копейщиков, если будет в том надобность. Это — дворец для отдохновения, а не форт, где должны разворачиваться битвы. Берите Хозяев в плен. Не причиняйте вреда их машинам и не давайте делать этого другим. Если они не будут сопротивляться — все распрекрасно. Если же это случится, мы пройдем через Дворец и Палату Хозяев Кармы, как маленький мальчик через большой и замечательно устроенный муравейник. Удачи! И не дай бог, чтобы с нами были боги!

И, повернув свою лошадь, он направился вверх по дороге, и восемь копейщиков негромко напевали у него за спиной.

Князь проехал через широкие двойные ворота, распахнутые настежь; их никто не охранял. Он невольно призадумался: не просмотрел ли Стрейк каких-то секретных средств защиты.

Двор был вымощен лишь кое-где, основную его часть занимала зелень. Тут же работало несколько слуг, занятых подрезкой, стрижкой и всеми остальными садовыми процедурами. Князь прикинул, где бы разместить оружие, но подходящего места не нашел. Слуги, не прерывая работы, поглядывали на вновь прибывших.

В дальнем конце двора возвышалась черная каменная Палата. Он направился туда в сопровождении своих всадников, пока его не окликнули со ступеней самого дворца, который остался от него по правую руку.

Князь натянул поводья и обернулся в эту сторону. Увидел он человека в черном одеянии с желтым кругом на груди, с посохом из черного дерева в руках. Был он высок, могуч, лицо его, кроме глаз, было прикрыто черным.

Князь направил свою лошадь к подножию широкой лестницы.

— Я должен поговорить с Хозяевами Кармы, — заявил он.

— Тебе назначили прием? — спросил человек.

— Нет, — ответил князь, — но это очень важное дело.

— Тогда сожалею, что ты проделал все это путешествие впустую, — промолвил черный. — Необходимо назначение. Ты можешь договориться о нем в любом Храме Махаратхи.

Стукнув посохом о ступени, он повернулся и пошел прочь.

— Корчуйте сад, — велел князь своим людям, —
вырубите вон те деревья, сложите их в кучу и подпалите.

Человек в черном замер, обернулся.

Внизу лестницы его ждал один князь. Остальные уже двигались по направлению к деревьям.

— Не смей, — сказал человек.

Князь улыбнулся.

Его люди спешились и, пройдя прямо по клумбам, начали вырубать кусты.

— Прикажи им остановиться!

— С чего бы это? Я пришел поговорить с Хозяевами Кармы, и ты заявляешь, что я не могу этого сделать. Я говорю, что могу, — и поговорю. Посмотрим, кто из нас прав.

— Прикажи им остановиться, — повторил тот, — и я передам твое послание Хозяевам.

— Стой! — крикнул князь. — Но будьте готовы начать снова.

Человек в черном поднялся по лестнице и исчез во дворце. Князь постукивал пальцами по рогу, который висел на перевязи у него на груди.

Вскоре во дворце послышалось какое-то движение и из дверей один за другим стали появляться вооруженные люди. Князь поднял рог к губам и дважды протрубил в него.

Люди были облачены в кожаные доспехи, кое-кто еще прилаживал на ходу отдельные их детали, и кожаные же колпаки. Вооружены они были маленькими овальными металлическими щитами с изображением желтого круга на черном фоне. Мечи у них были длинные, изогнутые. Воины заполнили всю лестницу и замерли, будто ожидая приказа.

Опять появился человек в черном и остановился на верхней площадке лестницы.

— Очень хорошо, — сказал он, — если ты хотел передать что-то Хозяевам, говори!

— Ты — Хозяин? — спросил князь.

— Да.

— Тогда ты, вероятно, последний из них, коли тебе приходится служить еще и привратником. Я хочу говорить со старшим.

— Твоей наглости воздастся сполна и в этой жизни, и в следующей, — заметил Хозяин.

Тут через ворота во двор въехали три дюжины копейщиков и, подъехав, выстроились с обеих сторон от князя. Те восемь, что начали было осквернять сад, вскочили в седла и придвинулись к своим товарищам, обнаженные клинки лежали у них поперек седел.

— Нам что, придется вступить в ваш дворец верхом? — поинтересовался князь. — Или же ты призовешь других Хозяев, с которыми я хочу иметь разговор?

Лицом к лицу с воинами князя на лестнице стояло около восьмидесяти человек. Хозяин, казалось, взвешивал соотношение сил. Он решил не нарушать сложившегося положения.

— Не поступай опрометчиво, — процедил он сквозь зубы, — ибо мои люди будут защищаться особо жестоким образом. Жди, пока я вернусь. Я позову остальных.

Князь набил свою трубку и закурил. Его люди замерли, как статуи, с копьями наперевес. Капельки пота заметнее всего были на лицах пеших солдат, занимавших нижние ступени.

Князь, чтобы скоротать время, заметил своим копейщикам:

— Не вздумайте хорохориться и хвастаться своим мастерством, как вы делали при последней осаде Капила. Цельтесь в грудь, а не в голову.

А еще, — продолжал он, — не вздумайте, как обычно, калечить раненых и убитых — это же святое место, и его не должно осквернять подобными поступками.

**104**

С другой стороны, — добавил он, — я восприму как личное оскорбление, если у нас не наберется десятка пленников для жертвоприношения Ниррити Черному, моему персональному покровителю — конечно же, за пределами этих стен, где обряд Черного Празднества не будет столь тяжело давить на нас...

Справа раздался шум — это пехотинец, изо всех сил таращившийся на длинное копье Стрейка, потерял вдруг сознание и упал с нижней ступени.

— Стоп! — прокричал человек в черном, появившийся в этот миг на верхней площадке вместе с шестью другими, одетыми так же. — Не оскверняйте Дворец Кармы кровопролитием. Уже кровь этого павшего воина...

— Которая прилила бы к его щекам, — докончил князь, — если бы он был в сознании, — ибо он не убит.

— Чего ты хочешь? — Обратившийся к нему черный человек был среднего роста, но чудовищен в обхвате. Он стоял, словно громадная темная бочка; его посох — словно аспидный перун.

— Я насчитал семь, — отвечал князь. — Насколько я понимаю, здесь проживает десять Хозяев. Где трое остальных?

— Они в данный момент на приеме в трех читальных залах Махаратхи. Что тебе нужно от нас?

— Ты здесь за старшего?

— Только Великое Колесо Закона здесь за старшего.

— Не ты ли старший представитель Великого Колеса внутри этих стен?

— Да, я.

— Очень хорошо. Я хочу поговорить с тобой с глазу на глаз — вон там, — сказал князь, указав рукой на Черные Палаты.

— Это невозможно!

Князь выбил трубку о каблук, выскреб остатки табака кончиком своего кинжала и спрятал ее обратно в кисет. Потом он выпрямился в своем седле, сжимая в левой руке рог. Его взгляд встретился с глазами Хозяина.

— Ты абсолютно уверен в этом? — спросил он.

Рот хозяина, крохотный и яркий, искривился, артикулируя так и не произнесенные слова.

— Как скажешь, — согласился наконец он. — Пропустите меня!

Он спустился сквозь ряды воинов и остановился перед белой кобылой.

Князь ударами колен развернул ее в направлении темных Палат.

— Держать позицию! — приказал Хозяин.

— То же самое, — сказал князь своим людям.

Вдвоем они пересекли двор, и князь спешился перед Палатами.

— Ты должен мне тело, — вкрадчиво промолвил он.

— О чем это ты? — сказал Хозяин.

— Я — Князь Сиддхартха из Капила, Бич Демонов.

— Сиддхартху мы уже обслужили, — был ответ.

— Ты так считаешь, — сказал князь. — Обслужили, сделав по приказу Брахмы эпилептиком. Однако это не так. Человек, которого вы обработали сегодня, — всего лишь невольный самозванец. Я — настоящий Сиддхартха, о безымянный жрец, и я пришел потребовать свое тело — сильное, без изъяну, без скрытого порока. И ты послужишь мне в этом. Послужишь вольно или невольно — но послужишь.

— Ты так считаешь?

— Я так считаю, — подтвердил князь.

— Вперед! — закричал Хозяин и взмахнул своим посохом, целясь князю в голову.

Князь увернулся от удара и отступил назад, обнажая свой клинок. Дважды он парировал им удары посоха. Но на третий раз тот попал, и хотя посох только скользнул ему по плечу, этого хватило, чтобы потрясти князя. Он кружил вокруг белой кобылы, укрываясь за нею от Хозяина. Увертываясь, прячась за нею, он поднес ко рту рог и протрубил три раза. Звуки рога на миг покрыли звон, лязг и крики ожесточенной схватки, разгоревшейся на дворцовой лестнице. С трудом переведя дух, князь обернулся и едва успел отразить удар, который, без сомнения, размозжил бы ему череп.

— В писании сказано, — захлебываясь, выдавил из себя Хозяин, — что тот, кто отдает приказания, не обладая должной силой, чтобы заставить их выполнить, — глупец.

— Еще десять лет назад, — с трудом выдохнул князь, — ты бы ни за что не дотронулся до меня своим посохом.

И он с ожесточением принялся наносить удары, целя в посох, стремясь разрубить, расщепить его, но соперник все время ухитрялся отвести острие его клинка, и хотя вскоре на посохе было полно зарубок, а местами князь даже снял с него стружку, в целом он не пострадал и по-прежнему являл в руках Хозяина достаточно грозное оружие.

Вдруг среди этой сечи Хозяин просто, как палкой, огрел князя посохом наискосок по левому боку, и тот почувствовал, как у него внутри треснули ребра. Он повалился на землю.

Нет худа без добра: когда князь падал, клинок выпал у него из руки и полоснул Хозяина по ногам чуть пониже колен; тот, завопив, рухнул как подкошенный.

— Мы почти на равных, — выдохнул князь. — Мой возраст против твоего жира...

И он с трудом вытащил, даже и не пытаясь подняться, свой кинжал; твердо сжать его в руке было ему не под силу.

Он оперся локтем о землю. Хозяин со слезами на глазах попытался было подняться, но тут же снова упал на колени.

И тут до них донесся стук множества подков.

— Я не глупец, — сказал князь. — И теперь я обладаю должной силой, чтобы заставить выполнить мои приказания.

— Что происходит?

— Прибыли остальные мои копьеносцы. Если бы я сразу вступил сюда со всеми своими силами, вы бы попрятались по щелям, как гекконы в груде валежника; нам бы потребовались тогда, может быть, дни и дни, чтобы обшарить ваш дворец и выкурить вас из укромных уголков. Ну а теперь ты лежишь словно у меня на ладони.

Хозяин поднял свой посох.

Князь отвел назад руку с кинжалом.

— Опусти его, — сказал он, — или я метну кинжал. Не знаю, попаду я или промахнусь, но вполне могу попасть. Ну так что, ты не побоишься сыграть, когда ставкой будет подлинная смерть, а?

Хозяин опустил свой посох.

— Подлинную смерть познаешь ты, — сказал Хозяин, — когда служители Кармы скормят псам тела твоих всадников.

Князь закашлялся и безо всякого интереса поглядел на свою кровавую слюну.

— Ну а пока обсудим политику? — предложил он.


Когда стихли звуки битвы, первым к ним приблизился Стрейк — высокий, пропыленный, в волосах у него запеклось почти столько же крови, как и на лезвии меча, — его недоверчиво обнюхала белая кобыла. Он отдал князю честь и сказал:

— Готово.

— Слышишь, Хозяин Кармы? — спросил князь — Твои служители — вот истинная пища для псов.

Хозяин не отвечал.

— Обслужишь меня сейчас, и я сохраню тебе жизнь, — сказал князь. — Откажешься, и я лишу тебя ее.

— Обслужу, — сказал Хозяин.

— Стрейк, — распорядился князь, — пошли двоих обратно в город; одного — за Нарадой, другого — на улицу Ткачей за Яннагтом-парусинником. Из трех копейщиков у Хауканы пусть остается только один — постережет до заката Шана Ирабекского, а потом свяжет его и оставит там, а сам догоняет нас.

Стрейк улыбнулся и отсалютовал князю.

— А сейчас пришли людей, чтобы перенести меня внутрь палат и присмотреть за Хозяином.


Свое старое тело он сжег вместе со всеми остальными. Служители Кармы пали в бою все до одного. Из семи безымянных Хозяев в живых остался только толстяк. Банк спермы и яйцеклеток, резервуары для выращивания и камеры для готовых тел увезти было невозможно, зато само оборудование для переноса было демонтировано и погружено на лошадей, лишившихся в битве своих всадников. Юный князь, восседая на белой кобыле, смотрел, как челюсти пламени смыкались на телах павших. Восемь погребальных костров пылало на фоне предрассветного неба. Тот, который был парусных дел мастером, посмотрел на ближайший к воротам костер; его зажгли последним, и только сейчас языки пламени добрались до верха, где покоилась громадная туша, облаченная в черное одеяние с желтым кругом на груди. Когда пламя коснулось его и одежда начала дымиться, собака, забившаяся с поджатым хвостом под кусты в обезображенном саду, подняла к небу морду и завыла, и вой ее был очень похож на плач.

— Сегодня счет твоих грехов перешел все границы, — сказал парусный мастер.

— Но, гм, есть еще и счет молитв! — откликнулся князь. — Буду уповать на него. Хотя будущим теологам еще предстоит принять окончательное решение о правомерности этих жетонов и одноруких бандитов. А теперь — пусть Небеса соображают, что стряслось здесь сегодня. Пора отправляться, мой капитан. Пока — в горы, а там — врозь, так будет безопасней. Не знаю, какой дорогой я последую, единственно знаю, что ведет она к вратам Небес и что я должен идти по ней во всеоружии.

— Бич Демонов, — протянул его собеседник, и князь улыбнулся.

Приблизился предводитель копейщиков. Князь кивнул ему. Прозвучали выкрики приказаний.

Колонны всадников двинулись в путь, прошли через ворота Дворца Кармы, свернули с дороги и направились вверх по склону на юго-восток, удаляясь от города Махаратхи, а за спиной у них, словно утренняя заря, пылали тела их товарищей.

## III

Поведано, что когда явился Учитель, приходили послушать его учение люди всех каст — и даже животные, боги, забредал случайный святой; и уходили они оттуда укрепившись духом и праведнее, чем были. Считалось, что он обрел просветление, хотя были и такие, кто называл его мошенником, грешником, преступником или пройдохой. Не все из этих последних числились среди его врагов; но, с другой стороны, не все из тех, кто окреп духом и стал праведнее, могли быть причислены к его друзьям и сторонникам. Последователи звали его Махасаматман, и некоторые из них говорили, что он бог. И вот вскоре стало ясно, что принят он в качестве учителя, что смотрят на него с уважением; приобрел он много богатых сторонников и прославился далеко за пределами округи; стали называть его Татхагатой, что означает Тот Кто Постиг. И отметить нужно, что хотя богиня Кали (иногда — в наиболее безобидных ее проявлениях — известная как Дурга) никогда не высказывала формального заключения касательно достижения им состояния будды, оказала она ему честь исключительную, отрядив воздать ему свою дань не простого наемного убийцу, а святого своего палача...

Не исчезает истинная Дхамма,
пока не возрастет в мире Дхамма ложная.
Когда возрастает ложная Дхамма, вынуждает она
истинную Дхамму исчезнуть.

*Самьютта-никая (II, 224)*     **111**

Поблизости от города Алундила раскинулась роскошная роща, деревья с голубой корой венчала там пурпурная листва, легкостью подобная перу. Прославлена была эта роща своей красотой, а также и священным покоем, что царил под ее сенью. До его обращения принадлежала она купцу Васу, который потом предоставил ее учителю, известному и под именем Махасаматман, и под прозвищем Татхагата, и как Просветленный. В этой роще и обосновался учитель со своими последователями, и когда проходили они среди дня по городу, никогда не оставались пустыми их чаши для подаяния.

К роще всегда стекалось и множество пилигримов. Верующие, любопытные, хищные до чужого, — все они бесконечной чередой проходили там, добираясь кто по воде, кто посуху, кто верхом, а кто пешком.

Алундил — довольно заурядный городишко. Обычными были в нем и крытые соломой лачуги, и одноэтажные деревянные халупы; немощеной оставалась главная улица, вся исчерченная шрамами от колес бесчисленных повозок; имелось в нем два больших базара и множество мелких; вокруг протянулись обширные поля злаков, принадлежащие вайшьям и обрабатываемые шудрами, казалось, что город — это остров в зелено-голубом озере; из-за большого наплыва путешественников много было в черте города постоялых дворов (но, конечно, ни один из них не мог сравниться с легендарным гостиным двором Хауканы в далекой Махаратхе); были здесь и свои святые и свои сказители; и, уж конечно, был здесь и свой Храм.

Храм расположился на невысоком холме почти в самом центре города, каждую из четырех его стен разрывали посередине огромные ворота. Они, как, собственно, и стены, были сплошь покрыты резьбой, теснящимися, смыкающимися друг с другом ярусами высеченных из камня фигур; красовались там музыканты и танцовщицы, воины и демоны, боги и богини, звери и артисты, стражи и девы, любовники во всевозможных сочетаниях и бесчисленные гибриды людей и животных. Ворота эти вели в первый, внешний двор, в котором опять же высились стены — уже со своими воротами, которые, в свою очередь, вели во второй, внутренний двор. В первом находился небольшой базар, где продавалось все необходимое для поклонения богам. Кроме того, размещалось там множество маленьких святилищ, капищ, часовен, посвященных второстепенным божествам. Чего только не было в этом дворе: попрошайствующие нищие, смеющиеся дети, медитирующие святые, сплетничающие женщины, курящиеся благовония, распевающие птахи, побулькивающие сосуды для очищения, басовито гудящие молитвоматы — все это можно было обнаружить здесь круглый день.

Ну а внутренний двор, с его величественными святилищами главных богов, являлся средоточием всей религиозной деятельности. Люди распевали или выкрикивали молитвы, бормотали стихи из вед, стояли — одни, вытянувшись в струнку, другие — на коленях, лежали, простертые ниц перед огромными каменными изваяниями, которые подчас так любовно были увиты гирляндами цветов, так густо натерты красной кункумовой пастой и окружены грудами приношений, что невозможно было догадаться, какое же божество потонуло здесь в океане осязаемого поклонения. Время от времени трубили храмовые трубы, и тогда все на минуту смолкали, чтобы оценить их эхо, затем гам возобновлялся с новой силой.

И никому не пришло бы в голову спорить, что королевой Храма была Кали. Ее высокая, изваянная из **113** белого камня статуя в гигантском святилище господствовала над внутренним двором. Едва заметная ее улыбка, может быть, чуть презрительно снисходительная к остальным богам и их богомольцам, на свой лад приковывала взгляд не менее, чем ухмылки гирлянды черепов, свешивавшихся с ее ожерелья. В руках она сжимала кинжалы, а тело ее, схваченное художником в середине шага, казалось, не решило, не стоит ли пуститься в танец и лишь потом повергнуть пришедших к ее святилищу. Полными были ее губы, широко открытыми глаза. При свете факелов казалось, что она движется.

Поэтому немудрено было, что лицом к лицу с ее святилищем стояло святилище Ямы, бога смерти. Решено было — и достаточно логично — священнослужителями и архитекторами, что из всех божеств именно ему пристало, ни на минуту не отрываясь, весь день соизмерять свой полный решимости взгляд со встречным взглядом богини, вторя своей кривой усмешкой ее полуулыбке. Даже самые благочестивые посетители старались обычно обойти эти два святилища стороной и уж всяко не проходить между ними; а когда на город опускались сумерки, в этой части храма воцарялись тишина и неподвижность, и не тревожил их никакой припозднившийся богомолец.

С севера, когда дохнул на округу вешний ветер, пришел сюда некто по имени Рилд. Невелик ростом, хрупкого сложения, с головой — хоть и небогат он был прожитыми годами — убеленной, должно быть, сединой, — таков был Рилд; облачен он был в обычное темное одеяние пилигрима, но когда нашли его в канаве, где без памяти лежал он в приступе лихорадки, намотан был на его предплечье малиновый шнурок удушителя, знак его, Рилда, истинной профессии.

114

Пришел Рилд весной, во время празднества, в Алундил среди зелено-голубых полей, в Алундил лачуг под соломенной кровлей и одноэтажных деревянных халуп, немощеных улиц и многочисленных постоялых дворов, базаров, святых подвижников и сказителей, великого религиозного возрождения и его Учителя, молва о котором разнеслась далеко за пределы округи, — в Алундил Храма, царила в котором его покровительница.

Время празднеств.

Лет двадцать тому назад этот традиционный местный праздник не касался даже ближайших соседей. Но теперь, когда стекались сюда бесчисленные путешественники, привлеченные присутствием Просветленного, проповедующего истину Восьмеричного Пути, Фестиваль в Алундиле привлекал такое количество пилигримов, что переполнены были все комнаты и углы, где только можно было обрести приют. Владельцы палаток сдавали их внаем втридорога. Даже в конюшнях ютились люди, даже голые клочки земли сдавались как участки для временных лагерей.

Любил Алундил своего Будду. Много было городов, пытавшихся переманить его, выманить из пурпурной рощи. Шенгоду, Цветок Гор, сулил ему дворец с гаремом, лишь бы он принес свое учение на его склоны. Но Просветленный не пошел к горе. Каннака, порт на Змеиной Реке, предлагал ему слонов и корабли, городской дом и загородную виллу, лошадей и слуг, только бы он пришел и проповедовал на его пристанях. Но не пошел Просветленный к реке.

Оставался Будда у себя в роще, и все живое стекалось к нему. С годами, как откормленный дракон, все разрастался праздник — и в пространстве, и во времени, и, как

**115**

чешуя оного — само мерцание, — все пышнее и многолюднее становился он. Местные брамины не одобряли антиритуалистическое учение Будды, но благодаря его присутствию переполнялась казна их, и пришлось им научиться жить в тени восседающего учителя, не произнося слова тиртхика — еретик.

И оставался Будда у себя в роще, и все живое стекалось к нему, в том числе и Рилд.

Время празднеств.

Барабаны зарокотали вечером третьего дня.

На третий день заговорили громовыми раскатами огромные барабаны для танца катхакали. Стремительное, как пулеметные очереди, на многие мили разнеслось стаккато барабанной дроби, через поля проникло оно в город, наполнило его, наполнило собой пурпурную рощу и болотистые пустоши позади нее. Одетые в белые мундусы барабанщики были обнажены до пояса, и на их темных торсах поблескивали капельки пота; работали они посменно, столь выматывал поддерживаемый ими могучий пульс; и ни на миг не прерывался звуковой поток, даже когда очередная смена барабанщиков выдвигалась, отдохнув, вплотную к туго натянутым на маханагары кожаным мембранам.

С наступлением темноты путешественники и горожане, пустившиеся в путь, едва заслышав перебранку барабанов, начали прибывать на праздничное поле, не менее просторное, чем поля древних сражений. Там они подыскивали себе свободное местечко и усаживались коротать время в ожидании, когда сгустится темнота и начнется драма, потягивая сладко пахнущий чай, купленный на лотках и в палатках, расставленных повсюду под деревьями.

В центре поля стоял огромный, высотой в рост человека медный котел с маслом, через края которого свешивались фитили. Их зажгли, и они попыхивали в ответ мерцавшим у палаток актеров факелам.

Вблизи грохот барабанов становился и вовсе оглушающим, гипнотическим, а сложные, синкопированные их ритмы — коварными.

С приближением полуночи зазвучали славословящие богов песнопения, нарастающие и спадающие, следуя ритму, задаваемому барабанами; словно тенетами оплетали они все пять человеческих чувств.

Вдруг все затихло, это в сопровождении своих монахов, чьи желтые одеяния казались в факельных отсветах оранжевыми, прибыл Просветленный. Но они отбросили на плечи капюшоны своих ряс и уселись, скрестив ноги, прямо на землю. И чуть погодя умы собравшихся вновь полностью заполнили песнопения и голоса барабанов.

Когда появились актеры, превращенные в гигантов грандиозным гримом, сопровождаемые позвякивающими при каждом шаге на лодыжках бубенцами, встретили их не аплодисментами, а одним только сосредоточенным вниманием. С самого детства начинали знаменитые танцоры катхакали учиться и акробатике, и веками устоявшимся образцам классического танца; ведомы им были и девять различных движений шеи и глаз, и сотни положений и жестов рук, необходимых для того, чтобы воссоздать на сцене древние эпические предания, повествующие о любви и битвах, о стычках богов и демонов, о героических поединках и кровавых предательствах и изменах. Музыканты громко выкрикивали строки, повествующие о захватывающих дух подвигах Рамы или братьев Пандавов, а актеры, не произнося ни единого слова, изображали их на сцене. Раскрашенные в зеленое и красное, черное и белоснежное, шествовали они по полю, и вздымались их одежды, и сверкали, отбрасывая тысячи зайчиков, в огнях светильника их огромные нимбы. Иногда светильник вдруг ярко вспыхивал или же шипел и плевался искрами, и тогда ореолы у них над головами словно переливались то небесным, то непотребным светом, полностью стирая смысл происходящего и заставляя зрителей на мгновение почувствовать, что сами они — всего лишь иллюзия, а единственно реальны в этом мире ведущие циклопический танец крупнотелые фигуры.

Танец должен был продолжаться до рассвета, чтобы завершиться с восходом солнца. Еще до зари, однако, явился со стороны города один из желторясых монахов и, проложив себе путь сквозь толпу, поведал что-то на ухо Просветленному.

Будда приподнялся было, но, как показалось, чуть подумав, уселся обратно. Он сказал что-то монаху, тот кивнул и отправился восвояси.

Невозмутим был с виду Будда, вновь погрузившийся в созерцание спектакля. Сидевший по соседству монах заметил, как постукивает он пальцами по земле, и решил, что Просветленный отсчитывает ритм тала музыкантам, ибо всем было известно, что выше он таких вещей, как нетерпение.

Но вот кончилась драма, и Сурья-солнце окрасил розами каемку Небес над восточной оконечностью окоема, и оказалось, что ушедшая ночь держала толпу в плену напряженной, пугающей грезы, от которой освободились наконец зрители — лишь затем, чтобы в усталости скитаться лунатиками весь этот день.

Лишь Будда и его последователи сразу же отправились в сторону города. Нигде не останавливались они передохнуть и прошли через весь Алундил быстрой, но исполненной достоинства походкой.

Когда же вернулись они в пурпурную рощу, наказал Просветленный своим монахам отдыхать, а сам направился к небольшому павильону, расположенному в лесной чащобе.

Монах, оповестивший Будду во время представления, сидел внутри павильона. Он пытался унять приступ лихорадки, терзавшей странника, подобранного им на болотах, где он имел обыкновение прогуливаться, ибо среди болотных испарений особенно хорошо медитировалось о неизбежном разложении тела после смерти.

Татхагата разглядывал вытянувшегося перед ним на матрасе человека. У него были тонкие и бледные губы, высокий лоб, выступающие скулы, седые брови, чуть заостренные уши; и Татхагата решил, что под веками незнакомца скрываются либо серые, либо бледно-голубые, выцветшие глаза. И все его тело, оставленное на время сознанием, было каким-то... просвечивающим?.. хрупким, что ли, — может быть, отчасти из-за разъедающей его лихорадки, но нельзя было списать это его качество полностью на болезнь. Этот маленький человек отнюдь не производил впечатления того, кому подобает носить предмет, который держал сейчас Татхагата в руках. На первый взгляд вполне мог бы он показаться глубоким стариком. Но стоило приглядеться получше и осознать, что ни бесцветные его волосы, ни хрупкое телосложение не свидетельствуют о преклонном возрасте, и поразило бы в его облике что-то совершенно детское. По внешнему его виду решил Татхагата, что не обязательно ему часто бриться. Быть может, где-то у уголков рта затерялись сейчас у него непокорные морщинки. А может быть, и нет.

Татхагата поднял малиновый шнурок для удушения, носить который пристало только святому палачу богини

Кали. Он пропустил шелковистое тельце шнурка между пальцев, и тот проскользнул сквозь его руку, как змея, чуть-чуть ластясь к ней. Вне всяких сомнений, ласка эта предназначалась для его горла. Почти не осознавая, что делает, он быстро скрестил руки и тут же развел их; да, именно так это и делается.

Потом он поднял взгляд на монаха, который наблюдал за ним широко открытыми глазами, улыбнулся своей непроницаемой улыбкой и отложил шнурок. Монах влажной тряпицей вытер пот с бледного чела больного.

Покоившийся на матрасе вздрогнул от прикосновения, его веки вдруг резко распахнулись. Невидящие глаза его были наполнены безумием лихорадки, но Татхагата содрогнулся, встретившись с ним взглядом.

Темными, черными, почти как антрацит, оказались они, невозможно было разобрать, где кончается зрачок и начинается радужная оболочка. Было нечто предельно противоестественное в сочетании глаз подобной мощи со столь хилым и истощенным телом.

Татхагата дотронулся до руки больного, и это было все равно что коснуться стали, холодной и неподатливой. С силой полоснул он ногтем по внешней стороне правой кисти — и на ней не осталось ни следа, ни царапинки, ноготь просто соскользнул, словно по поверхности стекла. Он надавил изо всех сил на ноготь большого пальца, а когда отпустил его — ничего не произошло, тот ни на йоту не изменил свой цвет. Казалось, что руки эти мертвы, как детали механизма.

Он продолжил обследование больного. Замеченное явление прекращалось чуть выше запястий, чтобы опять проявиться в других местах. Руки, грудь, живот, шея и отдельные части спины окунались когда-то в купель смерти, что и обеспечило их неуязвимость и несгибаемую мощь. Смертельным, конечно, было бы полное погружение в эту купель; ну а так, в обмен на частичную потерю осязания приобрел дерзнувший на подобные водные процедуры невидимый эквивалент доспехов — нагрудных, спинных, рукавиц — из крепчайшей стали. И в самом деле, был он из отборнейших убийц ужасной богини.

— Кто еще знает об этом человеке? — спросил Будда.

— Послушник Симха, — отвечал монах, — который помог мне принести его сюда.

— А он видел, — показал глазами Татхагата на малиновый шнурок, — это?

Монах кивнул.

— Тогда сходи за ним. Пусть не откладывая явится сюда. И никому ничего не рассказывай, можешь только упоминать, что один из пилигримов заболел и мы его здесь подлечиваем. Я беру на себя уход за ним и сам буду его лечить.

— Слушаю, Победоносный.

И монах спешно покинул павильон.

Татхагата уселся рядом с матрасом и погрузился в ожидание.

Прошло два дня, прежде чем на убыль пошла лихорадка и рассудок вернулся в эти темные глаза. Но на протяжении этих двух дней всякий, чей путь лежал мимо павильона, мог услышать голос Просветленного, монотонно бубнившего над своим спящим пациентом, словно бы обращаясь к нему. Изредка и тот бормотал что-то бессвязное, громко говорил вдруг что-то, как всегда бывает в лихорадочном бреду.

На второй день больной вдруг открыл глаза и уставился вверх. Затем он нахмурился и повернул голову.

— Доброе утро, Рилд, — сказал Татхагата.

— Ты кто? — спросил тот неожиданно глубоким баритоном.

— Тот, кто учит пути освобождения, — был ответ.

— Будда?

— Так меня звали.

— Татхагата?

— И это имя давали мне.

Больной попытался приподняться и повалился назад. По-прежнему совершенно безмятежным было выражение его глаз.

— Откуда ты знаешь мое имя? — спросил он наконец.

— В бреду ты много разговаривал.

— Да, я был очень болен и, без сомнения, бредил. Я простудился в этом окаянном болоте.

Татхагата улыбнулся.

— Один из недостатков путешествия в одиночку: некому помочь тебе в беде.

— Ты прав, — согласился Рилд, и веки его вновь сомкнулись; он задышал глубоко и ровно.

Татхагата остался в позе лотоса, ожидая...


Когда Рилд очнулся в следующий раз, был вечер.

— Пить, — сказал он.

Татхагата дал ему воды.

— Ты голоден? — спросил он.

— Нет, мне, моему желудку пока не до этого.

Он поднялся на локтях и уставился на своего попечителя. Затем повалился обратно на матрас.

— Это как раз ты, — заявил он.

— Да, — откликнулся Татхагата.

— Что ты собираешься делать?

— Накормить тебя, когда ты скажешь, что голоден.

— Я имею в виду после этого.

**122**

— Присмотреть за тем, как ты спишь, дабы ты опять не впал в бред.

— Я не о том.

— Я знаю.

— После того, как я поем, отдохну, вновь обрету свои силы, — что тогда?

Татхагата улыбнулся и вытащил откуда-то из-под своей одежды шелковый шнурок.

— Ничего, — промолвил он, — совсем ничего, — и он, изящно перекинув шнурок Рилду через плечо, отвел руку.

Тот тряхнул головой и откинулся назад. Поднял руку и пробежал пальцами вдоль шнурка. Обвил им пальцы, затем запястье. Погладил его.

— Он священен, — сказал он чуть позже.

— Похоже...

— Ты знаешь, для чего он служит и какова его цель?

— Конечно.

— Почему же тогда ты не собираешься ничего делать?

— Мне нет надобности что-то делать или действовать. Все приходит ко мне. Если что-то должно быть сделано, сделать это предстоит тебе.

— Не понимаю.

— Я знаю и это.

Человек глядел в тень у себя над головой.

— Я бы попробовал поесть, — заявил он.

Татхагата дал ему бульона и хлеб, и он съел их аккуратно, чтобы его не вырвало, и его не вырвало. Тогда он выпил еще немного воды и, тяжело дыша, улегся обратно на матрас.

— Ты оскорбил Небеса, — заявил он.

— Мне ли этого не знать.

— И ты умалил славу богини, чье верховенство никогда не ставилось здесь под сомнение.

— Я знаю.

— Но я обязан тебе своей жизнью, я ел твой хлеб...

Ответом ему было молчание.

— Из-за этого должен я нарушить самую святую клятву, — заключил Рилд. — Я не могу убить тебя, Татхагата.

— Выходит, я обязан своей жизнью тому факту, что ты обязан мне своей. Давай считать, что в смысле жизненных долгов мы квиты.

Рилд хмыкнул.

— Да будет так, — сказал он.

— И что же ты будешь делать теперь, когда ты отказался от своего призвания?

— Не знаю. Слишком велик мой грех, чтобы мне было дозволено вернуться. Теперь уже и я оскорбил Небеса, и богиня отвернет свой лик от моих молитв. Я подвел ее.

— Коли все так случилось, оставайся здесь. По крайней мере, тут тебе будет с кем поговорить как проклятому с проклятым.

— Отлично, — согласился Рилд. — Мне не остается ничего другого.

Он вновь заснул, и Будда улыбнулся.

В следующие дни, пока неспешно разворачивался праздник, Просветленный проповедовал перед толпой пришедших в пурпурную рощу. Он говорил о единстве всех вещей, великих и малых, о законах причинности, о становлении и умирании, об иллюзии мира, об искорке атмана, о пути спасения через самоотречение и единение с целым; он говорил о реализации и просветлении, о бессмысленности брахманических ритуалов, сравнивая их формы с сосудами, из которых вылито все содержимое.

**124**

Многие слушали, немногие слышали, а кое-кто оставался в пурпурной роще, чтобы принять шафранную рясу и встать на путь поиска истины.

И всякий раз, когда он проповедовал, Рилд садился поблизости, облаченный в свое черное одеяние, перетянутое кожаными ремнями, не сводя странных темных глаз с Просветленного.

Через две недели после своего выздоровления подошел Рилд к учителю, когда тот прогуливался по роще, погрузившись в глубокие размышления. Он пристроился на шаг позади него и через некоторое время заговорил:

— Просветленный, я слушал твое учение, и слушал его с тщанием. Много я думал над твоими словами.

Учитель кивнул.

— Я всегда был верующим, — продолжал Рилд, — иначе я не был бы избран на тот пост, который не так давно занимал. С тех пор, как невозможным стало для меня выполнить свое предназначение, я почувствовал огромную пустоту. Я подвел свою богиню, и жизнь потеряла для меня всякий смысл.

Учитель молча слушал.

— Но я услышал твои слова, — сказал Рилд, — и они наполнили меня какой-то радостью. Они показали мне другой путь к спасению, и он, как я чувствую, превосходит тот путь, которому я следовал доселе.

Будда всматривался в его лицо, слушая эти слова.

— Твой путь отречения — строгий путь. И он — правильный. Он соответствует моим надобностям. И вот я прошу дозволения вступить в твою общину послушников и следовать твоему пути.

— Ты уверен, — спросил Просветленный, — что не стремишься просто наказать самого себя за то, что отягчает твое сознание, приняв обличие неудачи или греха?

— В этом я уверен, — промолвил Рилд. — Я вобрал в себя твои слова и почувствовал истину, в них содержащуюся. На службе у богини убил я больше мужчин, чем пурпурных листьев вот на этом кусте. Я даже не считаю женщин и детей. И меня нелегко убедить словами, ибо слышал я их слишком много, произносимых на все голоса, слов упрашивающих, спорящих, проклинающих. Но твои слова глубоко меня затронули, и далеко превосходят они учение браминов. С великой радостью стал бы я твоим палачом, отправляя на тот свет твоих врагов шафрановым шнурком — или клинком, или копьем, или голыми руками, ибо сведущ я во всяком оружии, три жизненных срока посвятив изучению боевых искусств, — но я знаю, что не таков твой путь. Для тебя жизнь и смерть — одно, и не стремишься ты уничтожить своих противников. И поэтому домогаюсь я вступления в твой орден. Для меня его устав не так суров, как для многих. Они должны отказаться от дома и семьи, происхождения и собственности. Я же лишен всего этого. Они должны отказаться от своей собственной воли, что я уже сделал. Все, чего мне не хватает, это желтая ряса.

— Она твоя, — сказал Татхагата, — с моим благословением.

Рилд обрядился в желтую рясу буддистского монаха и с усердием предался посту и медитации. Через неделю, когда празднества близились к концу, он, захватив с собой чашу для подаяний, отправился с другими монахами в город. Вместе с ними он, однако, не вернулся. День сменился сумерками, сумерки — темнотой. По округе разнеслись последние ноты храмового нагасварама, и многие путешественники уже покинули праздник.

Долго, долго бродил погруженный в размышления Будда по лесу. Затем пропал и он.

Вниз из рощи, оставив позади болота, к городу Алундилу, над которым затаились скалистые холмы, вокруг которого раскинулись зелено-голубые поля, в город Алундил, все еще взбудораженный путешественниками, многие из которых напропалую бражничали, вверх по улицам Алундила, к холму с венчающим его Храмом шел Просветленный.

Он вошел в первый двор, и было там тихо. Ушли отсюда и собаки, и дети, и нищие. Жрецы спали. Один-единственный дремлющий служитель сидел за прилавком на базаре. Многие из святилищ стояли сейчас пустыми, их статуи были перенесены на ночь внутрь. Перед другими на коленях стояли запоздалые богомольцы.

Он вступил во внутренний двор. Перед статуей Ганеши на молитвенном коврике восседал погруженный в молитву аскет. Он медитировал в полной неподвижности, и его самого тоже можно было принять за изваяние. По углам двора неровным пламенем горели фитили четырех заправленных маслом светильников, их пляшущие огни лишь подчеркивали густоту теней, в которых утонуло большинство святилищ. Маленькие светлячки, огоньки, зажженные особенно благочестивыми богомольцами, бросали мимолетные отсветы на статуи их покровителей.

Татхагата пересек двор и замер перед горделиво занесшейся надо всем остальным фигурой Кали. У ног ее мерцал крохотный светильник, и в его неверном свете призрачная улыбка богини, когда она смотрела на представшего перед ней, казалась податливой и переменчивой.

Перекинутый через ее простертую руку, петлей охватывая острие кинжала, висел малиновый шнурок.

Татхагата улыбнулся богине в ответ, и она, показалось, чуть ли не нахмурилась на это.

— Это — заявление об отставке, моя дорогая, — заявил он. — Ты проиграла этот раунд.

Она вроде бы кивнула в знак согласия.

— Я весьма польщен, что за такой короткий срок добился столь высокого признания, — продолжал он. — Но даже если бы ты и преуспела, старушка, это не принесло бы тебе особых плодов. Теперь уже слишком поздно. Я запустил нечто, чего тебе не остановить. Древние слова услышаны слишком многими. Ты думала, они утрачены, — и я тоже. Но мы оба ошибались. Да, религия, при помощи которой ты правишь, чрезвычайно стара, богиня, но почтенна и традиция моего протеста. Так что зови меня протестантом — или диссидентом — и помни: я теперь уже больше, нежели просто человек. Спокойной ночи.

И он покинул Храм, ушел из святилища Кали, где спину ему буравил неотвязный взгляд Ямы.

Прошло еще много месяцев, прежде чем произошло чудо, а когда это случилось, то чудом оно не показалось, ибо медленно вызревало оно все эти месяцы.

Рилд, пришедший с севера, когда вешние ветры веяли над просыпающейся землей, а на руке его была смерть, в глубине глаз — черный огонь; Рилд — с белесыми бровями и остренькими ушами — заговорил однажды среди дня, когда вслед за ушедшей весной пришли долгие летние дни и напоили все под Мостом Богов летним зноем. Он заговорил неожиданно глубоким баритоном, отвечая на заданный ему каким-то путешественником вопрос.

За которым последовал второй, а потом и третий.

И он продолжал говорить, и еще несколько монахов и какие-то пилигримы собрались вокруг него. За вопросами, которые задавали ему уже они все, следовали ответы, и разрастались эти ответы, и становились

**128**

все длиннее и длиннее, ибо превращались в притчи, примеры, аллегории.

И сидели они у его ног, и странными затонами ночи стали его темные глаза, и голос его вещал словно с небес, ясный и мягкий, мелодичный и убедительный.

Выслушав его, путники отправились дальше. Но по дороге встречали они других путешественников и переговаривались с ними; и вот еще не кончилось лето, когда стали пилигримы, стекающиеся в пурпурную рощу, просить о встрече с этим учеником Будды, о том, чтобы послушать и его слова.

Татхагата стал проповедовать с ним по очереди. Вместе учили они Восьмеричному Пути, прославляли блаженство нирваны, открывали глаза на иллюзорность мира и на те цепи, которые накладывает он на человека.

А потом пришла пора, когда раз за разом уже сам сладкоречивый Татхагата вслушивался в слова своего ученика, который вобрал в себя все, о чем проповедовал его учитель, долго и глубоко над этим медитировал и ныне словно обнаружил доступ к таинственному морю; погружал он свою твердую, как сталь, руку в источник сокровенных вод истины и красоты, а потом кропил ими слушателей.

Минуло лето. Теперь не оставалось никаких сомнений, что просветления достигли двое: Татхагата и его маленький ученик, которого они звали Сугата. Говорили даже, что обладал Сугата даром целителя, что когда глаза его странно светились, а ледяные руки касались вывихнутых или скрюченных членов, те вправлялись или выпрямлялись сами собой. Говорили, что однажды во время проповеди Сугаты к слепому вернулось зрение.

В две вещи верил Сугата, и были это Путь Спасения и Татхагата, Будда.

**129**

— Победоносный, — сказал он ему однажды, — пуста была моя жизнь, пока ты не наставил меня на Путь Истины. Твое просветление, когда ты еще не начал учить, было ли оно как яркое пламя, как грохочущий водопад — и ты всюду, и ты часть всего: облаков и деревьев, зверей в лесу и всех людей, снега на горных вершинах и костей, белеющих в поле?

— Да, — сказал Татхагата.

— Я тоже знаю радость всего, — сказал Сугата.

— Да, я знаю, — сказал Татхагата.

— Я вижу теперь, почему ты сказал однажды, что все приходит к тебе. Принести в мир подобное учение — понятно, почему тебе завидовали боги. Бедные боги! Их надо пожалеть. Ну да ты знаешь. Ты знаешь все.

Татхагата не ответил.

И вновь вернулось все на круги своя, минул год, как явился второй Будда, опять повеяли вешние ветры... и донесся однажды с небес ужасающий вопль.

Горожане Алундила высыпали на улицы и уставились в небо. Шудры в полях бросили свою работу и задрали кверху головы. В Храме на холме наступила вдруг мертвая тишина. В пурпурной роще за городом монахи обшаривали взглядами горизонт.

Он мерил небо, рожденный властвовать ветрами... С севера пришел он — зеленый и красный, желтый и коричневый... Танцуя, парил он воздушной дорогой...

Затем раздался новый вопль и биение могучих крыл — это набирал он высоту, чтобы взмыть над облаками крохотной черной точкой.

А потом он ринулся вниз, вспыхнув пламенем, пылая и сверкая всеми своими цветами, все увеличиваясь.

**130** Немыслимо было поверить, что может существовать

живое существо подобных размеров, подобной стати, подобного великолепия...

Наполовину дух, наполовину птица, легенда, что застит небо...

Подседельный, вахана Вишну, чей клюв сминает колесницы, будто те сделаны из бумаги.

Великая птица, сам Гаруда кружил над Алундилом.

Покружил и скрылся за скалистыми холмами, что маячили у горизонта.

— Гаруда! — слово это пронеслось по городу, по полям, по Храму, по роще.

Если только он летел один: каждому было известно, что управлять Гарудой мог только кто-либо из богов.

И наступила тишина. После оглушающего клекота, бури, поднятой его крылами, голоса сами собой понизились до шепота.

Просветленный стоял на дороге неподалеку от своей рощи, и глядел он не на суетящихся вокруг него монахов, а на далекую цепь скалистых холмов.

Сугата подошел и встал рядом с ним.

— Всего прошлой весной... — промолвил он.

Татхагата кивнул.

— Рилд не справился, — сказал Сугата, — что же новое заготовили Небеса?

Будда пожал плечами.

— Я боюсь за тебя, учитель, — продолжал Сугата. — За все мои жизни ты был моим единственным другом. Твое учение даровало мне мир и покой. Почему они не могут оставить тебя в покое? Ты — самый безобидный из людей, а твое учение — самое кроткое. Ну какое зло мог бы ты им причинить?

Его собеседник отвернулся.

В этот миг, оглушительно хлопая могучими крыльями, Гаруда опять показался над холмами; из его раскрытого клюва вырвался пронзительный крик. На этот раз он не кружил над городом, а сразу стал набирать высоту и исчез на севере. Такова была его скорость, что уже через несколько мгновений на небосклоне от него не осталось и следа.

— Седок спешился и остался за холмами, — прокомментировал Сугата.

Будда углубился в пурпурную рощу.


Пешком явился он из-за холмов — неспешным шагом.

По камням спускался он к переправе, и бесшумно ступали по вьющейся по скалам тропке его красные кожаные сапоги.

Впереди раздавался шум бегущей воды, там небольшая горная речка перерезала его путь. Отбрасывая назад небрежным движением плеча развевающийся кроваво-красный плащ, направлялся он к повороту, за которым тропинка терялась из виду; над малиновым кушаком поблескивал рубиновый набалдашник эфеса его сабли.

Обогнув каменную громаду, он замер.

Кто-то ждал впереди, стоя у перекинутого через поток бревна.

На миг глаза его сузились, и тут же он двинулся дальше.

Перед ним стоял щуплый, невысокий человек в темном одеянии пилигрима, перетянутом кожаными ремнями, к которым был привешен короткий кривой клинок из светлой стали. Голова человека была выбрита наголо — вся, кроме одного маленького локона белых волос. Белели и брови над темными его глазами, бледна была кожа, острыми казались уши.

Путник поднял руку, приветствуя встречного.

132    — Добрый день, пилигрим, — сказал он.

Тот не ответил, но, шагнув вперед, загородил дорогу, встав перед бревном, что лежало поперек потока.

— Прости меня, добрый пилигрим, но я собираюсь переправиться здесь на другой берег, а ты мне мешаешь, — промолвил путник.

— Ты ошибаешься, Великий Яма, если думаешь, что пройдешь здесь, — возразил тот.

Красный широко улыбнулся, обнажив ровный ряд белоснежных зубов.

— Всегда приятно, когда тебя узнают, — признал он, — даже если это и сопровождается ошибками касательно всего остального.

— Я не фехтую словами, — сказал человек в черном.

— Да? — и он поднял брови с преувеличенно вопросительным выражением. — Ну а чем же вы фехтуете, сэр? Уж не этим ли погнутым куском металла, что вы на себя нацепили?

— Именно им.

— В первый момент я принял его просто за какой-то варварский молитвенный жезл. Я понимаю так, что весь этот район переполнен странными культами и примитивными сектами. И на миг я принял тебя за адепта одного из этих суеверий. Но если, как ты говоришь, это и в самом деле оружие, тогда ты, должно быть, умеешь им пользоваться?

— До некоторой степени, — ответил человек в черном.

— Ну, тогда хорошо, — сказал Яма, — ибо мне не хотелось бы убивать человека, не знающего, что к чему. Однако я считаю себя обязанным указать, что, когда ты предстанешь перед Высшим в ожидании суда, тебе будет засчитано самоубийство.

Его визави едва заметно улыбнулся.

— Как только ты будешь готов, бог смерти, я облегчу освобождение твоего духа от плотской его оболочки.

— В таком случае, только один пункт, — сказал Яма, — и я тут же прекращу нашу беседу. Скажи, какое имя передать жрецам, чтобы они знали, по кому провести заупокойные обряды.

— Я совсем недавно отказался от своего последнего имени, — ответил пилигрим. — По этой причине августейший супруг Кали должен принять свою смерть от безымянного.

— Рилд, ты безумец, — сказал Яма и обнажил свой клинок.

Так же поступил и человек в черном.

— И надлежит, чтобы ты пошел на смерть безымянным, ибо ты предал свою богиню.

— Жизнь полна предательств, — ответил тот, не начиная боя. — Противодействуя тебе — причем в такой форме, — я предаю учение моего нового господина. Но я должен следовать велениям моего сердца. Ни мое старое, ни мое новое имя не подходят, стало быть, мне, и они незаслуженны, — так что не зови меня по имени!

И клинок его обратился в пламя, пляшущее повсюду, сверкающее и грохочущее.

Под неистовым натиском Яма отступил назад, пятясь шаг за шагом, успевая проделать лишь минимальные движения кистью, чтобы парировать сыплющийся на него град ударов.

Затем, отступив на десять шагов, он остановился, и они фехтовали на месте. Парировал он чужие удары лишь с чуть большей силой, зато ответные его выпады стали более неожиданными и перемежались финтами и внезапными атаками.

По всем канонам воинского искусства, как на параде, взлетали в воздух их клинки, пока наконец пот сражающихся ливнем не пролился на камни; и тогда Яма перешел в атаку, не спеша, медленно вынуждая соперника отступать. Шаг за шагом отвоевывал он потерянное вначале расстояние.

Когда вновь очутились они на том самом месте, где нанесен был первый удар, Яма признал сквозь лязг стали:

— Отменно выучил ты свои уроки, Рилд! Даже лучше, чем я думал! Поздравляю!

Пока он говорил, соперник его провел тщательно продуманную комбинацию финтов и самым кончиком своего клинка рассек ему плечо; появившуюся кровь трудно было заметить на красной одежде.

В ответ Яма прыгнул вперед, единственным ударом раскрыв защиту противника, и нанес ему сбоку такой удар, который вполне мог бы просто снести голову с плеч.

Человек же в черном опять принял защитную позицию, потряс головой и, парировав очередную атаку, сделал ответный выпад, который, в свою очередь, был парирован.

— Итак, горлышко твое обмакнули в купель смерти, — сказал Яма. — Поищем тогда иных путей. — И его клинок пропел еще более стремительную мелодию, когда он испробовал выпад снизу вверх.

Всей ярости этого клинка, позади которого стояли века и мастера многих эпох, дал тогда выход Яма. Однако соперник встречал его атаки и парировал все возрастающее число ударов и выпадов, отступая, правда, все быстрее и быстрее, но не подпуская к себе хищную сталь и время от времени совершая ответные выпады.

Он отступал, пока не очутился на берегу потока.

Тогда Яма замедлил свои движения и прокомментировал:

**135**

— Полвека назад, когда ты ненадолго стал моим учеником, я сказал себе: «У него задатки мастера». Я не ошибся, Рилд. Ты, быть может, величайший боец на мечах, появившийся на моей памяти. Наблюдая твое мастерство, я почти готов простить тебе отступничество. В самом деле, жаль...

И он сделал ложный выпад в незащищенную грудь, в последний момент клинок его нырнул под поставленный блок и обрушил свое лезвие на запястье соперника.

Бешено размахивая своим ятаганом и целя в голову Ямы, человек в черном отпрыгнул назад и оказался у самого бревна, что лежало поперек расселины, в которой бурлил поток.

— И рука тоже! В самом деле, Рилд, богиня расщедрилась в своем покровительстве. Попробуем это!

Сталь взвизгнула, когда он поймал клинок соперника в железный захват, и, вырвавшись на волю, рассекла тому бицепс.

— Ага! Тут пробел! — вскричал он. — Попробуем еще!

Клинки их сцеплялись и расходились, увертывались, кололи, рубили, парировали, отвечали ударом на удар.

Яма в ответ на изощренную атаку противника ушел в глухую защиту и тут же ответил, его более длинный, чем у соперника, клинок снова испил крови из предплечья.

Человек в черном вступил на бревно, с размаху рубанув в направлении головы Ямы, но тот легко отбил его клинок в сторону. Еще более ужесточив свои атаки, Яма вынудил его отступить по бревну и тут же ударил ногой по его лежащей на берегу оконечности.

Противник отпрыгнул назад и очутился на другом берегу. Едва коснувшись земли, он тоже пнул ногой бревно, и то сдвинулось с места.

Прежде чем Яма мог вскочить на него, оно покатилось, соскользнуло с берега и рухнуло в поток; вынырнув через миг на поверхность, оно поплыло по течению на запад.

— Да тут всего семь или восемь футов, Яма! Прыгай! — закричал человек в черном.

Бог смерти улыбнулся.

— Отдышись-ка, пока можешь, — посоветовал он. — Из всех даров богов, дыхание — наименее оцененный. Никто не слагает ему гимнов, никто не возносит молитв к доброму воздуху, дышат которым наравне принц и нищий, хозяин и его пес. Но боже упаси оказаться без него! Цени, Рилд, каждый свой вздох, словно последний, ибо не далек он уже от тебя!

— Говорят, что мудр ты в вопросах этих, Яма, — сказал тот, кого звали когда-то Рилд и Сугата. — Как говорят, ты — бог, чье царство — смерть, и знание твое простирается за пределы понимания смертных. Поэтому хотел бы я расспросить тебя, покуда праздно стоим мы здесь.

Не улыбнулся на это Яма насмешливой своей улыбкой, как отвечал он на все предыдущие слова противника. Для него в этом было нечто ритуальное.

— Что хочешь ты узнать? Обещаю тебе дар вопрошания смерти.

И тогда древними словами Катха упанишады запел тот, кого некогда звали Рилд и Сугата:

— «Сомнения гложут, когда человек мертв. Одни говорят: он все еще есть. Другие: его нет. Да узнаю я это, обученный тобою».

Древними словами ответствовал и Яма:

— «Даже боги в сомнении здесь. Нелегко понять это, ибо тонка природа атмана. Задай другой вопрос, не обременяй меня, освободи от этого».

— «Прости мне, если превыше всего для меня это, о Антака, но не найти мне другого наставника в этом, равного тебе. Нет никакого другого дара, коего бы жаждал я ныне».

— «Держи свою жизнь и ступай своим путем. — И с этими словами Яма заткнул свой клинок за пояс. — Я избавляю тебя от судьбы твоей. Выбери себе сыновей и внуков, выбери слонов, лошадей, бесчисленные стада и злато. Выбери любой другой дар — пригожих красавиц, сладкозвучные инструменты. Все дам я тебе, и пусть служат они тебе. Но не спрашивай меня о смерти».

— «О Смерть, — пропел в ответ облаченный в черное, — преходяще все это и завтра исчезнет. Пусть же у тебя остаются красавицы, лошади, танцы и пение. Не приму я другого дара, кроме избранного мною, — поведай же мне, о Смерть, о том, что лежит за пределами жизни, о том, в чем сомневаются и люди, и боги».

Замер Яма и не стал продолжать древний текст.

— Хорошо же, Рилд, — сказал он, и глаза его впились в глаза собеседника, — но неподвластно царство сие словам. Я должен тебе показать.

И так они замерли на мгновение; потом человек в черном пошатнулся. Он судорожно поднес руку к лицу, прикрывая глаза, и из груди его вырвалось единственное сдавленное всхлипывание.

И тогда Яма сбросил с плеч свой плащ и метнул его, словно сеть, через поток.

Тяжелые швы помогли плащу, как тенетам, опутать свою цель.

Силясь высвободиться, услышал человек в черном звуки быстрых шагов и затем удар рядом с собой — это красные сапоги Ямы приземлились на его стороне потока. Сбросив наконец с себя плащ, он успел парировать новую атаку Ямы. Почва у него за спиной постепенно повышалась, и он отступал все дальше и дальше, покуда склон не стал круче и голова Ямы не оказалась на уровне его пояса. Тогда он обрушил сверху на соперника шквал атак. Но Яма медленно и неуклонно продолжал взбираться в гору.

— Бог смерти, бог смерти, — пропел маленький воитель, — прости мне мой дерзкий вопрос и скажи мне, что ты не солгал.

— Скоро ты сам узнаешь об этом, — ответил тот, нанося удар ему по ногам.

И еще один удар обрушил на него Яма, удар, который разрубил бы иного пополам и рассек его сердце, но лишь скользнул клинок по груди соперника.

Добравшись до места, где склон был разворочен, маленький боец обрушил на своего противника поток земли и гравия, снова и снова швыряя и спихивая их вниз. Яма заслонил глаза левой рукой, но тут на него посыпались уже и камни, и увесистые обломки скал. Они скатывались по склону, и когда какие-то из них подвернулись ему под ноги, он потерял равновесие, упал и начал сползать по склону вниз. К этому времени человеку в черном удалось уже столкнуть несколько больших камней и даже один валун, он бросился вниз следом за ними с высоко занесенным мечом.

Яма понял, что не успевает подняться и встретить атаку, поэтому он перекатился и соскользнул к самому потоку. Затормозить ему удалось уже на самом краю, но тут он увидел, что на него катится валун, и попытался уклониться от встречи с ним. В этом он, оттолкнувшись от земли обеими руками, преуспел, но сабля, которую он выронил, упала в воду.

Выхватив кинжал, он с трудом успел привстать на корточки и, пошатнувшись, отразил рубящий удар подоспевшего противника. Снизу донесся всплеск от падения валуна.

Левая рука его метнулась вперед и сомкнулась на запястье, направлявшем ятаган. Он попытался ударить кинжалом, но теперь уже его рука оказалась в тисках чужих пальцев.

Они так и замерли, меряясь силой мышц, пока Яма вдруг резко не присел и не перекатился по склону, перебросив противника через себя.

Оба, однако, не ослабили захвата и покатились по склону. Кромка расселины придвинулась к ним, надвинулась, исчезла у них за спиной.

Когда они вынырнули на поверхность, судорожно глотая воздух широко открытыми ртами, в их стиснутых руках не осталось ничего, кроме воды.

— Кончишь крещением, — сказал Яма и ударил левой.

Противник блокировал удар и нанес ответный.

Течение сносило их влево, пока они не ощутили наконец под ногами каменистое ложе реки, и далее они бились, бредя вдоль по течению.

Река постепенно расширялась, стало мельче, вода теперь бурлила где-то у пояса. Местами берега подступали к воде уже не так отвесно.

Яма наносил удар за ударом, и кулаками, и ребром ладони; но с таким же успехом можно было колошматить статую, ибо тот, кто был когда-то святым палачом Кали, принимал все удары с полнейшим равнодушием, ничуть не меняясь в лице, и возвращал их назад с силой, способной раздробить кости. Большинство ударов замедлялось противодействием воды или блокировалось Ямой, но один пришелся прямо под ребра, а другой, скользнув по левому плечу, угодил ему точнехонько в скулу.

Яма откинулся назад, словно стартовал в заплыве на спине, чтобы выбраться на более мелкое место. Не отставая, ринулся за ним и противник — и тут же наткнулся неуязвимым своим животом на красный сапог Ямы; одновременно схватил его бог смерти спереди за одежду и изо всех сил рванул на себя. Перелетев по инерции через голову Ямы, он с размаху упал спиной на выступающий из воды пласт твердой как камень ископаемой глины.

Яма привстал на колени и обернулся — как раз вовремя, ибо соперник его уже поднялся на ноги и выхватил из-за пояса кинжал. Лицо его по-прежнему оставалось невозмутимым, когда замер он в низкой стойке.

На миг глаза их встретились, но на сей раз человек в черном не дрогнул.

— Теперь, Яма, могу я встретить смертоносный твой взгляд, — сказал он, — и не отшатнуться. Ты слишком многому научил меня!

Но когда ринулся он вперед, руки Ямы соскользнули с пояса, захлестнув влажный кушак, как хлыст, вокруг бедер соперника.

Пошатнувшись, тот выронил кинжал, и Яма, дотянувшись, обхватил и изо всех сил прижал его, пока оба они падали, к себе, отталкиваясь при этом ногами, чтобы выбраться на глубокое место.

— Никто не слагает гимнов дыханию, — пробормотал Яма, — но увы тому, кому его не хватает!

И он нырнул вглубь, и точно стальные петли, сжимали соперника его руки.

Позже, много позже, когда поднялась у самого потока промокшая насквозь фигура, говорил он ласково, но с трудом переводя дыхание:

— Ты был — величайшим — кто восстал против меня — за все века, что я могу припомнить... До чего же жаль...

Затем, перейдя поток, продолжил он свой путь через скалистые холмы — неспешным шагом.

В Алундиле путник остановился в первой попавшейся таверне. Он снял комнату и заказал ванну. Пока он мылся, слуга вычистил его одежду.

Перед тем как пообедать, он подошел к окну и выглянул на улицу. Воздух был пропитан запахом ящеров, снизу доносился нестройный гам множества голосов.

Люди покидали город. Во дворе у него за спиной готовился поутру отправиться в путь один из караванов. Сегодня кончался весенний фестиваль. Внизу, на улице, распродавали остатки своих товаров коммерсанты, матери успокаивали уставших детишек, а местный князек возвращался со своими людьми с охоты, к резвому ящеру были прибочены трофеи: два огнекочета. Он смотрел, как усталая проститутка торгуется о чем-то с еще более усталым жрецом, как тот трясет головой и в конце концов, не сговорившись, уходит прочь. Одна из лун стояла уже высоко в небе и казалась сквозь Мост Богов золотой, а вторая, меньшая, только появилась над горизонтом. В вечернем воздухе потянуло прохладой, и к нему сквозь все городские запахи донесся сложный аромат весеннего произрастания: робких побегов и нежной травы, зелено-голубой озими, влажной почвы, мутных паводковых ручьев. Высунувшись из окна, ему удалось разглядеть на вершине холма Храм.

Он приказал слуге подать обед в комнату и сходить за местным торговцем.

Из принесенных им образцов он в конце концов выбрал длинный изогнутый клинок и короткий прямой кинжал; и то, и другое засунул он за пояс.

Потом он вышел из харчевни и отправился вдоль по немощеной главной улице, наслаждаясь вечерней прохладой. В подворотнях и дверях обнимались влюбленные. Он миновал дом, где над умершим причитали плакальщики. Какой-то нищий увязался за ним и не отставал с полквартала, пока наконец он не оглянулся и не посмотрел ему в глаза со словами: «Ты не калека», и тот бросился прочь и затерялся в толпе прохожих. В небе вспыхнули первые огни фейерверка, спадая до самой земли длинными вишневого цвета лентами призрачного света. Из Храма доносились пронзительные звуки нага-сварамов и комбу. Какой-то человек, споткнувшись о порог дома, чуть задел его, и он одним движением сломал ему запястье, почувствовав его руку на своем кошельке. Человек грязно выругался и позвал на помощь, но он отшвырнул его в сточную канаву и пошел дальше, одним мрачным взглядом отогнав еще двух сообщников.

Наконец пришел он ко Храму, мгновение поколебался и вошел внутрь.

Во внутренний двор он вступил следом за жрецом, переносившим внутрь из наружной ниши маленькую статую, почти статуэтку.

Оглядев двор, он стремительно направился прямо к статуе богини Кали. Долго изучал он ее, вынув свой клинок и положив его у ног богини. Когда же наконец поднял его и повернулся, чтобы уйти, то увидел, что за ним наблюдает жрец. Он кивнул ему, и тот немедленно подошел и пожелал ему доброго вечера.

— Добрый вечер, жрец, — ответил Яма.

— Да освятит Кали твой клинок, воин.

— Спасибо. Уже сделано.

Жрец улыбнулся.

— Ты говоришь, будто знаешь это наверняка.

— А это с моей стороны самонадеянно, да?

— Ну, это производит не самое, скажем, лучшее впечатление.

— И тем не менее я чувствую, как сила богини снисходит на меня, когда я созерцаю ее святилище.

Жрец пожал плечами.

— Несмотря на мою службу, — заявил он, — я могу обойтись без подобного чувства силы.

— Ты боишься силы?

— Признаем, — сказал жрец, — что, несмотря на все его величие, святилище Кали посещается много реже, чем святилища Лакшми, Шакти, Шиталы, Ратри и других не столь ужасных богинь.

— Но она же не чета им всем.

— Она ужаснее их.

— Ну и? Несмотря на свою силу, она же справедливая богиня.

Жрец улыбнулся.

— Неужто человек, проживший больше двух десятков лет, желает справедливости? Что касается меня, например, я нахожу бесконечно более привлекательным милосердие. Ни дня не прожить мне без всепрощающего божества.

— Здорово сказано, — признал Яма, — но я-то, как ты сказал, воин. Моя собственная природа близка ее натуре. Мы думаем схоже, богиня и я. Мы обычно приходим к согласию по большинству вопросов. А когда нет — я вспоминаю, что она к тому же и женщина.

— Хоть я живу здесь, — заметил жрец, — однако не говорю так по-свойски о своих подопечных, о богах.

— На публике, конечно, — откликнулся его собеседник. — Не рассказывай мне басен о жрецах. Я пивал с многими из вашей братии и знаю, что вы такие же богохульники, как и все остальные.

— Всему найдется время и место, — пробормотал, косясь на статую Кали, жрец.

— Ну да, ну да. А теперь скажи мне, почему не чищен цоколь святилища Ямы? Он весь в пыли.

144

— Его подметали только вчера, но с тех пор столько людей прошло перед ним... и вот результат.

Яма улыбнулся.

— А почему нет у его ног никаких приношений?

— Никто не преподносит Смерти цветы, — сказал жрец. — Приходят только посмотреть — и уходят назад. Мы, жрецы, живо ощущаем, как удачно расположены две эти статуи. Жуткую пару они составляют, не так ли? Смерть и мастерица разрушения?

— Команда что надо, — был ответ. — Но не имеешь ли ты в виду, что никто не совершает Яме жертвоприношений? Вообще никто?

— Если не считать нас, жрецов, когда нас подталкивает церковный календарь, да случайных горожан, когда кто-то из их любимых находится на смертном одре, а ему отказали в прямой инкарнации, — если не считать подобных случаев, нет, я никогда не видел совершаемого Яме жертвоприношения — совершаемого просто, искренне, по доброй воле или из приязни.

— Он должен чувствовать себя обиженным.

— Отнюдь, воин. Ибо разве все живое — само по себе — не есть жертва Смерти?

— В самом деле, правду говоришь ты. Какая ему надобность в доброй воле или приязни? К чему дары, ежели он берет, что захочет?

— Как и Кали, — согласился жрец. — И в казусе этих двух божеств часто нахожу я оправдание атеизму. К сожалению, слишком сильно проявляют себя они в этом мире, чтобы удалось всерьез отрицать их существование. Жаль.

Воин рассмеялся.

— Жрец, который верит наперекор желанию! Мне это по душе. Ты рассмешил меня до упаду. Вот, купи себе бочонок сомы — на нужды жертвоприношений.

**145**

— Спасибо, воин. Я так и поступлю. Не присоединишься ли ты ко мне в маленьком возлиянии — за Храм — прямо сейчас?

— Клянусь Кали, да! — воскликнул тот. — Но только чуть-чуть.

Он отправился следом за жрецом в центральное здание и там по ступенькам в погреб, где тут же был вскрыт бочонок сомы, вынуты два кубка.

— За твое здоровье и долгую жизнь, — сказал Яма, поднимая один из них.

— За твоих жутких покровителей — Яму и Кали, — сказал жрец.

— Спасибо.

Они проглотили крепкий напиток, и жрец налил еще по одной.

— Чтобы ты не замерз по ночной прохладе.

— Отлично.

— Хорошо, что эти путешественники наконец разъезжаются, — промолвил жрец. — Их набожность обогащает Храм, но они так утомляют всю прислугу.

— За отбытие пилигримов!

— За отбытие пилигримов!

И они опять выпили.

— Я думал, большинство из них приходит поглазеть на Будду, — сказал Яма.

— Так оно и есть, — ответил жрец, — но с другой стороны, они не хотят перечить и богам. И вот перед тем как посетить пурпурную рощу, они обычно совершают жертвоприношения или дарения в Храме.

— А что тебе известно о так называемом Татхагате и его учении?

Тот отвел взгляд в сторону.

— Я жрец богов и брамин, воин. Я не хочу говорить об этом.

— Значит, он достал и тебя?

— Хватит! Я же сказал тебе, что это не та тема, которую я буду обсуждать.

— Это не имеет значения — и вскоре будет иметь еще меньше. Благодарю тебя за сому. Добрый тебе вечер, жрец.

— Добрый вечер и тебе, воин. Пусть с улыбкой взирают боги на твой путь.

— И на твой тоже.

И, поднявшись по ступенькам, покинул он Храм и продолжил свой путь через город — неспешным шагом.


Когда пришел он в пурпурную рощу, в небесах стояло уже три луны, за деревьями колебалось пламя маленьких костров, в небе над городом светился бледный цветок призрачного огня, влажный ветерок пошевеливал листву у него над головой.

Бесшумно вступил он в рощу.

Когда вышел он на освещенную поляну, оказалось, что лицом к нему сидели там ряд за рядом одинаковые фигуры. Каждый облачен был в желтую рясу с желтым капюшоном, скрывавшим лицо. Сотни их сидели там, и ни один не издал ни звука.

Он подошел к ближайшему.

— Я пришел повидать Татхагату, Будду, — сказал он. Тот, казалось, его не услышал.

— Где он?

Никакого ответа.

Он нагнулся и заглянул в полузакрытые глаза монаха. Он попытался было пронзить его взглядом, но похоже было, что монах спал, ибо ему не удалось даже встретиться с ним глазами.

Тогда возвысил он голос, чтобы все в пурпурной роще могли его услышать.

**147**

— Я пришел повидать Татхагату, Будду, — сказал он. — Где он?

Казалось, что обращался он к полю камней.

— Вы что, думаете так спрятать его от меня? — воззвал он. — Вы думаете, что коли вас много и одеты вы все одинаково — и если вы не будете мне отвечать, — я из-за этого не смогу отыскать его среди вас?

Лишь ветер вздохнул в ответ ему, пришел из-за рощи. Заколебались огни, зашевелились пурпурные листья.

Он рассмеялся.

— В этом вы, может быть, и правы, — признал он. — Но вам же когда-нибудь придется пошевелиться, если вы намереваетесь жить, а я могу подождать ничуть не хуже любого другого.

И он тоже уселся на землю, прислонившись к голубому стволу высокого дерева, положив на колени обнаженный клинок.

И сразу его охватила сонливость. Он клевал носом и тут же вздергивал голову — и так раз за разом. Затем наконец его подбородок устроился поудобнее на груди, и он засопел.

Шел через зелено-голубую равнину, травы пригибались перед ним, прочерчивая тропинку. В конце этой тропы высилось огромное, кряжистое дерево, дерево не выросшее в этом мире, а скорее скрепившее его воедино своими корнями, простиравшее листья свои между звезд.

У подножия дерева, скрестив ноги, сидел человек, и на губах его играла едва уловимая улыбка. И знал он, что это Будда; он подошел и остановился перед ним.

— Приветствую тебя, о смерть, — сказал сидящий, и, словно корона, ярко светился в глубокой тени дерева подкрашенный розовым ореол вокруг его чела.

Яма не ответил, а вытащил свой клинок.

Будда по-прежнему улыбался, Яма шагнул вперед, и вдруг ему послышался отголосок далекой музыки.

Он замер и оглянулся, застыла в руке его занесенная сабля.

Они пришли со всех четырех сторон света, локапалы, четыре Хранителя мира, сошедшие с горы Сумеру: на желтых лошадях приближались якши под водительством Владыки Севера, и на их щитах играли золотые лучи; Голубой Всадник, Ангел Юга, приближался в сопровождении полчищ кумбхандов, неуклюже примостившихся по причине своих физических особенностей на спинах синих коней и несущих сапфировые щиты; с Востока пришел Хранитель, чьи всадники несли перламутровые щиты и облачены были в серебро; на Западе показался Властитель, чьи наги восседали на кроваво-красных лошадях, одеты были в алое и прикрывались щитами из кораллов. Копыта лошадей не касались, казалось, травы, и единственным слышимым звуком была разлитая в воздухе музыка, которая становилась все громче и громче.

— Почему собираются Хранители мира? — неожиданно для самого себя спросил Яма.

— Они явились за моими останками, — по-прежнему улыбаясь, ответил Будда.

Хранители натянули поводья, придержали коней и полчища у них за спиной, и Яма оказался один против всех.

— Вы явились забрать его останки, — сказал Яма, — но кто заберет ваши?

Хранители спешились.

— Не для тебя этот человек, о смерть, — промолвил Владыка Севера, — ибо принадлежит он миру, и мы как Хранители мира будем его защищать.

— Слушайте меня, Хранители с горы Сумеру, — сказал Яма, принимая свой Облик. — В ваши руки **149** передана участь мира, вам дано его хранить и поддерживать, но кого пожелает и когда захочет изымает из мира Смерть. Не дано вам оспаривать мои Атрибуты или пути их применения.

Хранители встали между Ямой и Татхагатой.

— Что касается этого человека, мы будем оспаривать твой путь, Великий Яма. Ибо в его руках судьба нашего мира. Коснуться его ты сможешь, лишь превзойдя четыре силы.

— Быть посему, — сказал Яма. — Кто первым из вас станет моим противником?

— Я, — сказал их глашатай, обнажая свой клинок.

Явив свой Облик, разрубил Яма мягкий, словно масло, металл и плашмя ударил Хранителя саблей по голове; тот мешком повалился на землю.

Возопили орды якшей, и двое из золотых всадников подобрали своего вождя. Потом все они повернули коней и поскакали обратно на Север.

— Кто следующий?

К нему направился Хранитель Востока, в руках он держал сотканную из лунного света сеть и прямой серебряный меч.

— Я, — сказал он и метнул свою сеть.

Яма наступил на нее ногой, цепко схватил пальцами и дернул, соперник его потерял равновесие. Стоило ему покачнуться вперед, как Яма, перехватив за лезвие свою саблю, нанес ему головкой ее эфеса удар прямо в челюсть.

Свирепо глянули на него серебряные воины, затем потупились и унесли своего господина на Восток, сопровождаемые нестройной музыкой.

— Следующий! — сказал Яма.

Тогда выступил вперед кряжистый предводитель нагов, он отбросил в сторону свое оружие и скинул на траву тунику.

— Я буду бороться с тобой, бог смерти, — заявил он.
Яма положил оружие рядом с собой и сбросил плащ.

Все это время Будда продолжал, улыбаясь, сидеть в тени исполинского дерева, словно все эти стычки не имели к нему никакого отношения.

Первым захват сделал глава нагов, он обхватил левой рукой Яму за шею и потянул его на себя. Яма ответил тем же, но тот, изогнув туловище, перекинул правую свою руку через левое плечо Ямы ему за затылок и, замкнув там руки и крепко зажав голову Ямы, изо всех сил потянул ее вниз к своему бедру, разворачивая свое тело по мере того, как соперник подавался под его усилием.

За спиной у владыки нагов Яма вытянул как только мог левую руку и сумел дотянуться ею до его левого плеча, тогда он обхватил правой рукой сзади колени противника и, резко дернув, тут же оторвал обе его ноги от земли, изо всех сил потянув одновременно на себя и схваченное плечо.

Когда он наконец на миг замер, оказалось, что соперник лежит у него на руках, как дитя в колыбели, — но тут же разжал он руки, и Хранитель тяжело рухнул на землю.

Тут же Яма всем своим весом прыгнул на него сверху, согнув ноги так, чтобы ударить коленями. И сразу встал. Один.

Когда удалились и западные всадники, один лишь Ангел Юга, облаченный во все синее, остался стоять перед Буддой.

— Ну а ты? — спросил его бог смерти, подбирая свое оружие.

— Я не подниму против тебя оружия, бог смерти, будь то из стали, кожи или камня, я не ребенок, чтобы играть в эти игрушки. Не буду я и мериться с тобой **151** силой тела, — сказал Ангел. — Я знаю, что буду превзойден тобою во всем этом, ибо никто не может поспорить с тобой оружием.

— Забирайся тогда на своего голубого жеребца и скачи прочь, — сказал Яма, — коли ты не желаешь биться.

Ангел не ответил, а подбросил в воздух свой синий щит так, что тот закружился, как сапфировое колесо, и, повиснув у них над головами, начал расти и расти в размерах.

Потом он упал на землю и начал вжиматься, бесшумно ввинчиваться в нее, пока не исчез из виду, до последнего момента не переставая увеличиваться в размерах, и трава вновь сомкнулась над тем местом, где он утонул в земле.

— И что все это означает? — спросил Яма.

— Я не соперничаю. Я просто защищаю. Моя сила — сила пассивного противостояния. Это сила жизни, как твоя — смерти. Что бы я ни послал против тебя — ты можешь это уничтожить, но тебе не уничтожить всего, о Смерть. Моя сила — это сила щита, а не меча. Чтобы защитить твою жертву, Владыка Яма, тебе будет противостоять жизнь.

И Синий отвернулся, вскочил в седло синего коня и поскакал на Юг во главе своих кумбхандов. Но музыка не исчезла вместе с ним, по-прежнему разлита она была в воздухе там, где он только что стоял.

Вновь шагнул вперед Яма, сжимая в руке саблю.

— Все их усилия были напрасны, — сказал он. — Твой час пробил.

Он взмахнул клинком.

Удар, однако, не достиг цели, ибо ветка гигантского дерева упала между ними и выбила саблю у него из рук.

Он нагнулся, чтобы ее поднять, но травы уже полегли и скрыли ее под собой, сплетясь в плотную, непроницаемую сеть.

Чертыхнувшись, он выхватил кинжал и снова ударил.

Огромная ветвь согнулась, колыхнулась перед его мишенью, и кинжал, пробив насквозь толстую кору, глубоко утонул в ее древесине. Тогда ветвь вновь взмыла к небу, унося с собой ввысь смертоносное оружие.

Будда медитировал с закрытыми глазами, в сумерках вокруг него разгорался сияющий ореол.

Яма шагнул вперед, поднял руки — и травы запутались в его ногах, сплелись, спеленали его лодыжки, остановили его, где он стоял.

Он попробовал было бороться, изо всех сил дергая траву, пытаясь выдернуть ее неподатливые корни. Потом прекратил тщетные попытки и, закинув назад голову, воздел кверху руки; глаза его метали смерть.

— Внемлите мне, Силы! — вскричал он. — Отныне место это будет нести на себе проклятие Ямы! Ничто живое не шевельнется больше на этой земле! Не защебечет птица, не проползет змея! Будет почва здесь бесплодна и мертва, лишь камни да зыбучие пески! Ни травинки не пробьется больше здесь к солнцу! Да исполнится мое проклятие и приговор защитникам моего врага!

Травы поблекли, пожухли, но еще не успели отпустить его на волю, как вдруг раздался оглушительный треск, хруст, и дерево, чьи корни скрепляли воедино весь мир и в чьих ветвях, словно рыбы в сетях, запутались звезды, покачнулось вперед, раскололось посередине, верхние его побеги смяли, сорвали небосвод, корни его разверзли посреди земли бездну, листья падали зелено-голубым дождем. Огромный обрубок ствола начал опрокидываться прямо на него, отбрасывая перед собой тень, темную, как ночная мгла.

Вдалеке он все еще видел Будду, тот по-прежнему сидел в медитации, словно не подозревая об извержении хаоса вокруг него.

А потом была одна лишь тьма — и звук, схожий с раскатом грома.

Яма вскинул голову, широко раскрыл глаза.

Он сидел в пурпурной роще, прислонившись к голубому стволу, и на коленях у него лежал обнаженный клинок.

С виду все было по-прежнему.

Перед ним, словно в медитации, рядами сидели монахи. Все таким же прохладным и влажным был ветерок, под его дуновением все так же колебались огни.

Яма встал, зная теперь откуда-то, где ему надо искать свою цель.

По утоптанной тропинке он прошел мимо монахов и углубился в лес.

Тропинка привела его к пурпурному павильону, но тот был пуст.

Он пошел дальше, и лес понемногу превращался в дикие заросли. Почва стала сырой, и вокруг него поднимался легкий туман. Но в свете трех лун по-прежнему отчетливо вырисовывалась перед ним тропка.

И вела она вниз, голубые и пурпурные деревья казались здесь ниже, чем наверху, стволы их были искривлены, скрючены. По сторонам стали попадаться маленькие оконца воды, словно проказой, изъеденные клочьями серебристой пены. В ноздри ему ударил запах болота, а из зарослей невысоких кустарников донесся хрип каких-то неведомых тварей.

Издалека, оттуда, откуда он пришел, донеслись отголоски песнопения, и он догадался, что оставленные им в роще монахи пробудились и засуетились в неведомой деятельности. Они преуспели, им удалось, объединив свои мысли, наслать на него видение, сон о неуязвимости их учителя. И пение — это, вероятно, сигнал к...

Туда!

Он сидел на скале в самой середине обширной прогалины, весь омытый лунным светом.

Яма вытащил клинок и направился к нему.

Когда осталось пройти шагов двадцать, сидящий повернул к нему голову.

— Приветствую тебя, о Смерть, — сказал он.

— Привет тебе, Татхагата.

— Скажи мне, почему ты здесь.

— Решено было, что Будда должен умереть.

— Это не ответ на мой вопрос, тем не менее. Почему ты пришел сюда?

— Разве ты не Будда?

— Звали меня и Буддой, и Татхагатой, и Просветленным, и много еще как. Но, отвечая на твой вопрос, нет, я не Будда. Ты уже преуспел в том, что намеревался совершить. Сегодня ты убил настоящего Будду.

— Должно быть, память моя слабеет, ибо, признаюсь, я не помню ни о чем подобном.

— Сугата звали мы настоящего Будду, — ответил Татхагата. — А до того известен он был под именем Рилд.

— Рилд! — хмыкнул Яма. — Ты пытаешься убедить меня, что он не просто палач, которого ты отговорил от его работы?

— Многие — палачи, которых отговорили от их работы, — ответствовал сидящий на скале. — По собственной воле отказался Рилд от своего призвания и встал на Путь. Он — единственный известный мне во все времена человек, который в самом деле достиг просветления.

— Разве то, что ты насаждаешь, это не этакая пацифистская религия?

— Да.

Яма запрокинул голову назад и расхохотался.

— Слава богу, что ты не практикуешь религии воинственной! Твой лучший ученик, просветленный и так далее, сегодня днем чуть было не снес мне голову с плеч.

Тень усталости легла на безмятежное лицо Будды.

— Ты думаешь, он в самом деле мог победить тебя?

Яма резко смолк.

— Нет, — сказал он, чуть помолчав.

— Как ты думаешь, он знал об этом?

— Может быть, — ответил он.

— Разве вы не знали друг друга до сегодняшней встречи? Не видели друг друга в деле?

— Да, — признался Яма. — Мы были знакомы.

— Тогда он знал о твоем мастерстве, предвидел итог вашей схватки.

Яма безмолвствовал.

— Он добровольно пошел на мученичество, чего я тогда не ведал. Мне не кажется, что он всерьез надеялся сразить тебя.

— Зачем тогда?

— Что-то доказать.

— Что же мог он надеяться доказать таким образом?

— Я не знаю. Знаю только, что все, должно быть, было так, как я говорю, ибо я знал его. Я слишком часто слушал его проповеди, его утонченные притчи, чтобы поверить, что он мог пойти на это без цели. Ты убил истинного Будду, бог смерти. Ты же знаешь, кто я такой.

— Сиддхартха, — сказал Яма, — я знаю, что ты мошенник. Я знаю, что ты не Просветленный. И я отдаю себе отчет, что учение это мог бы припомнить любой из Первых. Ты решил воскресить его, прикинувшись его автором. Ты решил распространить его, надеясь вызвать противодействие религии, при помощи которой правят истинные боги. Я восхищен твоей попыткой. Все это было мудро спланировано и исполнено. Но грубейшей твоей ошибкой было, как мне кажется, что ты выбрал пассивное вероучение, чтобы бороться против вероучения активного. Мне любопытно, почему ты пошел на это, когда вокруг было сколько угодно подходящих религий — на выбор.

— Быть может, мне было просто любопытно посмотреть, как столкнутся два противоположно направленных течения, — вставил Будда.

— Нет, Сэм, дело не в этом, — заявил Яма. — Я чувствую, что это только часть более обширного замысла, который ты разработал, и что все эти годы, когда ты разыгрывал из себя святого и читал проповеди, в которые сам-то не верил, ты строил совсем другие планы. Армия, какой бы огромной она ни была в пространстве, может оказывать противодействие лишь на коротком отрезке времени. Один же человек, ничтожный в пространстве, может распространить свое противоборство на многие и многие годы, если ему повезет и он преуспеет в передаче своего наследия. И ты это осознал, и теперь, рассеяв семена этого украденного вероучения, планируешь ты перейти к следующей стадии противостояния. Ты пытаешься в одиночку быть антитезой Небесам, годами идя наперекор воле богов, многими способами и под многими масками. Но все это кончится здесь и теперь, поддельный Будда.

— Почему, Яма? — спросил он.

— Все это рассматривалось с большим тщанием, — сообщил тот. — Нам не хотелось создавать вокруг тебя ореол великомученика, способствуя тем самым дальнейшему распространению этого твоего учения. С другой стороны, если тебя не остановить, это может зайти слишком далеко. И вот решено было, что ты должен пасть, — но только от руки посланца Небес, дабы тем самым наглядно показать, чья религия сильнее. И тогда, пусть ты даже и прослывешь мучеником, буддизму суждена будет участь второразрядной религии. Вот почему должен ты сейчас умереть подлинной смертью.

— Спрашивая «Почему?», имел я в виду совсем другое. Ты ответил не на тот вопрос. Я подразумевал, почему именно ты пришел, чтобы сотворить сие, Яма? Почему ты, чародей от оружия, корифей в науках, явился как лакей кучки пьяных теломенов, которым недостает квалификации, чтобы наточить твой клинок или мыть за тобой пробирки? Почему ты, которому подобало бы стать самым свободным, самым раскрепощенным и возвышенным духом среди всех нас, почему ты унижаешь себя, прислуживая тебя недостойным?

— За эту хулу умрешь ты не такой уж гладкой смертью.

— Почему? Я только задал вопрос, которому суждено прийти на ум отнюдь не только мне. Я же не оскорбился, когда ты назвал меня поддельным Буддой. Я-то знаю, кто я такой. А кто ты, бог смерти?

Яма заткнул клинок за пояс и вытащил трубку, которую купил днем в таверне. Он набил ее табаком, раскурил, затянулся.

— Нам, очевидно, нужно поговорить еще, хотя бы только ради того, чтобы очистить наши умы от излишних вопросов, — произнес он, — так что я позабочусь о некоторых удобствах.

**158**     Он уселся на небольшой валун.

— Во-первых, человек может быть в некоторых отношениях выше своих товарищей и тем не менее служить им, если все вместе служат они общему делу, которое выше каждого из них по отдельности. Я верю, что служу именно такому делу, иначе бы я вел себя по-другому. Я полагаю, что и ты точно так же относишься к тому, что делаешь, иначе ты бы не мирился с тем жалким аскетизмом, которым обставлена твоя жизнь, — хотя я заметил, что ты не столь изможден, как верные твои ученики. Не так давно в Махаратхе тебе предлагали божественность, не так ли, а ты посмеялся над Брахмой, совершил налет на Дворец Кармы и до отвала напичкал все молитвенные машины в городе самодельными жетонами...

Будда хмыкнул. Усмехнулся и Яма. Затем продолжил:

— Кроме тебя, во всем мире не осталось ни единого акселериста. Эта карта бита, да никогда она и не была козырной. Я испытываю, однако, некоторое уважение к тому, как ты вел себя все эти годы. Мне даже пришло в голову, что если бы удалось разъяснить тебе полную безнадежность теперешнего твоего положения, тебя можно было бы еще убедить присоединиться к сонму небожителей. Хотя я и пришел сейчас, чтобы убить тебя, но если мне удастся убедить тебя, то достаточно будет одного твоего обещания прекратить бессмысленную борьбу, и я возьмусь ходатайствовать, я поручусь за тебя. Я возьму тебя с собой в Небесный Град, и ты сможешь принять там то, от чего однажды отказался. Они послушаются меня, поскольку я им необходим.

— Нет, — сказал Сэм, — ибо я не убежден в безвыходности своего положения и намерен во что бы то ни стало продолжить представление.

Из пурпурной рощи донеслись обрывки песнопений. Одна из лун скрылась за верхушками деревьев.

— Почему твои приспешники не ломятся через кусты в попытках спасти тебя?

— Они придут, стоит мне их позвать, но звать я не буду. Мне в этом нет нужды.

— Зачем они наслали на меня этот дурацкий сон?

Будда пожал плечами.

— Почему они не восстали, почему не убили меня, пока я спал?

— Их путь не таков.

— Но ты-то ведь мог бы, а? Если бы мог спрятать концы в воду? Если бы никто не узнал, что сделал Будда?

— Не исключено, — отвечал тот. — Но ты же ведь знаешь, что сильные или слабые стороны вождя отнюдь не свидетельствуют о достоинствах или недостатках возглавляемого им движения.

Яма попыхивал трубкой. Дым клубился у него над головой, потихоньку растворяясь в тумане, который постепенно сгущался здесь, в низине.

— Я знаю, что мы здесь одни и ты безоружен, — пробормотал Яма.

— Мы здесь одни. А вся моя поклажа припрятана дальше по дороге.

— Твоя поклажа?

— Ты правильно догадался, здесь я все закончил. Я начал то, что намеревался начать. Как только мы закончим нашу беседу, я отправлюсь в путь.

Яма хмыкнул.

— Оптимизм революционеров всегда вызывает чувство законного изумления. И как ты предполагаешь отправиться? На ковре-самолете?

— Пойду, как все люди.

— По-моему, это ниже твоего достоинства. Ведь тебя же явятся защищать силы мира? Я, правда, не вижу ни единого исполинского дерева, готового прикрыть тебя своими ветвями. И нет, похоже, умненькой травки, чтобы оплести мне ноги. Скажи, как же тебе удастся уйти?

— Пусть это будет для тебя сюрпризом.

— А как насчет схватки? Терпеть не могу убивать беззащитных. Если у тебя действительно где-то поблизости припрятаны пожитки, сходи за своим клинком. У тебя появится хоть и призрачный, но все же шанс. Я слышал даже, что в свое время князь Сиддхартха был незаурядным фехтовальщиком.

— Спасибо, не стоит. Может, в другой раз. Но только не сейчас.

Яма еще раз затянулся, потянулся и зевнул.

— В таком случае у меня больше нет к тебе вопросов. С тобой совершенно бесполезно спорить. Мне больше нечего сказать. Не хочешь ли ты присовокупить какое-либо высказывание к нашей беседе?

— Да, — сказал Сэм. — Какова она, эта сучка Кали? Все говорят о ней разное, и я начинаю думать, не своя ли она для каждого...

Яма швырнул в него свою трубку, та ударилась в плечо и извергла рой искр ему на руку. Другая, более яркая вспышка блеснула над головой бога смерти, когда он прыгнул вперед: это он взмахнул саблей.

Но стоило ему сделать пару шагов по песчаной полосе, протянувшейся перед скалой, как что-то сковало его движения. Он чуть не упал, его развернуло поперек направления движения, и так он и замер. Он попытался вырваться, но не смог сдвинуться с места.

— Все зыбучие пески зыбки, — сказал Сэм, — но некоторые из них зыбче других. Радуйся, что эти-то не из них. Так что в твоем распоряжении осталось еще не так уж мало времени. Я бы с охотой продолжил нашу беседу, если бы считал, что у меня есть хоть какой-то шанс

**161**

убедить тебя присоединиться ко мне. Но я знаю, что шанса такого у меня нет — как у тебя убедить меня явиться на небеса.

— Я высвобожусь, — мягко проговорил Яма, оставив свои тщетные попытки. — Я как-нибудь высвобожусь, и я отыщу тебя снова.

— Да, — сказал Сэм. — Мне кажется, так и будет. На самом деле, чуть погодя я расскажу тебе, как в этом преуспеть. Но в данный момент ты настолько заманчивая приманка для любого проповедника — полоненный слушатель, представляющий оппозицию. Итак, у меня для тебя, Владыка Яма, есть небольшая проповедь.

Яма взвесил в руке свою саблю, прикинул расстояние и, отказавшись от мысли бросить ее в Будду, засунул ее за пояс.

— Давай, проповедуй, — сказал он, и ему удалось поймать взгляд Сэма.

Тот покачнулся на своей скале, но заговорил снова.

— Все-таки поразительно, — сказал он, — что мутировавший мозг порождает разум, способный переносить все свои способности и возможности в любой другой мозг, какой только тебе ни придет в голову занять. Много лет прошло с тех пор, как я в последний раз испытывал ту свою способность, которой пользуюсь сейчас, — а действовала она примерно так же. Никакой разницы, какое тело я занимаю, похоже, что силы мои переходят из тела в тело вместе со мною. И так же, как я понимаю, обстоит дело с большинством из нас. Шитала, я слышал, способна на расстоянии насылать на людей температуру. А когда она принимает новое тело, способность эта перетекает вместе с ней в новую нервную систему, хотя и проявляется поначалу весьма слабо. Или Агни, ему, я знаю, достаточно посмотреть некоторое время на какой-либо предмет и пожелать, чтобы он загорелся, — и так оно и будет. Ну а возьмем в качестве примера твой смертельный взгляд, который ты сейчас обратил на меня. Не поразительно ли, что ты всегда и везде удерживаешь при себе этот дар — на протяжении уже веков? Я часто задумывался о физиологической подоплеке этого явления. Ты не пробовал исследовать эту область?

— Да, — сказал Яма, и глаза его пылали под насупленными черными бровями.

— Ну и как же ты это объяснишь? Кто-то рождается с паранормальным мозгом, позже его душа переносится в мозг совершенно нормальный — и, однако, аномальные его способности при переносе сохраняются. Как это может быть?

— Просто имеется лишь одна телесная матрица, как электрическая, так и химическая по своей природе, и она тут же принимается за перестройку нового физиологического окружения. Новое тело содержит много такого, что она склонна трактовать как болезнь и стремится посему вылечить, чтобы вновь обрести старое доброе тело. Если бы, к примеру, твое нынешнее тело удалось сделать физически бессмертным, рано или поздно оно стало бы подобием твоего исходного тела.

— Как интересно.

— Вот почему перенесенные способности так слабы, но становятся тем сильнее, чем дольше ты занимаешь данное тело. Вот почему лучше всего развивать Атрибут или, может быть, пользоваться к тому же и помощью механизмов.

— Хорошо. Я всегда этим интересовался. Спасибо. Ну а пока — пробуй на мне дальше свой смертельный взгляд; он, знаешь ли, весьма болезнен. Так что это все-таки кое-что. Ну а теперь перейдем к проповеди. Гордому и самонадеянному человеку, примерно такому, как ты, — с восхитительной, по общему мнению, склонностью к поучениям — случилось проводить исследования, связанные с некой болезнью, результатом которой становятся физическая и моральная деградация больного. И однажды оказалось, что он сам заразился этой болезнью. Так как мер по ее лечению он еще не разработал, лекарств не нашел, он отложил все в сторону, посмотрел на себя в зеркало и заявил: «Но меня-то она ничуть не портит». Это, Яма, про тебя. Ты не будешь пытаться побороть сложившееся положение, ты до некоторой степени даже гордишься им. В ярости ты сорвался, так что теперь я уверен в своей правоте, когда говорю, что имя твоей болезни — Кали. Ты бы не передал свою силу в руки недостойного, если бы эта женщина не принудила тебя к этому. Я знаю ее очень давно, и я уверен, что она ничуть не изменилась. Она не может любить мужчину. Она питает интерес только к тем, кто приносит ей дары хаоса. А если когда-нибудь ты перестанешь подходить для ее целей, она тут же отстранит тебя, бог смерти. Я говорю это не потому, что мы враги, но, скорее, как мужчина мужчине. Я знаю. Поверь мне, я знаю. Возможно, что тебе не повезло, Яма, что ты никогда не был молод и не узнал первой своей любви, в весеннюю пору... Мораль, стало быть, моей наскальной проповеди такова: даже зеркалу не под силу показать тебя тебе самому, если ты не желаешь смотреть. Чтобы испытать правоту моих слов, поступи разок ей наперекор, пусть даже по какому-нибудь пустяковому поводу, и посмотри, как быстро она среагирует и каким образом. Как ты поступишь, если против тебя обращено твое собственное оружие, Смерть?

— Ну что, ты кончил? — спросил Яма.

— Почти. Проповедь — это предостережение, и я предостерег тебя.

— Какою бы ни была твоя способность, та сила, которой, Сэм, ты сейчас пользуешься, вижу я, что на данный момент непроницаемым делает она тебя для моего смертельного взгляда. Считай, что тебе повезло, ибо я ослаб.

— Я так и считаю, ведь голова моя едва не раскалывается от боли. Проклятые твои глаза!

— Когда-нибудь я снова испытаю твою силу, и даже если она опять окажется для меня необоримой, ты падешь в тот день. Если не от моего Атрибута, то от моего клинка.

— Если это вызов, то я, пожалуй, повременю его принимать. Я советую, чтобы до следующей попытки ты проверил мои слова, испробовал мой совет.

К этому времени бедра Ямы уже до половины ушли в песок.

Сэм вздохнул и слез со своего насеста.

— К этой скале ведет только одна безопасная дорога, и я сейчас уйду по ней отсюда. Теперь я скажу тебе, как ты можешь спасти свою жизнь, если ты не слишком горд. Я велел монахам прийти ко мне на подмогу, прямо сюда, если они услышат крики о помощи. Я уже говорил тебе, что не собираюсь звать на помощь, и я не врал. Если, однако, ты позовешь на подмогу своим зычным голосом, они будут тут как тут, тебя засосет за это время разве что на очередной дюйм. Они вытянут тебя на твердую землю и не причинят никакого вреда, ибо таков их путь. Мне симпатична мысль о том, что бога смерти спасут монахи Будды. Спокойной ночи, Яма, мне пора покинуть тебя.

Яма улыбнулся.

— Придет и другой день, о Будда, — промолвил он. — Я могу его подождать. Беги же теперь так быстро и далеко, как ты только сможешь. Мир недостаточно **165** просторен, чтобы ты укрылся в нем от моего гнева. Я буду идти следом за тобой, и я научу тебя просветлению — чистым адским пламенем.

— Тем временем, — сказал Сэм, — я посоветовал бы тебе либо упросить моих послушников помочь тебе, либо овладеть непростым искусством грязевого дыхания.

Под испепеляющим взглядом Ямы он осторожно пробирался через поле.

Выйдя на тропинку, он обернулся.

— И если хочешь, — сказал он, — можешь сообщить на Небеса, что я отлучился, что меня вызвали из города по делам.

Яма не отвечал.

— Я думаю, что мне пора позаботиться о каком-либо оружии, — заключил Сэм, — о весьма специфическом оружии. Так что, когда будешь искать меня, возьми с собой и свою приятельницу. Если ей придется по вкусу то, что она увидит, она, может быть, убедит тебя перейти на другую сторону.

И он пошел по тропинке, и он уходил в ночи, насвистывая, под луною белой и под луной золотой.

# IV

*Повествуется и о том, как Князь Света спус-
тился в Демонов Колодезь, чтобы заключить
сделку с главарем ракшасов. Честно вел он все
дела, но ракшасы остаются ракшасами. То
есть злобными существами, обладающими огромной силой, ограниченным сроком жизни и
способностью временно принимать практически любую форму. Уничтожить ракшасов почти
невозможно. Более всего тяготит их отсутствие настоящего тела; главная их доброде-
тель — честность в азартных играх и игорных
долгах. Сам факт, что явился Князь Света к
Адову Колодезю, служит, быть может, свиде-
тельством того, что в заботах о состоянии
мира был он на грани отчаяния...*

Когда боги и демоны, и те, и другие — отпрыски Пра-
джапати, вступили в борьбу между собой, завладели
боги принципом жизни, Удгитхой, подумав, что с ее помощью одолеют они демонов.

Они стали почитать Удгитху как нос, но демоны поразили его злом. Поэтому им обоняют и то, и другое — и благоухание, и зловоние, ведь он поражен
злом.

Они стали почитать Удгитху как язык, но демоны
поразили его злом. Поэтому им говорят и то, и другое — и истину, и ложь, ведь он поражен злом.

Они стали почитать Удгитху как глаз, но демоны поразили его злом. Поэтому им видят и то, и другое — и
симпатичное, и уродливое, ведь он поражен злом.

Они стали почитать Удгитху как ухо, но демоны поразили его злом. Поэтому им слышат и то, и другое —
и благозвучное, и непотребное, ведь оно поражено
злом.

Тогда стали они почитать Удгитху как разум, но демоны поразили его злом. Поэтому мыслят и о подобающем, истинном и хорошем, и о неподобающем, ложном и испорченном, ведь он поражен злом.

*Чхандогья упанишада (I, 2, 1—6)*

Лежит Адов Колодезь на вершине мира, и спускается он к самым его корням. Столь же он, вероятно, стар, как и сам этот мир; а если и нет, то по внешнему виду об этом ни за что не скажешь.

Начинается он со входа. Установлена там Первыми огромная дверь из полированного металла, тяжелая, как грех, высотою в три человеческих роста, шириною вдвое меньше. Толщиной она в локоть, над массивным медным кольцом, в которое кое-кому, может, удастся просунуть голову, вделана в нее металлическая же пластинка каверзнейшего замка; как нажимать на нее, чтобы он открылся, там не написано, а написано примерно следующее: «Уходи. Тебе тут не место. Если попробуешь войти — не выйдет, а ты будешь проклят. Если же ухитришься пройти — не обессудь, тебя предупреждали, и не надоедай нам предсмертными мольбами». И подписано: «Боги».

Место это расположено у самой вершины очень высокой горы, называемой Чанна, в самом центре очень высокой горной системы, называемой Ратнагари. В краю этом на земле всегда лежит снег, а радуги высыпают, как налет на языке больного, на длинных сосульках, пустивших ростки на промерзших верхушках утесов. Воздух остер, как меч. Небо ярче кошачьего глаза.

Редко-редко ступала чья-то нога по тропинке, вьющейся к Адову Колодезю. Приходили сюда по большей части просто поглазеть, посмотреть, вправду ли существует великая дверь; когда очевидцы возвращались домой и рассказывали, что видели ее воочию, смеялись над ними обычно все вокруг.

Лишь предательские царапины на пластине замка свидетельствуют, что кое-кто и в самом деле пытался войти внутрь. Орудия, необходимые, чтобы вскрыть огромную дверь, доставить сюда и даже просто уместить у двери невозможно. Последнюю сотню метров тропка, карабкающаяся по склону к Адову Колодезю, сужается дюймов до десяти; а на прилепившейся под дверью площадке — остатке когда-то обширного козырька, — потеснившись, смогут, может быть, уместиться человек шесть.

Сказывают, что Панналал Мудрый, закалив свой ум медитацией и разнообразными подвигами аскетизма, разгадал секрет замка и вступил в Адов Колодезь, провел во чреве горы день и ночь. Звали его с тех пор Панналал Безумный.

Скрывающий в себе пресловутую дверь пик, известный под названием Чанна, лежит в пяти днях пути от крохотного городишка. А вся эта местность — часть далекого северного королевства Мальва. Ближайший к Чанне горный городишко названия не имеет, поскольку населен свирепым и независимым народом, который не испытывает ну никакого желания, чтобы городок их появился на картах сборщиков податей местного раджи. О коем достаточно будет упомянуть, что роста и возраста он среднего, практичен, слегка располнел, ни набожен, ни чрезмерно знаменит — и сказочно богат. Богат он потому, что подданных своих облагает высокими налогами. Когда подданные его начинают возмущаться и по стране распространяется молва о готовящемся восстании, он объявляет войну одному из соседних королевств и удваивает налоги. Если война складывается неудачно, он казнит нескольких генералов и отправляет своего министра-по-миру обсуждать условия мирного договора. Если же вдруг все складывается особенно удачно, он взыскивает с противника дань за то оскорбление, которое якобы вызвало всю заваруху. Обычно, однако, дело кончается перемирием, и подданные его, озлобленные и на войну, и на соперника, и на отсутствие победы, примиряются с высоким уровнем налогов. Имя раджи — Видегха, и у него множество детей. Он любит граклов — священных майн — не за их глянцевитое черное оперение с изысканными желтыми пятнами вокруг глаз, а за то, что их можно обучить распевать непристойные песенки; любит змей, которым он при случае скармливает оных граклов, когда они фальшивят; любит игру в кости. Он не очень-то любит детей и Льва Толстого.

Адов Колодезь начинается с грандиозного портала высоко в горах северной оконечности королевства Видегхи, северней которого уже не отыщешь страны, населенной людьми. И, начинаясь там, по спирали, штопором уходит он вниз через самое сердце горы Чанны, вонзаясь, как штопор, в просторные пещеры и туннели, в не ведомые никому из людей подземные переходы, простирающиеся глубоко под горной цепью Ратнагари, и тянутся глубочайшие из этих переходов вниз, к корням всего мира.

И к этой двери пришел странник.

Он был просто одет, путешествовал в одиночку и, казалось, в точности представлял, куда идет и что делает.

Прокладывая себе путь по мрачному склону, карабкался он по тропинке вверх на Чанну.

Большую часть утра потратил он на то, чтобы добраться до своей цели: до двери. Встав наконец перед нею, он чуть передохнул, глотнул воды из своей фляги, утер рукой губы и улыбнулся.

Затем уселся он, прислонившись спиной к двери, и перекусил. Покончив с этим, собрал листья, в которые была завернута снедь, и бросил их вниз через край площадки. Долго смотрел он, как планируют они, падая вниз, как относят их то туда, то сюда воздушные потоки, пока наконец не исчезли они из вида. Тогда он достал трубку и закурил.

Отдохнув, он встал и вновь повернулся лицом к двери.

Рука его легко легла на плату замка и медленно пустилась в ритуальный танец. Когда он в последний раз нажал на пластину и отнял руку, изнутри, из самой толщи двери донесся одинокий музыкальный звук.

Тогда он схватился за кольцо и с силой потянул его на себя, мышцы у него на плечах вздулись и напряглись. Дверь подалась, сначала медленно, потом быстрее. Он отступил в сторону с ее дороги, и она распахнулась настежь, уходя за край площадки.

Изнутри к двери было прикреплено второе кольцо, точная копия первого. Он поймал его, когда дверь проходила мимо, и всем своим весом повис на ней, изо всех сил упираясь ногами в землю, чтобы не дать уйти тяжеленной створке за пределы его досягаемости.

Волна теплого воздуха накатилась из отверстия у него за спиной.

Он потянул дверь на место и, запалив один из связки принесенных с собой факелов, закрыл ее за собою. Вперед, по коридору отправился он, и коридор этот потихоньку начал расширяться.

Пол резко пошел под уклон, и через сотню шагов где-то далеко вверху исчез из виду потолок.

А через две сотни шагов он уже стоял на краю колодца.

Теперь со всех сторон его окружала безбрежная, непроглядная чернота, разрываемая лишь огнем его факела. Стены исчезли, только позади и справа от него проглядывала еще последняя из них. В нескольких шагах перед ним исчезал и пол.

За его кромкой лежало нечто, напоминающее бездонную дыру. Разглядеть ее он не мог, но знал, что контур ее не слишком отличается от окружности и что чем глубже, тем больше становился ее радиус.

Он спускался по тропинке, что вилась спиралью, прижимаясь к стене колодца, и все время ощущал напор поднимающегося из глубины теплого воздуха. Искусственной была эта тропа, это чувствовалось, несмотря на ее крутизну. Была она узкой и опасной; во многих местах пересекали ее трещины, а местами загромождали каменные обломки. Но ее неизменный, поворачивающий направо уклон выявлял план и цель в ее существовании.

Осторожно спускался он по этой тропе. Слева от него была стена. Справа — ничего.

Прошло, как ему показалось, века полтора, и он увидел далеко под собой крошечный мерцающий огонек, висящий прямо в воздухе.

Изгиб стены, однако, продолжал искривлять его путь, и вскоре светлячок этот оказался уже под ним и чуть-чуть правее.

Еще один поворот тропы, и он замигал прямо по ходу. Когда он проходил мимо ниши в стене, в которой таилось пламя, в мозгу у него вскричал неведомый голос:

— Освободи меня, хозяин, и я положу к твоим ногам весь мир!

Но он даже не замедлился, даже не взглянул на подобие лица, промелькнувшее внутри ниши.

В океане мрака, раскинувшемся у его ног, теперь были видны и другие огоньки, с каждым шагом плавало их во тьме все больше и больше.

Колодец продолжал расширяться. Он наполнился сверкающими, мерцающими, словно пламя, огнями, но это не было пламя; наполнился формами, лицами, полузабытыми образами. И из каждого, когда он проходил мимо, поднимался крик:

— Освободи меня! Освободи меня!

Но он не останавливался.

Он спустился на дно колодца и пересек его, пробираясь между обломками камней и скал, перешагивая через змеящиеся в каменном полу трещины. Наконец он добрался до противоположной стены, перед которой плясало огромное оранжевое пламя.

При его приближении стало оно вишневым, а когда он остановился перед ним — синим, как сердцевина сапфира.

Вдвойне было оно выше, чем он; оно пульсировало, колебалось; иногда оттуда в его направлении вырывался язык пламени, но тут же втягивался назад, словно натыкаясь на невидимый барьер.

Спускаясь, он миновал уже бесчисленное множество огней, и однако он знал, что еще больше таится их в пещерах под дном колодца.

Каждый огонь, мимо которого проходил он по пути вниз, взывал к нему, пользуясь своими собственными средствами коммуникации, и в мозгу его назойливо бились одни и те же слова: запугивающие и умоляющие, обещающие все на свете. Но из этого, самого большого синего пламени не донеслось ни слова. Никакая форма не изгибалась, не вращалась, дразня лживыми посулами, в его ослепительной сердцевине.

Он зажег новый факел и воткнул его в расщелину между двух скал.

— Итак, Ненавистный, ты вернулся!

Слова падали на него, как удары плети. Взяв себя в руки, он взглянул прямо в синее пламя и спросил в ответ:

— Тебя зовут Тарака?

— Тому, кто заточил меня здесь, следовало бы знать, как меня зовут, — пришли в ответ слова. — Не думай, Сиддхартха, что, коли ты носишь другое тело, то можешь остаться неузнанным. Я смотрю прямо на потоки энергии, которые и составляют твое существо, а не на плоть, которая маскирует их.

— Ясно, — ответил тот.

— Ты пришел посмеяться надо мной в моем заточении?

— Разве смеялся я над тобой во дни Обуздания?

— Нет, ты не смеялся.

— Я сделал то, что должно было быть сделано для безопасности моего народа. Мало было людей, и слабы они были. Твоя же раса набросилась на них и их бы уничтожила.

— Ты украл у нас наш мир, Сиддхартха. Ты обуздал и приковал нас здесь. Какому новому унижению собираешься ты подвергнуть нас?

— Быть может, найдется способ кое-что возместить.

— Чего ты хочешь?

— Союзников.

— Ты хочешь, чтобы мы вступили на твоей стороне в борьбу?

— Именно.

— А когда все закончится, ты вновь попробуешь заточить нас?

— Нет, если до того нам удастся прийти к приемлемому соглашению.

— Назови свои условия, — сказало пламя.

— В былые дни твой народ разгуливал — видимый или невидимый — по улицам Небесного Града.

— Да, так оно и было.

— Теперь он укреплен значительно лучше.

— В чем это выражается?

— Вишну-Хранитель и Яма-Дхарма, Повелитель Смерти, покрыли все Небеса — а не только Град, как было в стародавние времена, — каким-то, как говорят, непроницаемым сводом.

— Непроницаемых сводов не бывает.

— Я повторяю только то, что слышал.

— В Град ведет много путей, Князь Сиддхартха.

— Отыщи мне их все.

— Это и будет ценой моей свободы?

— Твоей личной свободы — да.

— А для других из нас?

— В обмен на их свободу вы все должны согласиться помочь мне в осаде Града — и взять его.

— Освободи нас, и Небеса падут!

— Ты говоришь за всех?

— Я Тарака. Я говорю за всех.

— А какую гарантию ты, Тарака, дашь, что этот договор будет выполнен?

— Мое слово? Я был бы счастлив поклясться чем-либо, только назови.

— Готовность клясться чем угодно — не самое обнадеживающее качество, когда идет торговля. К тому же твоя сила в любой сделке становится слабостью. Ты настолько силен, что не можешь гарантировать любой другой силе контроль над собой. Ты не веришь в богов, которыми мог бы поклясться. В чести у тебя только игорные долги, но у нас здесь для игры нет ни мотивов, ни возможностей.

— Но ты же обладаешь силой, способной контролировать нас.

— По отдельности — возможно. Но не всех сразу.

— Да, это и в самом деле сложная проблема, — сказал Тарака. — Я бы отдал за свободу все, что имею, но имею я только силу — чистую силу, по самой своей сути непередаваемую. Большая сила могла бы подчинить ее, но это не выход. Я и в самом деле не знаю, как дать тебе достаточные гарантии, что я выполню свои обещания. На твоем месте я бы ни за что не доверял мне.

— Да, налицо некая дилемма. Ладно, я освобожу тебя — тебя одного, — чтобы ты слетал на Полюс и разведал все, что касается защиты Небес. Я же в твое отсутствие еще поразмыслю над этой проблемой. Призадумайся и ты, и, может быть, когда ты вернешься, мы сумеем заключить взаимовыгодное соглашение.

— Согласен! Сними же с меня это проклятие!

— Узнай же мою мощь, Тарака, — сказал пришелец. — Коли я обуздал тебя, так могу и спустить — вот!

И пламя вскипело, выплеснулось от стены вперед. Оно скрутилось в огненный шар и принялось бешено кружить по колодцу, напоминая собой комету; оно пылало, как крохотное солнце, разгоняя вековечный мрак; оно беспрерывно меняло свой цвет, и скалы сверкали то жутко, то заманчиво.

Затем оно нависло над головой того, кого звали Сиддхартхой, обрушив на него пульсирующие слова:

— Ты не можешь себе представить, как приятно вновь ощущать свободу. Я хочу еще раз испытать твою мощь.

Человек внизу пожал плечами.

Огненный шар начал сжиматься. Хотя он и светился все ярче, было это не накопление сил, а, скорее, некое усыхание; он словно сморщился и медленно опустился на дно колодца.

Подрагивая, он остался лежать там, будто опавший лепесток некого титанического цветка; потом его начало медленно относить по полу в сторону, и в конце концов он опять очутился в своей прежней нише.

— Ты доволен? — спросил Сиддхартха.

— Да, — раздался после паузы ответ. — Не потускнела твоя сила, о Бич. Освободи меня еще раз.

— Я устал от этого спектакля, Тарака. Быть может, мне лучше уйти, оставив тебя, как ты есть, и поискать помощников где-либо еще?

— Нет! Я же дал тебе обещание! Что ты еще хочешь получить от меня?

— Я бы хотел заручиться твоим отказом от раздоров между нами. Либо ты будешь служить мне на таком условии, либо не будешь. Вот и все. Выбирай и храни верность своему выбору и своему слову.

— Хорошо. Отпусти меня, и я отправлюсь к ледяным горам, я наведаюсь в венчающий их Небесный Град, я выведаю слабые места Небес.

— Тогда отправляйся!

На этот раз пламя полыхнуло много медленнее. Оно раскачивалось перед ним и приобрело почти человеческие очертания.

— В чем твоя сила, Сиддхартха? Как тебе это удается? — спросило оно.

— Назови эту способность ума электролокацией энергии, — ответил тот. — Такая формулировка ничуть не хуже любой другой. Но как бы ты ее ни назвал, не пытайся столкнуться с этой силой опять. Я могу убить тебя ею, хотя ни одно материальное оружие не может причинить тебе никакого вреда. А теперь — ступай!

Тарака исчез, как головешка в водах реки, и Сиддхартха остался стоять один, освещенный лишь огнем своего факела.

Он отдыхал, и мозг его наполнил лепет множества голосов — обещающих, искушающих, умоляющих. Перед глазами поплыли видения, исполненные роскоши и великолепия. Перед ним проходили восхитительнейшие гаремы, у ног его были накрыты пиршественные столы. Аромат мускуса, запах магнолии, голубоватый дымок курящихся благовоний проплывали, умасливая его душу, кружили вокруг него. Он прогуливался среди неземной красоты цветов, и светлоглазые девушки с улыбкой несли за ним кубки с вином; серебристым колокольчиком пел для него одинокий голос, гандхарвы и апсары танцевали на зеркальной глади соседнего озера.

— Освободи нас, освободи нас, — пели они.

Но он лишь улыбался, и смотрел, и ничего не делал.

Постепенно превращались мольбы, жалобы и обещания в хор проклятий и угроз. На него наступали вооруженные скелеты, на их сверкающие мечи были наколоты младенцы. Повсюду вокруг него разверзлись дыры жерл, извергавших омерзительно воняющий серой огонь. С ветки перед самым его лицом свесилась змея, с ее жала падали на него капли яда. На него обрушился ливень пауков и жаб.

— Освободи нас — или никогда не прекратятся твои муки! — кричали голоса.

— Если вы будете упорствовать, — заявил он, — Сиддхартха рассердится, и вы потеряете единственный шанс обрести свободу, который у вас еще остался.

И все замерло вокруг него, и, прогнав все мысли, он задремал.


Он еще дважды ел, потом еще раз спал; наконец вернулся Тарака, принявший форму хищной птицы с огромными острыми когтями, и начал докладывать.

— Мои сородичи могут проникнуть туда через вентиляционные отверстия, — сказал он, — но людям это не под силу. Кроме того, внутри горы проделано много шахт для лифтов. Если воспользоваться большими из них, множество народу может быть без труда доставлено наверх. Конечно, они охраняются. Но если перебить стражу и отключить сигнализацию, все это вполне выполнимо. Ну и кроме того, иногда в разных местах раскрывается сам купол свода, чтобы пропустить внутрь или наружу летательное судно.

— Очень хорошо, — сказал Сиддхартха. — У меня под рукой — в нескольких неделях пути отсюда — мое королевство. Уже много лет вместо меня правит там регент, но если я вернусь, то смогу собрать армию. По земле сейчас шествует новая религия. Люди уже не так богобоязненны, как когда-то.

— Ты хочешь разграбить Небеса?

— Да, я хочу предоставить их сокровища миру.

— Мне это нравится. Победить будет не легко, но с армией людей и с воинством моих сородичей способны мы будем на это. Освободи теперь мой народ, чтобы мы могли начать действовать.

— Похоже, что мне придется довериться тебе, — сказал Сиддхартха. — Ладно, давай начнем.

И он пересек дно Адова Колодца и вошел в первый уходящий глубоко вниз туннель.

В тот день шестидесяти пяти из них даровал он свободу, и наполнили они пещеры переливами цвета, движением, светом. Воздух звенел от громких криков радости, гудел от их полетов, когда они носились по Адову Колодезю, постоянно меняя форму и ликуя от ощущения свободы.

Вдруг один из них безо всякого предупреждения принял форму пернатого змея и ринулся на него, выставив вперед острые, как сабли, когти.

На миг он сконцентрировал на нем все свое внимание.

Змей издал короткий, тут же оборвавшийся вопль и рухнул в сторону, одевшись дождем бело-голубых искр.

Затем все поблекло, не осталось никаких следов происшедшего.

По пещерам разлилась тишина, огненные светляки пульсировали, прижавшись к стенам.

Сиддхартха сосредоточился на самом большом из них, Тараке.

— Он что, напал на меня, чтобы испытать мою силу? — спросил он. — Чтобы узнать, могу ли я и в самом деле убивать, как я про то тебе сказал?

Тарака приблизился, завис перед ним.

— Не по моему приказанию напал он на тебя, — заявил он. — Мне кажется, что он наполовину сошел с ума от своего заключения.

Сиддхартха пожал плечами.

— Ну а теперь на время располагай собой, как пожелаешь, — сказал он. — Я отдохну после сегодняшней работы.

И он отправился обратно, на дно колодца, где улегся, завернувшись в одеяло, и заснул.


И пришел сон.

Он бежал.

Перед ним распростерлась его тень, и чем дальше он бежал, тем больше она становилась.

Она росла до тех пор, пока стала уже не тенью, а каким-то гротескным контуром.

Вдруг он понял, что просто-напросто его тень оказалась целиком покрыта тенью его преследователя: покрыта, поглощена, затенена, покорена.

И тут на какой-то миг его охватила чудовищная паника, там, на безликой равнине, по которой он убегал.

**180**

Он знал, что теперь это была уже его собственная тень.

Проклятие, которое преследовало его, уже не скрывалось у него за спиной.

Он знал, что сам стал своим собственным проклятием.

И, узнав, что ему наконец удалось догнать себя, он громко рассмеялся, хотя хотелось ему скорее взвыть.

Когда он проснулся, он куда-то шел.

Он шел по закрученной в спираль тропе, лепившейся к стене Адова Колодезя.

И по ходу дела оставлял он позади полоненные огни.

И снова каждый из них кричал ему, когда он проходил мимо:

— Освободите нас!

И медленно начали подтаивать ледяные грани его рассудка.

Освободите.

Множественное число. Не единственное.

Так они не говорили.

И он понял, что идет не один.

И ни одной из пляшущих, мерцающих форм не было рядом с ним.

Те, кто были в заточении, там и оставались. Освобожденные им куда-то делись.

И он карабкался вверх по высокой стене колодца, и факел не освещал ему дорогу, и, однако, он видел ее.

Он видел каждую деталь каменистой тропы, словно выбеленной лунным светом.

И он знал, что глаза его не способны на подобный подвиг.

И к нему обращались во множественном числе.

И тело его двигалось, хотя он ему этого и не велел.

Он попытался остановиться, замереть.

181

Он по-прежнему шел по тропе, и губы его зашевелились, складывая звуки в слова.

— Ты, как я погляжу, проснулся. Доброе утро.

На вопрос, который тут же возник у него в мозгу, незамедлительно ответил его собственный рот.

— Да; ну и как ты себя чувствуешь, когда обуздали уже тебя самого — и внутри собственного тела? Каково испытать на себе бич демонов?

Сиддхартха сформулировал еще одну мысль:

— Я не думал, что кто-нибудь из вашего племени способен приобрести контроль надо мной против моей воли — даже и во сне.

— Честно признаться, — был ответ, — я тоже. Но с другой стороны, я имел в своем распоряжении объединенные силы многих из нас. Казалось, что стоит попробовать.

— А что с другими? Где они?

— Ушли. Постранствовать по свету, пока я не призову их.

— Ну а те, которые остались обузданными? Если ты подождешь, я мог бы освободить и их.

— Какое мне до них дело? Я-то теперь свободен и снова при теле! На остальное наплевать!

— Значит, как я понимаю, твое обещание помощи ничего не стоит?

— Не совсем, — ответил демон. — Мы вернемся к этому, ну, скажем, через если не белый, то желтый месяц. Мне твоя идея весьма по душе. Чувствую, что война с богами окажется замечательным развлечением. Но сначала я хочу насладиться плотскими радостями. Неужели ты поскупишься на небольшое развлечение для меня — после веков скуки в тюрьме, в которую ты же меня и засадил?

— Поскуплюсь я на такое использование моей личности.

— Как бы там ни было, придется тебе на время с этим примириться. К тому же у тебя будет возможность насладиться тем, чем наслаждаюсь я, так почему бы тебе спокойно не воспользоваться этим?

— Так ты утверждаешь, что намерен-таки воевать против богов?

— Да, в самом деле. Жалко, я сам не додумался до этого в стародавние времена. Быть может, мы бы тогда избежали обуздания. Может быть, в этом мире не было бы больше богов и людей. Мы же никогда не склонялись к согласованным действиям. Независимость духа для нас естественный спутник личной независимости. Каждый сражался сам за себя в общем столкновении с человечеством. Я вождь — да, это так, но лишь потому, что я старше, сильнее и мудрее остальных. Они приходят ко мне за советом, они служат мне, когда я им прикажу. Но я никогда не отдавал им приказов в битве. Ну а теперь — позже — буду. Новшество очень хорошо поможет против заунывной монотонности.

— Советую тебе не ждать, ибо никакого «позже» не будет, Тарака.

— Почему же?

— Когда я шел к Адову Колодезю, гнев богов носился в воздухе, клубился у меня за спиной. Теперь в мире затерялось шестьдесят шесть демонов. Очень скоро почувствуют боги ваше присутствие. Они сразу поймут, кто это сделал, и предпримут против нас определенные шаги. Элемент неожиданности будет потерян.

— Бились мы с богами в былые дни...

— Но это уже не былые дни, Тарака. Боги теперь сильнее, намного сильнее. Долго был ты обуздан, и все эти века возрастала их мощь. Даже если ты впервые в истории поведешь в битву настоящую армию ракшасов, а я поддержу тебя могучей армией людей, даже и тогда не будет никакой уверенности в том, кто победит. И если ты сейчас промедлишь, то упустишь свои шансы.

— Мне не нравится, когда ты говоришь со мной об этом, Сиддхартха, ибо ты беспокоишь меня.

— К этому я и стремлюсь. Пусть ты и могуч, но когда ты встретишь Красного, он выпьет из тебя глазами всю твою жизнь. И он придет сюда, к Ратнагари, ибо он преследует меня. Появившиеся на свободе демоны — указка, подсказывающая ему, куда идти. И он может привести с собой и других. Тогда может статься, что даже все вы не окажетесь для них достойным соперником.

Демон не отвечал. Они уже вылезли из колодца, и Тарака, отмерив последние две сотни шагов, добрался наконец до огромной двери, которая теперь была распахнута настежь. Он выбрался на наружную площадку, поглядел с нее вниз.

— Ты сомневаешься в могуществе ракшасов, Бич? — спросил он. — Смотри же!

И он шагнул с площадки.

Они не упали.

Они поплыли, как те листья, что он бросил вниз — давно ли?

Вниз.

Они приземлились прямо на тропинку, преодолев по воздуху полпути вниз, с горы, называемой Чанна.

— Я не только укротил твою нервную систему, — объявил Тарака, — но и пропитал все твое тело, окутал его энергией самого своего бытия. Так что присылай ко мне этого Красного, который выпивает жизнь глазами. Я с удовольствием встречусь с ним.

— Хоть ты и можешь разгуливать по воздуху, — ответил Сиддхартха, — говоришь ты вещи весьма опро-

**184** метчивые.

— Недалеко отсюда, в Паламайдзу, находится двор Князя Видегхи, — сказал Тарака, — я присмотрелся к нему на обратном пути с Небес. Как я понял, он обожает игру. Стало быть, туда и держим путь-дорогу.

— А если поиграть явится и Бог Смерти?

— И пусть! — вскричал Тарака. — Ты перестал забавлять меня, Бич. Спокойной ночи. Спи дальше!

И на него опустилась легкая, как вуаль, темнота и гнетущая, словно свинцовая, тишина; первая из них сгущалась, вторая рассеивалась.


От следующих дней остались лишь яркие фрагменты. До него доходили обрывки разговоров или песен, красочные виды галерей, комнат, садов. А однажды он заглянул в подземный застенок, где на дыбе корчились люди, и услышал собственный смех.

А между этими видениями его посещали сны, подчас смыкающиеся с явью. Их освещало пламя, их омывали слезы и кровь. В полутемном бескрайнем соборе он бросал кости, и были это светила и планеты. Метеоры высекали пламя у него над головой, кометы вычерчивали пылающие дуги на черном стекле свода. К нему сквозь страх пробилась вдруг вспышка радости, и он знал, что хотя эта радость в основном принадлежала не ему, была в ней и его частичка. Ну а страх, тот весь был его.

Когда Тарака выпивал слишком много вина или валялся, запыхавшись, на своем широком и низком ложе в гареме, его хватка, тиски, которыми он сжимал украденное тело, слабела. Но слаб еще был и Сиддхартха, разум его не оправился от ушиба, контузии, а тело было либо пьяным, либо обессиленным; и он знал, что не пришло еще время оспорить владычество повелителя демонов.

Иногда видел он все вокруг не глазами того тела, которое было когда-то его собственностью, а зрением демона, направленным сразу во все стороны; сдирал он тогда своим взглядом со всех, с кем встречался, и кожу, и кости, прозревая под ними огонь истинной их сущности, то расцвеченный переливами и тенями их страстей, то мерцающий от жадности, похоти или зависти, то стремительно мечущийся между жаждой и жадностью, то тлеющий подспудной ненавистью, то угасающий со страхом и болью. Адом ему стало это многоцветие; лишь иногда смягчался он как-то либо холодным голубым сиянием интеллекта ученого, либо белым светом умирающего монаха, либо розовым ореолом хоронящейся от его взгляда знатной дамы, либо, наконец, пляшущими простенькими цветами играющих детишек.

Он прохаживался по залам с высокими потолками и по широким галереям королевского дворца в Паламайдзу, его законного выигрыша. Князь Видегха был брошен в цепях в свой собственный застенок. И никто из его подданных по всему королевству не подозревал, что на трон его воссел ныне демон. Все, казалось, шло своим чередом. Сиддхартхе привиделось, как он проезжает на спине у слона по улицам города. Всем женщинам в городе велено было стоять у дверей своих жилищ, и он выбирал среди них тех, которые приходились ему по душе, и забирал их в свой гарем. Содрогнувшись от неожиданности, поймал себя Сиддхартха на том, что участвует в этих смотринах, подчас оспаривая, подчас обсуждая с Таракой достоинства и недостатки той или иной матроны, девушки или дамы. Добралось и до него вожделение Тараки и стало его собственным. С осознанием этого факта вступил он на новую ступень пробуждения, и теперь не всегда рука именно демона подносила к губам его рог с вином или поигрывала кнутом в застенках. Все дольше и дольше оставался он в сознании и с некоторым ужасом начинал понимать, что внутри него самого, как и внутри каждого человека, сокрыт демон, способный отозваться на зов своих собратьев.

И вот однажды восстал он наконец против силы, управлявшей его телом и подчинившей его разум. Он уже вполне оправился и делил с Таракой все его труды и дни, постоянно был с ним — и как безмолвный наблюдатель, и как активный участник.

Они стояли на балконе, выходящем в сад, и смотрели, как набирает силу день. Тарака захотел — и тут же все цветы в саду изменили свой цвет, теперь в саду царил черный цвет — ни пятнышка красного, синего или желтого. Напоминающие ящериц твари закопошились, зашевелились в прудах и на деревьях, зашуршали и заквакали в черноте теней. Густые, приторные запахи благовоний насытили воздух, по земле, как змеи, извивались струйки черного дымка.

На жизнь его покушались уже трижды. Последним попытку предпринял капитан дворцовой гвардии. Но его меч превратился прямо у него в руке в рептилию, и та впилась ему в лицо, вырвала ему глаза, напоила его жилы ядом, от которого весь он почернел и распух; умер он в страшных мучениях, умоляя о глотке воды.

Сиддхартха глядел на деяния демона и вдруг ударил.

Медленно возвращалась к нему та сила, которой в последний раз пользовался он в Адовом Колодезе. Странным образом оторванная от мозга его тела, объяснение чему дал ему когда-то Яма, сила эта медленно вращалась, как цевочное колесо, в самом центре пространства, которым он был.

Теперь оно раскрутилось и вращалось стремительнее, он напрягся и швырнул его против силы другого.

Крик вырвался у Тараки, и ответный удар чистой энергии, словно копье, обрушился на Сиддхартху.

Частично ему удалось подстроиться под удар, даже присвоить, вобрать в себя часть его энергии. Но главный стержень удара все же задел его существо, и все внутри него обратилось в боль и хаос.

Ни на миг, однако, не отвлекаясь, он ударил снова, как копьеносец погружает свое копье в чернеющее жерло норы страшного зверя.

Опять услышал он, как с губ его срывается крик.

Тогда воздвиг демон против его силы черные стены.

Но рушились они одна за другой под его напором.

И, сражаясь, они разговаривали.

— Человек о многих телах, — говорил Тарака, — почему скаредничаешь ты, почему тебе жалко, чтобы провел я в этом теле всего несколько дней? Ты же сам не родился в нем, ты тоже всего лишь позаимствовал его на время. Почему же тогда осквернением считаешь ты мое прикосновение? Рано или поздно сменишь ты это тело, обретешь другое, мною не тронутое. Так почто смотришь ты на мое присутствие как на недуг или скверну? Не потому ли, что есть в тебе нечто, подобное мне? Не потому ли, что ведомо тебе и наслаждение, которое обретаешь, смакуя на манер ракшасов причиняемую тобой боль, налагая по собственному выбору свою волю на все, что только ни подскажут твои причуды? Не из-за этого ли? Ведь познал и ты — и теперь желаешь — все это, но сгибаешься ты к тому же под бременем отягчающего род людской проклятия, называемого виной. Если так, я смеюсь над твоей слабостью, Бич. И опять покорю я тебя.

— Таков уж я, демон, и ничего тут не попишешь, — сказал Сэм, вкладывая всю имеющуюся энергию в очередной свой удар. — Просто я взыскую подчас чего-то помимо радостей чрева и фаллоса. Я не святой, как думают обо мне буддисты, и я не легендарный герой. Я человек, который познал немало страха и который чувству-

**188**

ет подчас свою вину. Но в первую очередь, однако, я — человек, твердо намеревающийся кое-что совершить, ну а ты стоишь у меня на дороге. И унаследуешь ты посему бремя моего проклятия; выиграю я или проиграю, ныне, Тарака, твоя судьба уже изменилась. Вот проклятие Будды: никогда больше не станешь ты таким, как был когда-то.

И простояли они весь день на балконе в пропитанных потом одеждах. Как статуя, стояли они до тех пор, пока не спустилось солнце с неба и не разделила пополам золотая дорожка темный котел ночи. Луна всплыла над садовой оградой. Потом вторая.

— Каково проклятие Будды? — раз за разом вопрошал Тарака.

Но Сиддхартха не отвечал.

Рухнула под его напором и последняя стена, и фехтовали они теперь потоками энергии, словно ливнями ослепительных стрел.

Из отдаленного Храма доносилась бесконечно повторяющаяся фраза барабана, в саду изредка вскваквала какая-то тварь, кричала птица, иногда опускался на них рой мошкары, кормился и уносился прочь.

И тогда, как звездный ливень, пришли они, оседлав ночной ветер... Освобожденные из Адова Колодезя, остальные демоны, затерявшиеся в мире.

Они явились в ответ на призыв Тараки, явились поддержать своими силами его мощь.

И обернулся он водоворотом, воронкой, приливной волной, смерчем молний.

Сиддхартха почувствовал, как его сметает титаническая лавина, раздавливает, плющит, хоронит.

Последнее, что он осознал, был вырывающийся у него из груди смех.

———

Он не знал, сколько прошло времени, прежде чем начал он приходить в себя. На сей раз происходило это медленно, и очнулся он во дворце, где ему прислуживали демоны.

Когда спали последние путы анестезирующей умственной усталости, странным и причудливым предстало все вокруг него.

Длились гротесковые пирушки. Вечеринки обычно проходили в застенках, где демоны одушевляли, оживляли тела и вселялись в них, чтобы преследовать свои жертвы. Повсюду творились темные чудеса, прямо из мраморных плит тронного зала, например, выросла роща кривых, искореженных деревьев, роща, в которой люди спали не просыпаясь, вскрикивая, когда один кошмар сменялся другим. Но поселилась во дворце и иная странность.

Случилось что-то с Таракой.

— Каково проклятие Будды? — вновь вопросил он, как только почувствовал присутствие Сиддхартхи.

Но не ответил ему на это Сиддхартха.

Тот продолжал:

— Чувствую, что уже скоро верну я тебе твое тело. Я устал от всего этого, от этого дворца. Да, я устал, и, думаю, недалек уже, быть может, тот день, когда мы пойдем войной на Небеса. Что ты скажешь на это, Бич? Я, как и обещал, сдержу свое слово.

Сиддхартха не ответил ему.

— С каждым днем иссякает, сходит на нет мое удовольствие! Не знаешь ли ты почему, Сиддхартха? Не можешь ли ты сказать, почему приходит ко мне странное чувство, и иссушает оно мою радость от самых сильных ощущений, притупляет наслаждения, ослабляет меня, повергает в уныние, когда должен я ликовать, когда должен переполняться радостью? Не это ли — проклятие Будды?

— Да, — сказал Сиддхартха.

— Тогда сними с меня, Бич, свое проклятие, и я уйду в тот же день и верну тебе эту плотскую личину. Затосковал я по холодным, чистым ветрам поднебесья! Освободи же меня прямо сейчас!

— Слишком поздно, о владыка ракшасов. Ты сам навлек все это на себя.

— Что это? Чем обуздал ты меня на этот раз?

— Не припоминаешь ли ты, как, когда боролись мы на балконе, насмехался ты надо мною? Ты сказал, что я тоже нахожу удовольствие в том, как сеешь ты боль и муки. Ты был прав, ибо каждый человек несет в себе и темное, и светлое. Во многих отношениях разделен человек на части, слит из крайностей; он не то чистое, ясное пламя, каким был ты когда-то. Интеллект его часто воюет с эмоциями, воля — с желаниями... идеалы его не в ладах с окружающей действительностью; если он следует им, то в полной мере суждено познать ему утрату старых грез, а если не следует — причинит ему муки отказ от мечты — новой и благородной. Что бы он ни делал, все для него и находка, и утрата; и прибыль, и убыль. Всегда оплакивает он ушедшее и боится того, что таит в себе новое. Рассудок противится традиции. Эмоции противятся ограничениям, которые накладывают на него его собратья. И всегда из возникающего в нем трения рождается хищное пламя, которое высмеивал ты под именем проклятия рода людского, — вина!

Так знай же, что, когда пребывали мы с тобою в одном и том же теле и шел я невольно твоим путем, — а иногда и вольно, — не был путь этот дорогой с односторонним движением. Как ты склонил мою волю к своим деяниям, так, в свою очередь, и твою волю исказило, изменило мое отвращение к некоторым твоим поступкам. Ты выучился тому, что называется виной, и

**191**

отныне всегда она будет отбрасывать тень на твои услады. Вот почему надломилось твое наслаждение. Вот почему стремишься ты прочь. Но не принесет это тебе добра. Она последует за тобой через весь мир. Она вознесется с тобой в царство чистых, холодных ветров. Она будет преследовать тебя повсюду. Вот оно, проклятие Будды.

Тарака закрыл лицо руками.

— Так вот что такое — рыдать, — вымолвил наконец он.

Сиддхартха не ответил.

— Будь ты проклят, Сиддхартха, — сказал Тарака. — Ты сковал меня снова, и тюрьма моя теперь еще ужаснее Адова Колодезя.

— Ты сам сковал себя. Ты нарушил наше соглашение. Не я.

— Человеку на роду написано страдать от расторжения договоров с демонами, — промолвил Тарака, — но никогда еще ракшас не пострадал от этого.

Сиддхартха не ответил.

На следующее утро, когда он завтракал, кто-то забарабанил в дверь его покоев.

— Кто посмел? — вскричал он, и в этот миг дверь, выворотив петли из стены, рухнула внутрь покоев, засов переломился, как сухая тростинка.

В комнату ввалился ракшас: увенчанная рогами тигриная голова на плечах здоровенной обезьяны, огромные копыта на ногах, когти на руках; он рухнул на пол, на миг стал прозрачным, извергнув при этом изо рта струйку дыма, опять обрел видимую материальность, вновь поблек, снова появился. С его когтей капала какая-то непохожая на кровь жидкость, а поперек груди красовался огромный ожог. Воздух наполнился запахом паленой шерсти и обуглившейся плоти.

192

— Господин! — крикнул он. — Пришел чужак и просит встречи с тобой!

— И ты не сумел его убедить, что мне не до него?

— Владыка, на него набросилась дюжина человек, твоя стража, а он... Он взмахнул на них рукой, и столь яркой была вспышка света, что даже ракшас не сумел бы взглянуть на нее. Один только миг — и все они исчезли, будто их никогда и не было... А в стене за ними осталась большая дыра... Никаких обломков, просто аккуратная, ровная дыра.

— И тогда ты набросился на него?

— Много ракшасов бросилось на него — но было что-то, что нас оттолкнуло. Он опять взмахнул рукой, и уже трое наших исчезли во вспышке, посланной им... Я был лишь задет ею. И он послал меня передать тебе послание... Я больше не могу держаться.

И с этим он исчез, а над тем местом, где секунду назад лежало тело, повис огненный шар. Теперь слова его раздавались прямо в мозгу.

— Он велит тебе без отлагательств выйти к нему. Иначе обещает разрушить весь этот дворец.

— А те трое, которых он сжег, они тоже вернулись в обычную свою форму?

— Нет, — ответил ракшас. — Их больше нет...

— Опиши чужака! — приказал Сиддхартха, выдавливая слова из собственного рта.

— Он очень высок ростом, — начал демон, — носит черные брюки и сапоги. А выше одет очень странно. Что-то вроде цельной белой перчатки — только на правой руке, — и идет она до самого плеча, дальше пересекает грудь, а сзади облегает шею и обтягивает туго и гладко всю голову. А лица видна только нижняя часть: на глазах у него большие черные линзы, они выдаются вперед почти на ладонь. К поясу прицеплены короткие нож-

**193**

ны из того же белого материала, что и перчатка, но в них вместо кинжала держит он небольшой жезл. Под тканью, там, где она обтягивает его плечи и затылок, виднеется какой-то бугор, словно он носит крохотный ранец.

— Бог Агни! — воскликнул Сиддхартха. — Ты описал бога огня!

— А, может быть, и так, — сказал ракшас. — Ибо когда я заглянул под его плоть, чтобы увидеть цвета истинного его существа, я едва не ослеп от блеска, будто оказался в самом центре солнца. Ежели существует бог огня, то это действительно он.

— Ну вот нам и пора бежать, — сказал Сиддхартха, — ибо здесь вскорости разгорится грандиозный пожар. Мы не можем бороться с ним, так что давай поспешать!

— Я не боюсь богов, — заявил Тарака, — а на этом я хочу испытать свои силы.

— Ты не можешь превзойти Владыку Пламени, — возразил Сиддхартха. — Его огненный жезл непобедим. Ему дал его бог смерти.

— Придется отнять у него этот жезл и обратить его против него самого.

— Никто не может носить его, не ослепнув и не потеряв при этом руки! Вот почему он так странно одет. Не будем же терять времени!

— Я должен посмотреть сам, — заявил Тарака. — Должен.

— Уж не заставляет ли тебя твоя вновь обретенная вина флиртовать с самоуничтожением?

— Вина? — переспросил Тарака. — Эта тщедушная, гложущая мозг крыса, которой ты меня заразил? Нет, это не вина, Бич. Просто с тех пор, как я был — не считая тебя — высшим, в мире возросли новые силы. В былые дни боги были слабее, и если они и в самом деле выросли в силе, то силу эту надо испробовать — мне самому! В самой моей природе, каковая — сила, заложено бороться с каждой иной, особенно новой, силой и либо восторжествовать над ней, либо ей подчиниться. Я должен испытать мощь Бога Агни, чтобы победить его.

— Но нас же в этом теле двое!

— Это правда... Обещаю тебе, что если это тело будет уничтожено, я унесу тебя с собой прочь. И я уже усилил огонь твоей натуры по обычаю своего племени. Если это тело умрет, ты будешь продолжать жить в качестве ракшаса. Наш народ тоже облачен был когда-то в тела, и я помню искусство освобождения внутреннего огня от тела. Я уже сделал это с тобой, так что не бойся.

— И на том спасибо.

— Ну а теперь заглянем в лицо огню — и потушим его!

И, покинув королевские покои, они спустились вниз. Далеко внизу, заточенный в собственный каземат, Князь Видегха застонал во сне.


Они вошли через дверь, скрываемую драпировкой позади трона. Раздвинув складки материи, они увидели, что, если не считать спящих под сенью темной рощи, зал был пуст, только в самом его центре, скрестив на груди руки, стоял человек; обтянутые белой материей пальцы его правой руки сжимали серебряный жезл.

— Видишь, как он стоит? — сказал Сиддхартха. — Он всецело полагается на свою силу, и он прав. Это Агни, один из локапал. Он может разглядеть все, до самого края горизонта, что только не заслонено от него; разглядеть так же хорошо, как предметы на расстоянии вытянутой руки. И он способен дотянуться до всего, что видит. Говорят, что однажды ночью он собственноручно пометил своим жезлом луны. Стоит ему только прикоснуться рукояткой жезла к контакту, вмонтированному в его перчатку, — и ринется наружу Всеприсущее Пламя, плеснет вперед с ослепительным блеском, уничтожая материю и рассеивая энергию, которых угораздит оказаться на его пути. Еще не поздно отступить.

— Агни! — услышал он крик рта своего. — Ты домогался приема от здешнего правителя?

Черные линзы обернулись к нему, губы Агни растянулись в улыбке, исчезнувшей, как только он заговорил.

— Я так и знал, что найду тебя здесь, — сказал он гнусавым и пронзительным голосом. — Вся эта святость достала тебя, и ты не мог не сорваться. Как тебя теперь называть — Сиддхартха, Татхагата или Махасаматман — или же просто Сэм?

— Глупец, — было ему ответом. — Тот, кого знал ты под именем Бича Демонов — под всеми и каждым из имен, тобою перечисленных, — обуздан ныне сам. Тебе выпала честь обращаться к Тараке, вождю ракшасов, Властителю Адова Колодезя.

Раздался щелчок, и линзы стали красными.

— Да, теперь я вижу, ты говоришь правду, — отвечал Агни. — Налицо случай демонической одержимости. Интересно и поучительно. И слегка к тому же запутанно.

Он пожал плечами.

— Мне, впрочем, все равно, что уничтожить одного, что двоих.

— Ты так думаешь? — спросил Тарака, поднимая перед собой руки.

В ответ его жесту раздался грохот, мгновенно вырос из пола черный лес, поглотил стоящую фигуру, оплел ее корчащимися, словно от боли, ветвями и сучьями. Грохот не умолкал, и пол у них под ногами подался на несколько дюймов. Сверху послышался скрип и треск ломающегося камня, посыпались пыль и песок.

196

Но ослепительно полыхнула вспышка света, и исчезли все деревья, оставив по себе лишь низенькие пеньки да черные пятна гари на полу.

Затрещал и с оглушительным грохотом рухнул потолок.

Отступая через ту же дверь позади трона, они увидели, как по-прежнему стоявшая в центре зала фигура подняла над головой свой жезл и описала им едва заметный круг.

Вверх вознесся конус ослепительного сияния, и все, на что он натыкался, тут же исчезало. На губах Агни по-прежнему играла улыбка, когда вокруг него валились огромные камни — но не слишком к нему близко.

Грохот не смолкал, трещал пол, покачнулись стены.

Они захлопнули за собой дверь, и у Сэма закружилась голова, когда окно, еще миг тому назад маячившее в самом конце коридора, промелькнуло мимо него.

Они неслись вверх и прочь, сквозь поднебесье, и тело его было переполнено, в нем что-то пузырилось, что-то его покалывало, словно весь он состоял из жидкости, сквозь которую пропустили электрический ток.

Своим демоническим зрением он видел сразу все вокруг и, в частности, Паламайдзу, уже столь далекий, что его вполне можно было взять в рамку и повесить в качестве картины на стену. На высоком холме в самом центре города рушился дворец Видегхи, и огромные вспышки, словно зеркально отраженные молнии, били из руин в небо.

— Вот тебе и ответ, Тарака, — сказал он. — Не дернуться ли нам назад и испытать еще раз его силу?

— Я должен был разобраться, — ответил демон.

— Позволь мне предостеречь тебя еще раз. Я не шутил, когда сказал, что видит он все до самого горизонта. Если он высвободится из-под всех этих обломков достаточно быстро и обратит свой взор в нашу сторону, он нас засечет. Я не думаю, что ты можешь двигаться быстрее света, так что давай полетим пониже, используя неровности рельефа в качестве прикрытия.

— Я сделаю нас невидимыми, Сэм.

— Глаза Агни видят далеко за пределами и красной, и фиолетовой оконечностей доступного человеку спектра.

И тогда они быстро снизились. Сэм успел еще заметить, что все, что осталось от дворца Видегхи в далеком уже Паламайдзу, — это клубящееся над серыми склонами холма облако пыли.


Как смерч, неслись они на север, дальше и дальше, пока не раскинулась наконец под ними цепь Ратнагари. Они подлетели к горе, именуемой Чанна, скользнули мимо ее вершины и приземлились на ровной площадке у настежь распахнутых дверей в Адов Колодезь.

Они вошли туда и захлопнули за собой дверь.

— Будет погоня, — заметил Сэм, — и даже Адов Колодезь не устоит против нее.

— До чего они уверены в своих силах, — подивился Тарака, — прислать всего одного!

— Тебе кажется, что доверие неоправданно?

— Нет, — сказал Тарака. — Ну а этот Красный, о котором ты говорил, тот, что выпивает глазами жизнь? Разве ты не считал, что они пошлют Великого Яму, а не Агни?

— Да, — согласился Сэм, пока они спускались к колодцу. — Я был уверен, что он последует за мной, да и сейчас еще думаю, что так он и сделает. Когда я виделся с ним в последний раз, причинил я ему кой-какое беспокойство. Чувствую, что он повсюду меня выслеживает. Кто знает, может быть, как раз сейчас он лежит в засаде на дне самого Адова Колодезя.

**198**

Они дошли до колодца и ступили на тропу.

— Внутри он тебя не поджидает, — заверил Тарака. — Мне бы сразу же сообщил кто-нибудь из все еще скованных, если бы этим путем прошел кто-то помимо ракшасов.

— Придет еще, — ответил Сэм, — и когда он, Красный, явится в Адов Колодезь, его будет не остановить.

— Но попытаются это сделать многие, — заявил Тарака. — И вот первый из них.

Стали видны языки пламени, пылающего в нише рядом с тропой.

Проходя мимо, Сэм освободил его, оно взлетело, как ярко раскрашенная птица, и по спирали спустилось в колодец.

Шаг за шагом спускались они, и из каждой ниши вырывался на волю огонь и уплывал прочь. По приказу Тараки некоторые из них поднимались к горловине колодца и исчезали за мощной дверью, на внешней стороне которой были вычеканены слова богов.

Когда они добрались до дна колодца, Тарака сказал:

— Давай освободим и запертых в пещерах.

И они отправились в путь по глубинным переходам, освобождая пленников потайных каменных мешков.

И шло время, и он потерял ему счет, как потерял счет и освобожденным демонам, и наконец все они оказались на воле.

Ракшасы собрались на дне колодца и, выстроившись одной огромной фалангой, слили свои крики в единую ровную звенящую ноту, которая перекатывалась и билась у него в голове, пока он наконец не понял, вздрогнув от своей мысли, что они поют.

— Да, — сказал Тарака, — и впервые за целые века делают они это.

Сэм вслушивался в звучавшие внутри его черепа звуки, вылавливал фрагменты смысла из-под вспышек и свиста, и наполнявшие их пение чувства отливались в слова и строки, значение которых находило отзвук и в его собственном разумении.

Мы пали с небес
В Адов Колодезь
От руки человека,
Забудь его имя!

Мир этот был нашим
До человека,
Станет он нашим
Вновь без богов.

Горы падут, высохнет
Море, луны исчезнут.
Мост Богов рухнет,
Прервется дыханье.

Но мы будем ждать.
Когда падут боги,
Когда падут люди,
Восстанем мы снова.

Сэм содрогнулся, послушав, как вновь и вновь повторяли они на разные лады этот напев, перечисляя свои канувшие в лету триумфы и подвиги, без остатка доверяя своей способности претерпеть, переждать любые обстоятельства, встретить любую силу приемом космического дзюдо — толкнув-потянув и выждав, чтобы понаблюдать, как их недруги обращают свою силу на самих себя и исчезают. В этот миг он почти верил, что правдой обернется их песня, что когда-нибудь одни ракшасы будут пролетать над обезображенным оспинами ландшафтом мертвого мира.

Затем он подумал о другом и сумел вытеснить из своего рассудка и мелодию, и жутковатое настроение. Но в следующие дни, а иногда даже и годами позже, возвращалось оно к нему, отравляя его усилия, насмехаясь над радостями, заставляя сомневаться, признавать свою вину, печалиться — и тем самым преисполняться смирения.

Спустя некоторое время вернулся на дно колодца один из ракшасов, посланных ранее на разведку. Он повис в воздухе и начал отчитываться об увиденном. Пока он говорил, огонь его перетек в некое подобие Т-образного креста.

— Это форма той колесницы, — пояснил он, — которая просверкнула по небу и упала, остановившись в долине позади южного отрога.

— Бич, ведомо ли тебе это судно? — спросил Тарака.

— Я слышал ее описание, — ответил Сэм. — Это громовая колесница Великого Шивы.

— Опиши ее седока, — велел демону Тарака.

— Их четверо, Господин.

— Четверо?

— Да. Первый из них — тот, кого ты называл Агни, Богом Огня. Рядом с ним воин, вороненый шлем которого венчают бычьи рога; доспехи его по виду напоминают старинную бронзу, но отнюдь не из бронзы они; сработаны они словно из множества змей и ничуть не отягчают его движений. В руке держит он поблескивающий трезубец, и нет у него щита.

— Это Шива, — вмешался Сэм.

— Дальше идет еще один, облаченный во все красное, и мрачен его взгляд. Он не разговаривает, но время от времени взгляд его падает на женщину, что идет рядом, слева от него. Светла она и лицом, и волосами; латы ее поспорят цветом с его одеждами. Глаза ее — как море, и часто раздвигает улыбка ее губы, алые, как человеческая кровь. На грудь ей свисает ожерелье из черепов. Вооружена она луком и коротким мечом, а в руке держит странный инструмент, что-то вроде черного скипетра, кончающегося серебряным черепом, вставленным внутрь колеса.

— Эти двое — Яма и Кали, — сказал Сэм. — А теперь послушай меня, Тарака, могущественнейший среди ракшасов, и я расскажу тебе, кто выступает против нас. Силу Агни ты уже вполне изведал, о Яме я тебе говорил раньше. Ну а та, кто идет рука об руку с ним, тоже способна выпивать взглядом жизнь. Ее скипетр вопит под стать трубам, возвещающим конец Юги, и всякий, кто попадет под его вой, впадает в уныние и помрачается сознанием. Ее должно опасаться не менее ее спутника, а тот ведь и безжалостен, и непобедим. Ну а обладатель трезубца — это сам Бог Разрушения. Конечно, Яма — Царь Мертвых, Агни — Бог Огня, но сила Шивы превыше, это сила самого хаоса. Она отщепляет атом от атома, рушит форму любого предмета, на который обращен его трезубец. Против этой четверки не могут выстоять все силы Адова Колодезя. Давай же скорее покинем это место, ведь они наверняка именно сюда и направляются.

— Разве я не обещал тебе, Бич, — промолвил в ответ Тарака, — что помогу тебе в битве с богами?

— Да, но я-то говорил о внезапном нападении. Эти же приняли свои Облики и обрели Атрибуты. Если бы они так решили, им бы даже не пришлось приземляться, они могли просто уничтожить с воздуха всю Чанну целиком — и сейчас бы на ее месте, здесь, в самом центре Ратнагари, зиял бездонный кратер. Мы должны бежать, чтобы сразиться с ними позже.

— Ты помнишь проклятие Будды? — спросил Тарака. — Помнишь, как ты обучил меня вине, Сиддхартха?

Я-то помню, и я чувствую, что задолжал, что должен вернуть тебе сейчас победу. Я должен тебе за твои муки и отдам в качестве платы этих богов.

— Нет! Если ты хочешь услужить мне, сделай это когда-нибудь потом! А сейчас унеси меня отсюда — побыстрее и подальше!

— Ты что, боишься встретиться с ними, Князь Сиддхартха?

— Да, да, боюсь. Ибо это — безрассудная дерзость! «Мы подождем, мы будем ждать, восстанем мы снова!» — так вы пели? Куда же подевалось терпение ракшасов? Вы говорите, что будете ждать, пока высохнут моря и сровняются горы, пока с небес не исчезнут луны, — и вы не можете подождать, пока я не назову время и место решающей битвы! Я знаю их, этих богов, не в пример лучше вас, ибо однажды был одним из них. Не горячись сейчас. Если ты хочешь услужить мне, избавь меня от этой встречи!

— Хорошо. Я услышал тебя, Сиддхартха. Твои слова подействовали на меня. Но я бы хотел испытать их силу. И посему пошлю против них нескольких ракшасов. Ну а мы с тобой отправимся далеко, в далекое путешествие к самым корням этого мира. Там подождем мы победных реляций. Если же ракшасы, увы, проиграют эту схватку, тогда унесу я тебя далеко-далеко отсюда и возвращу тебе твое тело. А пока я поношу его еще несколько часов, чтобы посмаковать твои страсти в этой битве.

Сэм склонил голову.

— Аминь, — сказал он, и что-то в его теле пузырилось, что-то покалывало, когда оно само собою поднялось над полом и понеслось по просторным подземным коридорам, неведомым никому из людей.

И пока проносились они из комнаты в комнату, из залы в залу, вниз по туннелям, провалам и колодцам, сквозь каменные лабиринты, гроты и коридоры, Сэм отдался потоку своих воспоминаний, и свободно потекли они, все глубже и глубже погружаясь в прошлое. Вспоминал он о днях своего свежеиспеченного пастырства, когда решился он привить черенок древнего учения Гаутамы к стволу заправляющей миром религии. Вспоминал о странном ученике своем, Сугате, рука которого не скупилась ни на смерть, ни на благословения. Будет течь время, и жизни их станут потихоньку сплавляться воедино, перемешаются их деяния. Он прожил слишком долго, чтобы не знать, как перетасует время колоду легенд. Да, был в истории и реальный Будда, теперь он знал это. Выдвинутое им учение, пусть и незаконно присвоенное, захватило этого истинно верующего, и он сумел-таки достичь просветления, своей святостью оставил в людских умах след, а затем по собственной воле передал себя в руки самой Смерти. Татхагата и Сугата станут частями единой легенды, да, он знал об этом, и будет Татхагата сиять, отражая свет своего ученика. В веках останется жить только одна дхамма. Затем его мысли вернулись к битве у Палаты Кармы и к трофейным машинам, все еще сокрытым в надежном месте. И подумалось ему о бесчисленных перерождениях, через которые прошел он, о сражениях, в которых участвовал, о женщинах, которых любил, — сколько их накопилось за века; он думал, каким бы мог быть этот мир и каким он был на самом деле, каким — и почему. И опять его охватили гнев и ярость, когда подумал он о богах. Он вспомнил о днях, когда горстка их сражалась с ракшасами и нагами, гандхарвами и Морским Народом, с демонами Катапутны и Матерями Нестерпимого Зноя, с дакини и претами, скандами и пишачами, и победили они всех, освободили

204

мир от хаоса и заложили для людей первый город. Он видел, как прошел этот город через все стадии, через которые только может пройти город, пока его обитатели не смогли однажды сплести воедино свои разумы и превратить самих себя в богов, принять на себя Облик, укрепивший их тела, закаливший волю, ожививший силой их желаний Атрибуты, которые со словно магической силой обрушивались на любого, против кого их только ни обратишь. Он думал о городе и богах, и ведомы ему были их красота и справедливость, уродство и неправота. Он вспоминал их великолепие и красочность, не имеющие ничего подобного во всем остальном мире, и он всхлипывал в своей ярости, ибо знал, что никогда не сможет почувствовать себя ни вполне правым, ни вполне неправым, им противостоя. Вот почему ждал он так долго, ничего не предпринимая. А теперь, что бы он ни сделал, все принесет сразу и победу, и поражение, успех и неудачу; к чему бы ни привели его поступки — будет ли град грезой мимолетной или длящейся вечно, — ему нести бремя вины.

Они ждали в темноте.

Ждали долго, молча. Время влачилось, словно старик, плетущийся в гору.

Они стояли на пятачке около черного провала колодца и ждали.

— А мы услышим?

— Может быть. А может быть, и нет.

— Что мы будем делать?

— Что ты имеешь в виду?

— Если они вовсе не придут. Долго ли мы будем ждать здесь?

— Они придут с песней.

— Надеюсь.

205

Но не пришло ни песни, ни движения. Время вокруг них застыло в неподвижности, ему здесь было некуда идти.

— Сколько времени мы уже ждем?

— Не знаю. Долго.

— Я чувствую, что не все в порядке.

— Ты, наверно, прав. Не подняться ли нам на несколько уровней и разведать обстановку — или выпустить тебя на свободу?

— Давай подождем еще немного.

— Хорошо.

И опять тишина. Они мерили ее шагами.

— Что это?

— Что?

— Звук.

— Я ничего не слышал, а ведь у нас одни и те же уши.

— Ушами не телесными — вот опять!

— Я ничего не слышал, Тарака.

— И не перестает. Словно вопль, только нескончаемый.

— Далеко?

— Да, весьма неблизко. Послушай со мной.

— Да! Думаю, это скипетр Кали. Битва, стало быть, в разгаре.

— Все еще? Значит, боги сильнее, чем я полагал.

— Нет, это ракшасы сильнее, чем полагал я.

— Побеждаем мы или проигрываем, Сиддхартха, в любом случае боги сейчас заняты. Если нам удастся с ними разминуться, вряд ли мы встретим сторожа у их корабля. Ты не хочешь его?

— Угнать громовую колесницу? Это мысль... Она и мощное оружие, и замечательный транспорт. Велики ли наши шансы?

— Я уверен, что ракшасы смогут задержать их, сколько понадобится, — а долог подъем из Адова Колодезя. Мы обойдемся без тропинки. Я устал, но еще могу пронести нас по воздуху.

— Давай поднимемся на несколько уровней и разведаем обстановку.

Они покинули свой пятачок у черного провала колодца, и время вновь начало отбивать свой счет, пока они поднимались вверх.

Навстречу им двигался светящийся шар. Он обосновался на полу пещеры и вырос в дерево зеленого огня.

— Как складывается битва? — спросил Тарака.

— Мы остановили их, — отвечал тот, — но не можем войти с ними в контакт.

— Почему?

— Что-то в них нас отталкивает. Я не знаю, как назвать это, но мы не можем заставить себя подойти к ним слишком близко.

— Как же тогда вы сражаетесь?

— Беспрерывный шквал камней и скал обрушиваем мы на них. Мечем огонь, и воду, и смерчи.

— И чем они отвечают?

— Трезубец Шивы прокладывает дорогу сквозь все. Но сколько бы он ни разрушал, мы обрушиваем на него только больше материи. И он стоит как вкопанный, возвращая в небытие шторм, который мы можем длить вечно. Иногда он отвлекается ради убийства, и тогда атаку отражает Бог Огня. Скипетр богини замедляет того, кто оказывается перед ним, и, замедлившись, он встречает либо трезубец, либо руку или глаза Смерти.

— И вам не удалось нанести им какой-либо урон?

— Нет.

— Где они остановились?

— Спустившись, но не очень глубоко, по стене колодца. Они спускаются очень медленно.

— Наши потери?

— Восемнадцать.

— Значит, мы сделали ошибку, прервав ради битвы наше выжидание. Цена слишком высока, а мы ничего не выиграли... Сэм, как с колесницей? Будем пробовать?

— Ради нее стоит рискнуть... Да, давай попытаемся.

— Тогда ступай, — велел он ракшасу, который качал перед ним ветвями. — Ступай впереди нас. Мы будем подниматься по противоположной стене. Вы же удвойте свой напор. Не давайте им передышки, пока мы их не минуем. И потом удерживайте их на месте, чтобы мы успели увести колесницу из долины. Когда все будет сделано, я вернусь к вам в своей истинной форме, и мы сможем положить конец этой схватке.

— Слушаюсь, — ответил ракшас и повалился на пол, скользнул зеленой огненной змеей и исчез у них над головой.

Они бегом бросились вперед и вверх, сберегая подрастраченные силы Тараки для решающего броска сквозь тяготение.

Далеко они ушли под Ратнагари, и бесконечным казался им обратный путь.

Наконец они выбрались все-таки на дно колодца; там было достаточно светло, чтобы Сэм своими глазами мог видеть происходящее в вышине. В колодце стоял оглушительный грохот, и если бы они с Таракой общались при помощи речи, то здесь общению их пришел бы конец.

Словно некая фантастическая орхидея на эбеновом суку, цвело пламя на стене колодца. По взмаху жезла Агни оно изменило свои очертания, скорчилось. В воздухе, как светозарные насекомые, плясали ракшасы. Рев воздушных потоков смешивался с грохотом каменных глыб. И на все это накладывалось жуткое завывание серебряного черепа-колеса, которым Кали обмахивалась, словно веером; и страшнее всего было, когда его крик выходил за рамки слышимых звуков, но не прекращался. Скалы раскалывались, плавились и испарялись прямо в воздухе, их добела раскаленные осколки разлетались во все стороны, словно искры в кузнице. Они отскакивали от стен и пола, катились по склонам, теряя жар, рдели красными огнями в черных тенях Адова Колодезя. Стены колодца были покрыты оспинами, зарубками, бороздами там, где их коснулись пламя и хаос.

— Теперь, — сказал Тарака, — вперед!

Они поднялись в воздух и, прижимаясь к противоположной от богов стене, понеслись наверх. Ракшасы усилили натиск, и тем сильнее был отпор. Сэм заткнул уши руками, но это не помогало против раскаленных игл, втыкавшихся где-то позади его глаз, когда серебряный череп глядел в его сторону.

Чуть левее него вдруг исчез целый пласт скал.

— Они не засекли нас, — сказал Тарака.

— Пока что, — ответил Сэм. — Этот проклятый бог огня способен разглядеть движущуюся песчинку сквозь чернильное море. Если он повернется в нашу сторону, я надеюсь, ты сможешь увернуться от его...

— Вот так? — перебил Тарака, когда они вдруг очутились на добрый десяток метров выше и левее.

Теперь они выжимали из себя всю возможную скорость, они мчались прямо вверх, а по пятам их преследовала по стене колодца полоса плавящегося камня. Но погоня тут же прервалась, это демонам удалось с душераздирающими воплями отколоть от стен несколько гигантских глыб и в потоке ураганного ветра и полотнищ огня обрушить их на богов.

Они добрались до горловины колодца, перевалили за ее край и поспешно отступили в сторону, стремясь выйти из опасной зоны.

— Теперь надо обойти весь колодец, чтобы добраться до коридора, ведущего наружу.

Из колодца вынырнул ракшас и устремился к ним.

— Они отступают! — закричал он. — Богиня упала, и Красный поддерживает ее, так они и бегут от нас!

— Они не отступают, — сказал Тарака. — Они стремятся отрезать нас. Преградите им путь! Разрушьте тропу! Скорее!

Ракшас метеором ринулся обратно в колодец.

— Бич, я устал. Я не знаю, смогу ли я перенести нас с площадки у входа к подножию горы.

— Но может, хоть часть пути?

— Да.

— Первые метров сто, где тропинка очень узка?

— Думаю, да.

— Хорошо!

Они побежали.

Когда они убегали по краю жерла Адова Колодезя, из глубины вынырнул еще один ракшас и пристроился к ним.

— Докладываю! — закричал он. — Мы разрушали тропу дважды. Но всякий раз Владыка Огня прожигал новую тропу!

— Значит, с этим ничего не поделаешь! Оставайся с нами! Твоя помощь понадобится нам для другого.

И он помчался перед ними, красным клином освещая им путь.

Они обогнули колодец и бросились к туннелю. Подбежали к входной двери, распахнули ее и выскочили на площадку. Сопровождавший их ракшас захлопнул за ними дверь и вымолвил:

— Гонятся!

Сэм шагнул с площадки. Только он начал падать, как дверь вдруг вспыхнула нестерпимым светом и тут же пролилась расплавленным металлом на площадку.

С помощью второго ракшаса они благополучно спустились до самого подножия Чанны и, не теряя ни секунды, бросились по огибающей его тропинке, чтобы отгородиться от преследования всем телом горы. И тут же пламя хлестнуло по камню, на который они приземлились.

Второй ракшас взлетел высоко в воздух, сделал круг и исчез.

Они бежали по тропе в сторону долины, где стояла колесница. Когда они добрались до входа в нее, вернулся ракшас.

— Кали, Яма и Агни спускаются, — доложил он. — Шива остался сзади, он караулит коридор. Ведет погоню Агни. Красный помогает богине, она хромает.

Их взору открылась громовая колесница. Стройная, безо всяких украшений, цвета бронзы, хотя и не из бронзы, стояла она посреди широкого луга. Напоминала она положенный набок минарет, или ключ от квартиры гиганта, или какую-то деталь небесного музыкального инструмента, выскользнувшую из ярко сияющего в ночи созвездия и упавшую на землю. Казалось, что в чем-то она не завершена, хотя глаз и не мог придраться к элегантным ее очертаниям. Она обладала той особой красотой, свойственна которая только самому изощренному оружию и достижима только вместе с функциональной целесообразностью.

Сэм подошел к ней, отыскал люк и влез внутрь.

— Ты можешь управлять ею, Бич? — спросил Тарака. — Сможешь пронестись по небосводу, расплескивая по земле разрушение?

— Я уверен, что Яма постарался сделать управление как можно более простым. Рациональность — его конек. Я летал раньше на реактивниках Небес и бьюсь об заклад, что здесь управление вряд ли сложнее.

Он нырнул в кабину, уселся в кресло пилота и уставился на панель перед собой.

— Черт! — пробурчал он, протянув вперед руку и тут же ее отдернув.

Внезапно вновь появился ракшас, он просочился сквозь металлическую обшивку колесницы и завис над консолью.

— Очень быстро идут боги, — выпалил он. — Особенно Агни.

Сэм щелкнул несколькими переключателями и нажал на кнопку. Зажглись циферблаты и индикаторы всех приборов на контрольной панели, внутри нее раздалось приглушенное гудение.

— Далеко ли он? — спросил Тарака.

— Почти посреди склона. Он расширил тропу своим пламенем и теперь бежит по ней, будто по дороге. Он выжигает все препятствия. Он прокладывает прямой путь.

Сэм потянул за ручку управления и, ориентируясь по показателям горевших на панели индикаторов, начал вращать верньер, чтобы перевести стрелку одной из шкал в нужное положение. По кораблю пробежала дрожь.

— Ты готов? — спросил Тарака.

— Я не могу взлететь, пока она не прогрелась. На это нужно время. Да еще и управление здесь много мудренее, чем я ожидал.

— Погоня близка.

— Да.

Издалека, перекрывая все нарастающий рык колесницы, донеслись звуки нескольких взрывов. Сэм передвинул рукоятку еще на одно деление и подстроил верньер.

— Я приторможу их, — сказал ракшас и исчез той же дорогой, как и появился.

Сэм передвинул рукоятку сразу на два деления, где-то внутри что-то треснуло, и все затихло. Корабль замер в безмолвии.

Он вернул рукоятку в исходное положение, крутнул верньер и вновь нажал на кнопку.

И вновь дрожь пробежала по колеснице, где-то что-то заурчало. Сэм передвинул рукоятку на одно деление, подкрутил верньер.

Он тут же повторил эту процедуру, и урчание превратилось в сдержанное рычание.

— Все, — сказал Тарака. — Мертв.

— Что? Кто?

— Тот, который попытался остановить Повелителя Пламени. Ему это не удалось.

Опять послышались взрывы.

— Они разрушают Адов Колодезь, — сказал Тарака.

Сэм ждал, не снимая руки с рукоятки, лоб его был усеян капельками пота.

— А вот и он — Агни!

Сэм поглядел сквозь длинный, наклонный защитный щит.

Бог Огня вступил в долину.

— Пора, Сиддхартха.

— Еще нет, — сказал Сэм.

Агни взглянул на колесницу, поднял свой жезл.

Ничего не случилось.

Он стоял, направляя на них жезл, потом опустил его вниз, встряхнул.

Поднял еще раз.

И опять никаких следов пламени.

Левой рукой он покопался у себя в ранце, из жезла выплеснулся поток света и выжег рядом с ним в земле здоровенную дыру.

Он опять нацелил жезл.

Ничего.

Он бросился бегом к кораблю.

— Электролокация? — спросил Тарака.

— Да.

Сэм потянул рукоятку, вновь подстроил приборы. Вокруг все уже ревело.

Он нажал еще одну кнопку, и из хвоста корабля донесся какой-то скрежет. Он повернул очередной верньер, и в этот миг Агни добрался до люка.

Вспышка пламени и лязг металла.

Он встал со своего места и выскочил из кабины в коридор.

Агни был внутри, он целился своим жезлом.

— Не шевелись, Сэм — или Демон! — закричал он, перекрывая рев моторов, и линзы на его глазах со щелчком стали красными. — Демон, — повторил он. — Не шевелись, или же ты и твой хозяин сгорите в тот же миг!

Сэм прыгнул на него.

Агни даже не пытался защищаться, ему и в голову не приходило, что такое возможно, и он упал от первого же удара.

— Короткое замыкание, а? — приговаривал Сэм, нанося ему удар поперек горла. — Или солнечные пятна? — И двинул ему по скуле.

Агни перевалился на бок, и Сэм нанес ему ребром ладони последний удар прямо под адамово яблоко.

Он отбросил жезл и бросился задраивать люк, но тут же понял, что опоздал.

— А теперь, Тарака, уходи, — сказал он. — Теперь уже биться мне одному. Тебе ничего не сделать.

— Я обещал помочь.

— Но ничем не можешь. Уходи, пока цел.

— Как скажешь. Но последнее, что я должен сказать тебе...

— Потом! В следующий раз, когда свидимся.

— Бич, я про то, чему научился у тебя, — так жаль. Я...

Внутри его тела и разума возникло мучительнейшее, скручивающее его в жгут чувство, это взгляд Ямы упал на него, ударил глубже самого его существа.

Кали тоже уставилась прямо ему в глаза, поднимая перед собой верещащий скипетр.

Казалось, что поднялся один занавес и опустился второй.

— Пока, Бич, — возникли у него в мозгу слова.

И череп взвыл.

Он почувствовал, что падает.


Что-то пульсировало.

У него в голове. И вообще повсюду.

От этой пульсации он и очнулся — и тут же почувствовал, что весь опутан болью и бинтами.

А в лодыжках и запястьях еще и цепью.

Он полусидел, привалившись спиной к переборке, в тесном отсеке. Рядом с дверью сидел и курил некто в красном.

Яма кивнул, но ничего не промолвил.

— Почему я жив? — спросил его Сэм.

— Ты жив, чтобы выполнить соглашение, заключенное много лет тому назад в Махаратхе, — сказал Яма. — Брахма, тот особенно жаждет повидать тебя еще раз.

— Мда, я-то не особенно жажду повидать Брахму.

— С течением лет это стало довольно-таки очевидным.

— Как я погляжу, пески нисколько не повлияли на твои мыслительные способности.

Тот улыбнулся.

— Мерзкий ты тип, — сообщил он.

— Знаю. И постоянно поддерживаю форму.

— Как я понимаю, сделка твоя лопнула?

— Увы, ты прав.

— Быть может, ты сумеешь возместить свои потери. Мы на полпути на Небеса.

— Думаешь, у меня есть шанс?

— Вполне может статься. Времена меняются. На этой неделе Брахма может оказаться весьма милосердным божеством.

— Мой трудотерапист советовал мне специализироваться в проигранных процессах.

Яма пожал плечами.

— А что с демоном? — спросил Сэм. — С тем, что был со мной?

— Я достал его, — сказал Яма, — и преизрядно. Не знаю, прикончил или только отшвырнул. Но ты можешь об этом больше не беспокоиться. Я окропил тебя демоническим репеллентом. Если эта тварь все еще жива, не скоро оправится она от встречи со мной. Может быть, никогда. А как это тебя угораздило? Я считал, что если кто и невосприимчив к одержимости демонами, так это именно ты.

— Я считал точно так же. Ну а демонический репеллент — это что?

— Я обнаружил химическое соединение, безобидное для нас, но невыносимое для энергетических существ.

— Удобная штуковина. Была бы как нельзя кстати в дни обуздания.

— Да. Мы использовали его в Колодезе.

— Как мне показалось, это было настоящее сражение.

— Да, — сказал Яма. — А на что похоже, когда ты одержим демоном? Как себя чувствуешь, когда тебя подчинила себе чужая воля?

216

— Очень странно, — объяснил Сэм. — Пугаешься, но в то же время многому и учишься.

— Чему же?

— Этот мир принадлежал сначала им, — сказал Сэм. — Мы его у них отняли. С какой стати должны они отказываться от того, что мы в них ненавидим? Для них-то ведь это мы — демоны.

— Ну а как себя чувствуешь в подобном положении?

— Когда тебя подчинила чужая воля? Ты и сам знаешь.

Улыбка сползла с лица Ямы, потом вернулась.

— Тебе хотелось бы, чтобы я тебя ударил, не так ли, Будда? Ты бы смог почувствовать свое превосходство. К несчастью, я садист и делать этого не буду.

Сэм засмеялся.

— *Туше*, смерть, — сказал он.

Некоторое время они сидели молча.

— Не угостишь ли сигареткой?

Яма протянул ему сигарету, дал закурить.

— А как теперь выглядит Опорная База?

— О, ты бы едва ли узнал ее, — промолвил Яма. — Если бы все на ней вдруг сейчас умерли, она идеально функционировала бы ближайшие десять тысяч лет. Цвели бы цветы, играла музыка, фонтаны переливались всеми цветами радуги. По-прежнему накрывались бы столы в садовых павильонах. Сам Град ныне бессмертен.

— Подходящее обиталище, как я понимаю, для тех, кто провозгласил себя богами.

— Провозгласил себя? — переспросил Яма. — Ты не прав, Сэм. Божественность не сводится к имени или ярлыку. Это некое состояние личного бытия. Просто бессмертием его не достигнешь, ведь даже последний батрак на полях вполне может добиться непрерывности

217

своего существования. Может быть, тогда дело в пестовании Облика? Нет. Любой поднаторевший в гипнозе может играть во всевозможные игры со своим образом. Или в обретении Атрибута? Конечно, нет. Я могу спроектировать машины намного более мощные и точные, чем любая способность, которую может вызвать и развивать в себе человек. Быть богом — это быть способным быть самим собой, причем до такой степени, что страсти твои соответствуют уже силам мироздания, и видно это любому, кто на тебя ни посмотрит, и нет надобности называть твое имя. Один древний поэт сказал, что весь мир наполнен отголосками и соответствиями. Другой сочинил длинную поэму об аде, в котором каждый человек претерпевает мучения, вызываемые как раз теми силами, которые управляли его жизнью. Быть богом — это быть способным распознать в самом себе все поистине важное и потом взять тот единственный тон, который обеспечит ему созвучие со всем сущим. И тогда вне морали, логики или эстетики становишься ты ветром или огнем, морем, горным кряжем, дождем, солнцем или звездами, полетом стрелы, вечерними сумерками, любовным объятием. Становишься главным, благодаря главной своей страсти. И говорят тогда взирающие на богов, даже и не зная их имен: «Это Огонь. Это Танец. Это Разрушение. Это Любовь». Итак, возвращаясь к твоим словам, они не провозглашали себя богами. Это делают все остальные, все, кто видит их.

— Значит, вот так они и тренькают на своих фашистских балалайках, да?

— Ты выбрал неудачное прилагательное.

— Ты уже израсходовал все остальные.

— Похоже, что в этом вопросе нам никогда не найти общей точки.

**218**

— Если в ответ на вопрос, почему вы угнетаете мир, ты разражаешься нескончаемой поэтической белибердой, то, естественно, нет. Думаю, тут просто не может быть общих точек.

— Тогда давай найдем другую тему для разговора.

— Хотя действительно, глядя на тебя, я говорю: «Это Смерть».

Яма не ответил.

— Странная у тебя — как ты сказал? — главная страсть. Я слышал, что ты был стар, прежде чем стал молодым...

— Ты же знаешь, что так оно и было.

— Ты был механиком-вундеркиндом и мастером оружия. Ты потерял отрочество во вспышке пламени и в тот же день стал стариком. Не в этот ли момент стала смерть твоей главной страстью? Или же это произошло раньше? Или позже?

— Не играет роли, — отрезал Яма.

— Ты служишь богам, потому что веришь во все, о чем говорил мне, или потому, что ненавидишь большую часть человечества?

— Я не лгал тебе.

— Оказывается, Смерть — идеалист. Забавно.

— Ничего забавного.

— Или, может быть, ни одно из этих предположений не справедливо? Может быть, главная твоя страсть...

— Ты уже упоминал ее имя, — перебил Яма, — в той самой речи, в которой сравнивал ее с болезнью. Ты был не прав тогда, и ты не прав и сейчас. Я не намерен выслушивать твою проповедь еще раз, а так как в данный момент вокруг не видно зыбучих песков, то слушать ее я и не буду.

— Иду на мировую, — сказал Сэм. — Но скажи мне, меняются ли когда-нибудь у богов главные страсти?

Яма улыбнулся.

— Богиня танца была когда-то богом войны. Так что похоже, что все может измениться.

— Только умерев подлинной смертью, — заявил Сэм, — изменюсь я. Но до самого того момента я буду с каждым вздохом ненавидеть Небеса. Если Брахма обречет меня на сожжение, я плюну в пламя. Если он повелит удушить меня, я постараюсь укусить руку палача. Если он рассечет мне грудь, кровь моя, надеюсь, разъест клинок ржавчиной. Ну как, это главная страсть?

— Ты — отличный материал для бога, — кивнул Яма.

— О боже! — иронически протянул Сэм.

— До того, как случится то, что случится, — сказал Яма, — тебе, как было мне обещано, разрешено поприсутствовать на свадьбе.

— Свадьбе? Ты и Кали? И скоро?

— В меньшее полнолуние, — ответил Яма. — Итак, что бы ни решил Брахма, я, по крайней мере, смогу до тех пор поднести тебе хорошую выпивку.

— За это спасибо, бог смерти. Но мне всегда казалось, что свадьбы не вершатся на Небесах.

— Эта традиция доживает последние дни. Нет никаких священных традиций.

— Тогда удачи, — сказал Сэм.

Яма кивнул, зевнул, закурил очередную сигарету.

— Между прочим, а какая сейчас на Небесах мода на казни? Я спрашиваю из чистой любознательности.

— Казни не вершатся на Небесах, — сказал Яма, выдвигая ящик и вынимая из него шахматную доску.

# V

Из Адова Колодезя вознесен он был на Небеса, чтобы пообщаться там с богами. Много тайн скрывает в себе Небесный Град, можно отыскать среди них и ключи к его прошлому. Не все, что случилось, пока был он там, известно. Известно, однако, что выступил он перед богами ходатаем за судьбы мира, снискав тем самым симпатии одних и враждебность других. Избери он изменить человечеству и принять предложения богов — и, как говорит кое-кто, мог бы он навсегда остаться в Граде Князем, а не встретить свою смерть в когтях призрачных кошек Канибуррхи. Злые языки утверждают, правда, что принял он это предложение, но потом предали уже его самого, и только после этого, в последние дни свои опять был он целиком на стороне страдающего человечества, но дней этих оставалось слишком мало...

Препоясанная молниями, носительница штандарта,
    вооруженная мечом, копьем, луком,
пожирающая, поддерживающая, Кали, ночь времени
                        в конце
кальпы, скитающаяся по миру в ночи,
сохранительница, обманщица, безмятежная, любимая
    и любезная, Брахмани, Мать Вед, обитательница
                таинственных, безмолвных мест,
предвещающая добро, нежная, всеведущая, быст-
                     рая, как мысль,
носящая черепа, одержимая силой, сумеречная,
    трудноодолимая воительница, сострадательная
                 и милосердная,
пролагающая путь заблудшему, дарительница благ,
                     учитель,

доблесть в облике женщины,
с переменчивым сердцем, предающаяся суровому
аскетизму,
чародейка, пария, бессмертная и вечная...

*Арьятарабхаттариканамаштоттарасата-
кастотра (36—40)*

И вот, как столь часто бывало и в прошлом, ее белоснежную шерсть погладил ветерок.

Она прогуливалась там, где колыхались лимонно-
желтые травы, она кралась по тропинке, вившейся среди
темных деревьев, усыпанных тропическими цветами;
справа от нее высились яшмовые утесы, то тут, то там
выходили на поверхность жилы молочно-белой породы,
пронизанной оранжевыми капиллярами.

И вот, как столь часто бывало ранее, бесшумно ступали по тропинке подушечки ее огромных кошачьих лап,
ветер поглаживал белую, как мрамор, шерсть, тысячами
оттенков колыхались вокруг нее ароматы джунглей —
там, в сумеречном месте, которое существовало лишь наполовину.

Она шла одна по извилистой тропе через джунгли, которые были отчасти иллюзией. Белые тигры — одинокие охотники. Если и прогуливались в округе другие, ни
один из них не искал общества себе подобных.

И вот, как столь часто бывало ранее, глядела она на
гладкую серую скорлупу небосвода и на звезды, сверкав-
шие на ней, словно крохотные осколки льда. Полумеся-
цы ее глаз расширились, она остановилась и, глядя вверх,
уселась.

За какой же добычей рыщет она?

Сдавленный, утробный звук вырвался у нее из пас-
ти и прервался, будто она подавилась кашлем. Неожи-

данно вспрыгнув на высокую скалу, уселась она там, вылизывая шерсть у себя на плечах. Показалась луна, и она уставилась на нее — фигура, словно слепленная из нетающего снега, — из-под бровей сверкали топазы глаз.

И вот, как и раньше, не могла она до конца разобраться, настоящие ли джунгли Канибуррхи ее окружают. Она чувствовала, что находится все еще под сенью настоящего леса, но не могла доподлинно убедиться в этом.

За какой же добычей рыщет она?

Расположены Небеса на плато, бывшем когда-то горным хребтом. Горы эти были сглажены и сплавлены друг с другом, чтобы получилась из них ровная площадка. С зеленого юга доставили потом плодородную почву, дабы нарастить мясо на кости полученного так скелета. И всю эту область, словно огромная банка, накрыл купол прозрачного свода, предохраняя ее от полярной стужи и не допуская внутрь ничего постороннего.

Выше всяких крайностей вознеслись Небеса, царство умеренности, и безмятежно наслаждаются они долгими своими сумерками и неспешными, полными праздности днями. Свежий, подогреваемый, пока он всасывается, воздух циркулирует по Граду и лесу. Прямо внутри купола можно собрать облака, можно сгустить их в тучи, можно оросить дождем любое место, какое только пожелаешь. Можно сделать и так, чтобы выпал снег, хотя никто никогда этого и не делал. На Небесах всегда лето.

И посреди летних Небес стоит Небесный Град.

Вырос он не так, как растят обычно люди свои города: вокруг порта или среди плодородных равнин, пастбищ, охотничьих угодий, на скрещении торговых путей или поблизости от богатых залежей того или иного нужного людям ресурса. Небесный Град возник из эфемерной концепции в мозгу первых его обитателей. И рос он не медленно и наполовину случайно, не так, как другие города: построим-ка здесь дом, проложим проспект прямо через этот массив, разрушим одно, чтобы построить другое, — после чего, естественно, все отдельные части сочетаются в неуклюжее и нелепое целое. Нет. Учтены были все соображения, связанные с удобством и пользой, расчислен с точки зрения великолепия целого каждый дюйм — сначала проектировщиками, а затем реализующими проекты машинами. Планы эти были согласованы и претворены в жизнь несравненным художником от архитектуры. Вишну-Хранитель удерживал у себя в мозгу весь Небесный Град — до того самого дня, когда облетел он на Прекраснокрылом Гаруде вокруг Шпиля Высотою В Милю, поглядывая вниз, и весь Небесный Град отразился в капельке пота у него на лбу.

Итак, возникли Небеса из разума одного бога, который учел, правда, пожелания своих сотоварищей. И расположились они — скорее по выбору, чем по необходимости, — среди дикого нагромождения льдов, снега и скал, на извечном Полюсе мира, где дом себе могли устроить только поистине могущественные.

(За какой же добычей рыщет она?)

А рядом с Небесным Градом раскинулся под куполом свода огромный лес Канибуррхи. В мудрости своей узрел Вишну, что должно соблюсти равновесие между столицей и дикой природой.

В то время как природа вполне может обойтись безо всяких городов, обитателям оных требуется все же нечто большее, чем симпатичные культурные насаждения. Если бы весь мир был городом, рассуждал Вишну, превратили бы горожане часть его в пустошь, ибо в каждом

**224**

кроется нечто, жаждущее, чтобы кончался где-то порядок и начинался хаос. И вот вырос у него в мозгу лес — стремящий сквозь себя потоки и пронизанный запахами свежести и гнили, наполненный криками неведомых городу тварей, ютящихся под его сенью, содрогающийся под напором ветра и блестящий под дождем, постоянно погибающий и взрастающий вновь.

Подступали дебри к самой границе Града, но не проникали в него, ибо был на это наложен запрет, — и точно так же и сам Град придерживался своих границ.

Но хищниками были некоторые из обитателей леса, и этим не было положено предела в их свободе, могли они идти, куда захотят. А царили среди них тигры-альбиносы. И предписано было богами, чтобы не могли взглянуть призрачные кошки на Небесный Град; и велено было глазам их — через посредство стоящей за ними нервной системы — свидетельствовать, что не было там никакого Града. Внутри их кошачьего мозга весь мир сводился к джунглям Канибуррхи. Они прохаживались по улицам Небес, крадясь по следу в джунглях. Когда проходящий мимо бог поглаживал их, казалось им, что это ветер теребит шерсть. Поднимались они по ступеням широких лестниц — нет, взбирались по каменистому склону. Дома были для них отвесными скалами, статуи — деревьями; невидимками были для них прохожие.

Ну а если бы кто-нибудь из Града зашел в настоящий лес, тогда уже и бог, и кошки оказались бы на одном уровне существования — в лоне уравновешивающей природы.

И опять она кашлянула, как столь часто делала и раньше, а ее белоснежную шерсть погладил ветерок. Призрачная кошка, которая уже три дня бродила вокруг да около по дебрям Канибуррхи, убивая и тут же

**225**

пожирая свежую алую плоть своей добычи, время от времени оглашая окрестности призывными гортанными воплями гулящей кошки, вылизывая шерсть своим широким нежно-розовым языком, ощущая спиной влажное прикосновение дождевых капель, то роняемых на нее листвой высоченных деревьев, то потоками низвергающихся из чудесным образом скапливающихся в самом центре небосвода туч; которую, снедаемую огнем в чреслах, покрыл накануне ночью снежный обвал, лавина меха цвета смерти, исполосовавший когтями ее лопатки, и запах крови привел их обоих в еще большее исступление; которая мурлычет, когда на нее опускаются прохладные сумерки, приносящие с собою луны, схожие с переменчивыми полумесяцами ее глаз, — золотую, серебряную и мутную. Она сидела на скале, облизывая лапы, и пыталась понять, за какой же добычей рыщет.

В садах локапал возлежала Лакшми с Куберой, четвертым из хранителей мира, на душистом ложе, установленном рядом с бассейном, в котором резвились апсары. Остальные трое из локапал отсутствовали в этот вечер... Хихикая, апсары брызгались ароматизированной водой в сторону ложа. Но тут как раз дунул в свою свирель Владыка Кришна. И тут же забыли девушки о Кубере-Толстом и Лакшми-Обворожительной, отвернувшись от них, оперлись они локтями о низенький бережок пруда и уставились во все глаза на темного бога, растянувшегося под цветущим деревом среди бурдюков с вином и из-под вина, среди объедков многочисленных трапез.

Он небрежно пробежался по восходящей и нисходящей гаммам какой-то непонятной раги и издал долгий заунывный звук, сменившийся переливами козлиного блеяния. Гаури-Белая, на раздевание которой потратил он битый час, а потом вроде бы забыл о ее существовании, встала у него из-под бока, нырнула в пруд и исчезла в одном из многочисленных подводных гротов. Он икнул, завел какую-то мелодию, резко оборвал ее, начал другую.

— А что, правду говорят о Кали? — спросила Лакшми.

— А что, собственно, о ней говорят? — проворчал Кубера, протягивая руку к кубку с сомой.

Она забрала кубок у него из рук, отпила и отдала обратно. Он осушил его залпом и поставил обратно на поднос, служанка тут же вновь его наполнила.

— Что она, чтобы отметить свою свадьбу, хочет человеческого жертвоприношения.

— Вполне вероятно, — сказал Кубера. — Очень даже в ее духе. Кровожадная сука, вот кто она такая. Всегда переселяется на праздник в какое-либо злобное животное. Однажды превратилась в огнеквочку и исполосовала Шитале все лицо — за какие-то ее слова.

— Когда это?

— Аватар десять-одиннадцать тому назад. Чертовски долго носила потом Шитала вуаль, пока наконец не было готово ее новое тело.

— Странная пара, — промолвила Лакшми на ухо Кубере, перестав для этого его покусывать. — Только твой друг Яма и сможет, наверное, с ней жить. Предположим, она рассердится на своего любовника и бросит на него свой смертельный взгляд. Кто, кроме него, может его снести?

— Понятия не имею, — сказал Кубера. — Так мы и потеряли Картикейю, Бога Битв.

— Да?

— Да. Странная она. Как и Яма, но совсем по-другому. Ну да, он — бог смерти. Его стиль — быстрое, чистое убийство. Кали же похожа скорее на кошку.

227

— Говорит ли когда-нибудь Яма о том, чем же это она его так покорила?

— Ты пришла сюда, чтобы собирать сплетни или чтобы породить их?

— И для того, и для другого, — отвечала богиня.

В этот момент принял Кришна свой Облик, обретая Атрибут божественного опьянения. И полилась тогда из его свирели неотвязная, прилипчивая мелодия — горькая и темная, терпкая и сладостная... Опьянение выплеснулось из него и заполнило весь сад перемежающимися волнами радости и печали. Он поднялся на ноги — гибкие, темные ноги — и медленно начал танец. Скучно и невыразительно было плоское лицо его; влажные темные волосы закручивались в тугие, точно проволочные, кольца, такой же проволокой курчавилась и борода. Апсары одна за другой вылезали из воды и подстраивались к танцу. Свирель его скиталась среди неведомых троп древних мелодий и постепенно обрела горячечную неистовость; сам он двигался все быстрее и быстрее, пока наконец не пустился в раса-лилу, Танец Вожделения; вслед за ним, все наращивая скорость, закружились на месте, сжимая ладонями свои бедра, и небесные танцовщицы.

Лакшми ощутила, как теснее стали объятия Куберы.

— А вот и Атрибут, — сообщила она.


Рудра Угрюмый натянул свой лук и спустил тетиву. Стрела отправилась в полет, чтобы через некоторое время упокоиться в самом центре далекой мишени.

Бог Муруган рядом с ним хмыкнул и опустил свой лук.

— Опять ты выиграл, — сказал он. — Мне тебя не превзойти.

Они ослабили тетивы своих луков и отправились к мишени забрать стрелы.

— Ты еще не встречался с ним? — спросил Муруган.

— Я знал его давным-давно, — сказал Рудра.

— Акселеристом?

— Тогда он им не был. Никем он не был — в смысле политики. Зато был одним из Первых, одним из тех, кто видел Симлу.

— Да?

— Он выдвинулся в войнах против Морского Народа и Матерей Нестерпимого Зноя.

При этих словах Рудра едва не перекрестился.

— Позже, — продолжал он, — об этом вспомнили и поставили его во главе северного похода во время войн с демонами. В те дни он был известен как Калкин, и там-то его и прозвали Бичом. Он выработал Атрибут, который мог использовать против демонов. При его помощи он уничтожил большую часть якшей и обуздал и сковал ракшасов. Их он успел выпустить на волю, прежде чем Яма и Кали взяли его в плен у Адова Колодезя, что в Мальве. Так что теперь ракшасы вновь разгуливают по свету.

— Почему он сделал это?

— Яма и Агни утверждают, что он заключил с их главарем пакт. Они подозревают, что он сдал тому на время свое тело в обмен на обещание, что орды демонов будут воевать против нас.

— Они могут на нас напасть?

— Очень сомневаюсь. Демоны не идиоты. Если им не удалось совладать с четверыми из нас в Адовом Колодезе, вряд ли они рискнут напасть на нас на всех здесь, в Небесах. А кроме того, как раз сейчас Яма находится в Безбрежном Чертоге Смерти, разрабатывая специальное оружие.

— А где его потенциальная невеста?

— Кто знает? — пробурчал Рудра. — И кого заботит?

Муруган улыбнулся.

— Мне однажды показалось, что для тебя самого она была больше, чем мимолетным увлечением.

— Слишком холодна, слишком насмешлива, — сказал Рудра.

— Она тебе отказала?

Рудра повернул свое темное, никогда не улыбающееся лицо к смазливому богу юности.

— Вы, божества плодовитости, еще хуже марксистов, — заявил он. — Вы думаете, что между людьми только это и есть. Мы просто-напросто одно время были друзьями, но она слишком строга к своим друзьям и всегда их теряет.

— Так она тебе не дала?

— Должно быть.

— А когда она взяла в любовники Моргана, поэта, певца батальной славы, который однажды поутру воплотился вороном и улетел прочь, ты так пристрастился к охоте на воронов, что буквально через месяц перестрелял своими стрелами на Небесах практически всех.

— И по-прежнему охочусь на воронов.

— Почему?

— Мне не по душе их голос.

— Да, она слишком холодна, слишком насмешлива, — согласился Муруган.

— Я не терплю насмешек от кого бы то ни было, бог-юноша. Обгонишь ли ты стрелы Рудры?

Муруган снова улыбнулся.

— Нет, — сказал он, — и мои друзья локапалы тоже — да им и не будет нужды.

— Когда принимаю я свой Облик, — заговорил Рудра, — и поднимаю свой большой лук, дарованный мне самой Смертью, могу я послать самонаводящуюся по теплу тела стрелу, со свистом покроет которая мили и мили вдогонку за убегающей мишенью и поразит ее, как удар молнии, — насмерть.

— Поговорим тогда о чем-нибудь другом, — сказал Муруган, вдруг заинтересовавшись мишенью. — Как я понял, наш гость посмеялся несколькими годами ранее над Брахмой в Махаратхе и учинил насилие в святых местах. С другой стороны, ведь это вроде бы именно он основал религию мира и просветления.

— Он самый.

— Интересно.

— Договаривай.

— Что сделает Брахма.

Рудра пожал плечами.

— Пути Брахмы неисповедимы, — заключил он.


В месте, называемом Миросход, где за кромкой Небес нет ничего, кроме далекого мерцания Небесного свода и — далеко внизу — голой земли, прикрытой белесыми клубами испарений, стоит открытый всем ветрам Павильон Безмолвия, на круглую серую крышу которого никогда не падает дождь, по балюстрадам и балконам которого клубится поутру туман, разгуливает вечерами ветер, среди пустынных комнат которого можно подчас наткнуться то на восседающих на стылых, мрачных сиденьях, то прогуливающихся среди серых колонн задумчивых богов, сокрушенных воинов или изнемогающих от ран влюбленных, пришедших поразмыслить обо всем тщетном и пагубном сюда, под небо, что за пределами Моста Богов, в самое сердце каменистой местности, где цвета наперечет, а единственный звук

**231**

дарует ветер, — там почти со времен Первых сиживали философ и колдунья, мудрец и маг, самоубийца и аскет, освободившийся от желаний и воли к возрождению или обновлению; там, в самом средоточии отречения и отказа, отстранения и исхода имеется пять комнат, названных Память, Страх, Отчаяние, Прах и Безысходность; и построен был павильон этот Куберой Жирным, которому наплевать было на все эти чувства, но исполнил который, как друг Князя Калкина, повеление Чанди Лютой, известной также и как Дурга или Кали, ибо единственный среди всех богов обладал он Атрибутом, сопрягающим одушевленное и неодушевленное, и мог тем самым окутать труды рук своих чувствами и страстями, которые суждено было пережить здесь посетителям места сего.

Они сидели в комнате, называемой Отчаяние, и пили сому, но никак не могли они напиться.

Во всем Павильоне Безмолвия царил полумрак, и только неустанно круживший по Небесам ветер шевелил их волосы.

В черных накидках сидели они на темных сиденьях, и рука его лежала поверх ее рук на разделявшем их столе, а по стене, что отгораживала Небеса от небосвода, проплывали гороскопы былых их дней; и хранили они молчание, перелистывая страницы минувших столетий.

— Сэм, — сказала она наконец, — разве плохо было это?

— Нет, — откликнулся он.

— А в те давние дни, до того, как покинул ты Небеса, чтобы жить среди людей, — ты любил меня тогда?

— На самом деле, я не помню, — промолвил он в ответ. — Это было так давно. Мы оба были тогда другими людьми — и умом, и телом. Вероятно, те двое, кто бы они ни были, любили друг друга. Я не могу вспомнить.

232

— Ну а у меня, словно это было вчера, встает в памяти весенняя пора этого мира — те дни, когда мы скакали бок о бок в битву, и те ночи, когда мы стряхивали звезды со свеженамалеванного задника небесного окоема! Мир тогда был совсем юн, вовсе не тот, что сейчас, в каждом цветке, затаившись, ждала угроза, каждый рассвет был чреват взрывом. Вместе победили мы — ты и я — весь мир, ибо на самом деле никто не ждал нас здесь, и все противились нашему приходу. Мы прорубили, мы выжгли себе путь сквозь сушу и через море, мы сражались в морских глубинах и в высотах поднебесья, пока наконец некому стало препятствовать нам. Тогда отстроены были города, основаны королевства, и по своему выбору возносили мы, кого заблагорассудится, к вершинам власти, а потом, когда переставали они нас забавлять, вновь низвергали вниз. Что знают о той поре младшие боги? Как им понять ту власть, которая ведома была нам, Первым?

— Никак, — отозвался он.

— Когда возвели мы для своего двора дворец на берегу моря и я подарила тебе множество сыновей, когда корабли наши резвились в морском просторе, завоевывая острова, разве не прекрасны, не счастливы были те дни? А ночи, полные огня, запахов, вина?.. Разве ты не любил меня тогда?

— Да, те двое любили друг друга.

— Те двое? Разве мы совсем другие? Не так уж мы изменились. Хотя века и проносятся мимо, внутри каждого остается нечто неизменное, не способное стать другим, сколько бы ты ни надевал на себя тел, сколько бы ни заводил любовников и любовниц, свидетелем или участником скольких бы прекрасных или отвратительных событий ты ни становился, сколько бы дум ни переду-

233

мал, сколько чувств ни перечувствовал. Твоя самость, твой атман стоит в центре всего этого и наблюдает.

— Разломи плод — и ты обнаружишь внутри косточку. Не это ли центр? Расколи косточку — и внутри ты не найдешь ничего. Не это ли центр? Мы уже совсем другие личности, а вовсе не те легендарные повелители битв. Хорошо, что мы познали их, но ныне это в прошлом.

— Ты отправился жить вне Небес из-за того, что устал от меня?

— Я хотел сменить точку зрения.

— Долгие, долгие годы ненавидела я тебя за твой уход. Затем пришло время, когда сидела я в комнате, называемой Безысходность, и не могла набраться смелости ступить за Миросход. Потом настала пора, когда я простила тебя и взывала к семерым риши, чтобы они явили мне твой образ, чтобы видела я, как проводишь ты свои дни, и словно опять вместе оказывались мы тогда. Иногда желала я твоей смерти, но ты обратил моего палача в своего друга, как обратил гнев мой в прощение. Неужто ты хочешь сказать, что ничего больше ко мне не испытываешь?

— Я хочу сказать, что я больше тебя не люблю. Замечательно было бы, если бы во всей вселенной нашлась хотя бы одна постоянная и неизменная вещь. Если и есть такая, то сильнее она, чем любовь, и мне о ней ничего неведомо.

— Я не изменилась, Сэм.

— Подумай хорошенько, леди, обо всем, что ты сказала мне сегодня, обо всем, что напомнила. Вспоминала ты на самом деле не человека. Вспоминала ты дни резни, прошли вы сквозь которые с ним бок о бок. Эпоха уже не та, мир нынче укрощен. Ты же мечтаешь о былом, об огне и стали. Ты думаешь, что рассудок твой смущает человек, но нет, это судьба, которую разделили вы когда-то и которая миновала, а ты называешь ее любовью.

— Как бы я ни называла ее, она не изменилась! И дни ее не прошли. Она-то и постоянна во вселенной, и я зову тебя разделить ее со мною еще раз!

— А что с доблестным Ямой?

— Что с ним? Ты же имел дело с теми, кто мог быть ровней ему, — если бы пережил встречу с тобой.

— Так, значит, привлекает тебя лишь его Облик?

Под стать сумеркам и ветру, что окружали их, была ее улыбка.

— Конечно.

— Леди, леди, леди, — забудь меня! Ступай жить и наслаждаться любовью с Ямой. Прошли наши дни, и я не хочу вновь ворошить их. Они были прекрасны, но они в прошлом. Всему свое время, и всему приходит конец. Пришла пора закрепить победу человека над этим миром. Пора насаждать знания, а не скрещивать клинки.

— И ты готов сражаться с Небесами за это знание? Готов попытаться сломить Небесный Град, открыть миру его своды?

— Ты же знаешь, что это так.

— Тогда у нас еще может быть общее дело.

— Нет, леди, не обманывай сама себя. Ты предана Небесам, а не миру. Ты сама это знаешь. Если я завоюю себе свободу и ты примкнешь ко мне в моей борьбе, ты, может быть, будешь до поры до времени счастлива. Но, выиграем мы или проиграем, боюсь, будешь ты в итоге несчастнее, чем сейчас.

— Послушай же меня, мягкосердечный святой из пурпурной рощи. Очень любезно с твоей стороны, что ты предвосхищаешь мои чувства, но Кали вольна распоряжаться своей преданностью, как пожелает, и никому

**235**

ничем не обязана. Она наемная богиня, запомни это! Может быть, все, что ты говорил, — правда, и она лжет, когда говорит тебе, что все еще тебя любит. Будучи, однако, беспощадной и преисполненной жажды битвы, ведома она запахом крови. Чувствую я, что она еще может стать акселеристкой.

— Следи за своими словами, богиня. Не ровен час, тебя услышат.

— Некому меня слушать, — сказала она в ответ, — ибо редко звучат здесь слова.

— Тем интересней будет, когда они прозвучат.

Она помолчала.

— Никто не слушает, — сказала она наконец.

— Ты стала сильнее.

— Да. А ты?

— Примерно как раньше, мне кажется.

— Так ты примешь мой меч, мои колесо и лук — во имя акселеризма?

— Нет.

— Почему?

— Слишком легко раздаешь ты посулы. И нарушаешь их с той же готовностью, что и даешь, посему никогда не смогу я тебе вполне довериться. Кроме того, если мы будем сражаться и победим во имя акселеризма, это вполне может стать последней великой битвой этого мира. Ты же не можешь желать подобного исхода — и даже просто дать ему свершиться.

— Глупо говорить о последних великих битвах, Сэм, ибо последняя великая битва — это битва, на которой еще не бывал. Не должна ли я явиться в более приятном обличии, чтобы убедить тебя, что говорю правду? Должна ли обнять я тебя в теле, запечатанном печатью девственности? Заставит ли это тебя доверять моим словам?

— Сомнение, леди, это девственность ума, и я ношу на своем его печать.

— Тогда знай, что привела я тебя сюда, только чтобы помучить. Ты прав — мне наплевать на твой акселеризм, и дни твои уже сочтены — мною. Мне хотелось заронить в тебя несбыточные надежды, чтобы тем горше было твое отрезвление. И спасли тебя от этого только твои вздорность и слабость.

— Прости, Кали...

— Мне не нужны твои извинения! Хотела бы я, однако, твоей любви, чтобы могла я ее использовать против тебя в последние дни и сделать их для тебя еще невыносимее. Но, как ты выразился, мы изменились слишком сильно — и ты больше не стоишь хлопот. Не думай, что я не смогла бы заставить тебя полюбить меня снова — ласками и улыбками, как когда-то. Ибо я чувствую в тебе жар, и легко распалить мне его в любом мужчине. Не заслуживаешь ты, однако, смерти, достойной могущественных, ибо низринут с высот страсти в пучину безысходности. И жаль мне тратить время для тебя на что-нибудь, кроме презрения.

Звезды вращались над ними, пылкие и независимые, и ее рука выскользнула из-под его руки, чтобы налить им еще сомы — согреть их в ночи.

— Кали?

— Да?

— Не знаю, принесет ли это в конце концов какое-либо удовлетворение, но я все еще питаю к тебе особое чувство. Либо здесь не замешана любовь, либо каждый раз понимал я под этим словом нечто иное. Это чувство на самом деле без имени — и лучше его так и оставить. Так что прими его и уходи, забавляйся им. Ты же знаешь, что стоит нам покорить общих врагов — и мы опять вцепимся друг другу в горло. Много было у нас чудесных примирений, но стоило ли хоть одно из них тех мук, что ему предшествовали? Знай, что ты победила и что ты — богиня, которой я поклоняюсь, ибо не являются ли религиозное благоговение и поклонение смесью любви и ненависти, желания и страха?

Они выпили свою сому в комнате, называемой Отчаяние, и чары Куберы лежали на них.

Кали заговорила:

— Ну что, припасть к тебе, и поцеловать тебя, и сознаться, что лгала, когда говорила, что лгу, — чтобы ты мог рассмеяться и заявить, что лгал, чтобы добиться конечного отмщения? Давай же, Князь Сиддхартха! Лучше бы один из нас умер в Адовом Колодезе, ибо непомерна гордость Первых. Не стоило нам приходить сюда, в это место.

— Да.

— Тогда уйдем?

— Нет.

— Тут ты прав. Давай посидим здесь, отдадим друг другу должное.

Ее рука легла на его руку, погладила ее.

— Сэм.

— Да?

— Послушай, ты не хотел бы заняться со мною любовью?

— Подписывая тем самым себе приговор? Ну конечно.

— Пойдем тогда в комнату, именуемую Безысходность, где стихает ветер и где есть ложе...

И он пошел за нею от Отчаяния к Безысходности, и кровь все сильнее билась у него в жилах, и когда он уложил ее нагой на ложе и ощутил у себя под ладонью бархатную податливость белого ее живота, понял он, что воистину могущественнейшим среди локапал был Кубера, ибо чувство, которому посвящена была эта комната, переполняло его вместе с росшим в нем желанием, когда опустился он на нее, — и пришло расслабление, напряжение, вздох, и жгучие слезы — слезы, после которых уже ничему не быть, — пролились наружу.

— Что угодно тебе, Госпожа Майя?

— Расскажи мне об акселеризме, Так от Архивов.

Так резко выпрямил свое большое худое тело, и спинка его кресла должным образом отреагировала на это, с легким щелчком слегка откинувшись назад.

Позади него покоились банки данных, многочисленные редкие записи заполняли разноцветными переплетами длинные и высокие книжные полки, а воздух — своим затхлым запахом.

Он смерил взглядом стоявшую перед ним леди, улыбнулся и покачал головой. Она казалась совсем юной, неопытной, от этого напряженной, нетерпеливо глядящей на него; у нее были ослепительно рыжие волосы, а пикантный носик и кругленькие щечки усеяли россыпи бледных веснушек. Широкие бедра и плечи разделяла тонкая талия, явно строго-настрого вымуштрованная против подобной тенденции.

— Почему ты качаешь головой? Ведь все приходят за информацией именно к тебе.

— Ты так юна, госпожа. У тебя за спиной, если я не ошибаюсь, всего три аватары. Я уверен, что на этом этапе своей карьеры ты наверняка не захочешь, чтобы имя твое красовалось в специальном списке интересующейся этим вопросом молодежи.

— Список?

— Список.

— Зачем нужен список подобных любопытствующих?

Так пожал плечами.

— Боги собирают престраннейшие вещи; в частности, некоторые из них копят списки.

— Мне всегда говорили, что акселеризм — это дохлый номер.

— Откуда же тогда неожиданный интерес к этому покойнику?

Она засмеялась, и ее зеленые глаза впились в его серые.

Архивы взорвались вокруг него, и он уже стоял в бальной зале где-то в средних этажах Шпиля Высотою В Милю. Ночь клонилась к рассвету. Вечеринка, без сомнения, длилась уже не один час, но толпа, частью которой был и он сам, сгрудилась почему-то вдруг в углу просторной комнаты. Кое-кто из них стоял, прислонившись к стене, кое-кто сидел, откинувшись на удобные спинки, и все они слушали невысокого, крепко сбитого смуглого мужчину, стоявшего рядом с богиней Кали. Был это только что появившийся здесь со своей надзирательницей Махатма Сэм, Будда. Говорил он о буддизме и акселеризме, о днях обуздания, об Адовом Колодезе, о богохульствах Князя Сиддхартхи в приморском городе Махаратхе. Говорил он, и длился, гипнотизируя, длился его голос, и от него исходили сила, уверенность, тепло, его слова, гипнотизируя, длились, длились, длились, и толпа медленно теряла сознание и падала вокруг него. Женщины, как он заметил, подобрались там довольно-таки уродливые — все, кроме Майи, которая, хихикнув, хлопнула в ладоши, и тут же вернулись назад Архивы, Так вновь очутился в своем кресле, и даже улыбка не успела сбежать с его губ.

— Откуда же тогда такой неожиданный интерес к этому покойнику? — повторил он.

**240**     — Он отнюдь не покойник!

— Разве? — протянул Так. — Госпожа Майя, он покойник с того самого момента, когда вступил в Небесный Град. Забудь его. Пусть все будет так, будто его никогда и не существовало. Забудь его слова. Пусть у тебя в мозгу не останется от него и следа. Знай, что когда обратишься ты к ним за обновлением, будут обшаривать Хозяева Кармы твой ум, как и все другие, проходящие через их палаты, в поисках его следов. В глазах богов мерзопакостен и Будда, и его учение.

— Но почему?

— Он — анархист с бомбой, сиволапый революционер. Он стремится низвергнуть сами Небеса. Если тебя интересует более серьезная, научная информация, мне придется выйти на машину и затребовать данные. Не подпишешь ли на это заявку?

— Нет...

— Тогда выброси его из головы и закрой дверь.

— Он и в самом деле так плох?

— Он еще хуже.

— Почему же ты тогда улыбаешься, когда говоришь об этом?

— Потому что я достаточно смешлив. Это, впрочем, не влияет на смысл мною сказанного. Так что поосторожнее с этим.

— Но ты-то, кажется, знаешь об этом все. На архивариусов, что ли, эти списки не распространяются?

— Едва ли. По крайней мере, мое имя в них на первом месте. Но не потому, что я архивариус. Он — мой отец.

— Он? Твой отец?

— Да. Ты рассуждаешь, однако, совсем как дитя. Сомневаюсь, что он даже догадывается о своем отцовстве. Что такое отцовство для богов, населяющих собою череду тел, порождая по ходу дела уйму отпрысков с другими, которые в свою очередь точно так же меняют тела по четыре-пять раз на век? Я — сын тела, в котором он когда-то обитал; рожден кем-то другим, тоже прошедшим через множество инкарнаций; да и сам живу уже отнюдь не в том теле, в котором родился. Родственные связи тем самым достаточно неосязаемы и представляют интерес главным образом с точки зрения спекулятивной метафизики. Кто истинный отец человеку? Обстоятельства ли, соединившие два тела, его породившие? Тот факт, что по какой-то причине возлюбили эти двое однажды друг друга превыше всего на свете? Если так, то почему все так сложилось? Или была это жажда плоти — или любопытство — или желание? Или что-то еще? Сострадание? Одиночество? Воля к власти? Какое чувство или какая мысль стала отцом того тела, в котором я впервые появился на свет? Я знаю, что человек, населявший именно это, отцовское тело именно в тот момент времени, — сложная и сильная личность. На самом-то деле хромосомы для нас ничего не значат. В нашей жизни мы не проносим на себе сквозь века эти клейма. На самом деле, мы не наследуем ничего — разве что при случае вклады или наделы, движимость или недвижимость. На длинной жизненной дистанции столь мало значат для нас тела, что несравненно интереснее поразмышлять о ментальных процессах, исторгнувших нас из хаоса. Я доволен, что именно он вызвал меня к жизни, и часто строю предположения касательно причин этого. Я вижу, госпожа, что лицо твое вдруг побледнело. Не было у меня намерения будоражить тебя своей болтовней — просто как-то удовлетворить твое любопытство и пояснить тебе, как обо всем этом думаем мы, старые. Уверен, что однажды и ты увидишь все это в том же свете. Но мне жаль, что выглядишь ты такой расстроенной. Пожалуйста, сядь. Прости мне мою болтовню. Ты же Госпожа Иллюзий. Разве вещи, о которых говорил я, не сродни самой той материи, с которой ты работаешь? Наверняка по тому, как я все это излагаю, ты способна понять, почему первым стоит мое имя в том самом списке. Ведь это классический случай поклонения герою, не так ли? Мой прародитель столь знаменит... А теперь кажется, что ты покраснела. Может, ты хочешь глотнуть чего-нибудь прохладительного? Одну секундочку... Вот. Глотни. Ну а что касается акселеризма, так он — просто некая доктрина распределения. В соответствии с ней мы, Небесные, уделили бы обитающим внизу от щедрот наших наши знания, силы, имущество. Этот акт милосердия направлен был бы на то, чтобы поднять условия их существования на более высокий уровень, близкий к тому, который занимаем мы сами. Ну и тогда каждый стал бы как бог. В результате — естественно, в будущем — уже не будет богов, останутся одни люди... люди останутся одни. Мы бы дали им познать науки и искусства, которыми обладаем сами, и тем самым разрушили бы их простодушную веру и лишили бы всякой опоры их упования на лучшее будущее, ибо лучший способ уничтожить веру или надежду — это дать им исполниться. Почему должны мы дозволить людям страдать от бремени божественности коллективно, как того хотят акселеристы, когда на деле мы даруем им его индивидуально, когда они его заслужат? На шестидесятом году каждый из них проходит через Палаты Кармы. Его судят, и если он вел себя хорошо — соблюдал правила и запреты своей касты, должным образом почитал Небеса и прогрессировал интеллектуально и морально, — то человек этот воплотится уже в высшей касте и так со временем сможет добиться даже и самой божественности, перебраться на жительство сюда, в Град. В конце концов каждый получает свой десерт — исключая, разумеется, несчастные случаи, — и тем самым каждый человек, а не скоропалительно объединенное в единое целое общество, может наследовать божественность, которую амбициозные акселеристы желали разметать, как бисер, перед каждым, даже и перед тем, кто к этому совсем не готов. Так что теперь ты видишь, что позиция эта была отвратительно нечестной и пролетарски ориентированной. Чего они на самом деле хотели, так это понизить требования к наделяемым божественностью. Требования эти по необходимости весьма строги. Вот ты дала бы силу Шивы, Ямы или Агни в руки ребенку? Нет, если ты не сошла с ума, то не дала бы. Нет, если ты не желаешь, проснувшись однажды поутру, обнаружить, что мир более не существует. Вот в чем крылась ошибка акселеристов, и вот почему были они остановлены. Теперь ты знаешь об акселеризме все... Э, да тебе, кажется, от жары невмоготу. Давай я развешу твою одежду, пока готовится очередное питье... Отлично... Ну вот, так на чем же мы остановились, Майя? А, да — жучки в пудинге... Итак, акселеристы объявили, что все мною только что сказанное было бы чистой правдой, если бы система не была коррумпирована. Они клеветали на неподкупность тех, кто санкционировал инкарнации. Некоторые дерзали даже заявить, что Небеса полны бессмертных аристократов, своевольных гедонистов, играющих с миром, как с игрушкой. Другие посмели заявить, что лучшие из людей никогда не добиваются божественности, но встречают в конце концов истинную смерть или же оказываются инкарнированными в одну из низших форм жизни. Кое-кто из них даже заявил бы, пожалуй, что такие, как, например, ты сама, были выбраны для обожествления только потому, что изначальные твои стать и облик возбудили любозна-

**244**

тельность какого-то похотливого божества, а не из-за остальных твоих очевидных добродетелей, милая моя... О, а ты вся в веснушках, а?.. Да, вот это и проповедовали трижды проклятые акселеристы. И со стыдом должен я признать, что все эти идеи и обвинения поддерживает отец моего духа. Ну что поделаешь с таким наследием, ну как не полюбопытствуешь о нем? Он знавал дни великих побед, а сейчас — последний великий раскольник, последняя угроза единству богов. Хоть он, очевидно, и представляет зло, но он — могучий герой, этот отец моего духа, и я уважаю его, как издревле уважали силы отцов своего тела... Теперь ты озябла? Ну-ка, дай-ка... Вот... Вот... и вот... Ну же, сотки нам теперь иллюзию, моя красавица, в которой мир вокруг нас будет свободен от подобного безумия... Теперь сюда. Повернем здесь... А теперь да будет здесь, в этом убежище, новый Рай, моя влажногубая зеленоглазка... Что же это?.. Что же превыше всего во мне в этот миг?.. Правда, моя любовь, — и искренность — и желание разделить...

Ганеша, поставщик богов, прогуливался с Шивой по лесам Канибуррхи.

— Владыка Разрушения, — сказал он. — Как я понимаю, ты вот-вот начнешь репрессии против тех в Граде, кто откликнулся на слова Сиддхартхи более чем ухмылкой.

— Конечно, — промолвил Шива.

— Поступая так, ты понизишь его КПД.

— КПД? Объясни, что ты имеешь в виду.

— Убей-ка мне вон ту зеленую птаху на самой верхней ветке.

Шива взмахнул своим трезубцем, и птица упала с дерева.

— А теперь убей его супругу.

— Я не вижу ее.

— Тогда убей любую другую из их стаи.

— Но я не вижу ни одной из них.

— И теперь, когда он лежит мертвым, и не увидишь. Ну так вот, ударь, если хочешь, по первому же, кто внимает словам Сиддхартхи.

— Я понял, что ты имеешь в виду, Ганеша. Он погуляет на воле. Пока что.

Ганеша-богодел разглядывал джунгли вокруг себя. Хоть он и прогуливался по царству призрачных кошек, он ничего не боялся. Ибо бок о бок с ним шел сам Владыка Хаоса, а Трезубец Разрушения вселял в него спокойствие.


Вишну Вишну Вишну смотрел на смотрел на смотрел на Брахму Брахму Брахму.

Они сидели в Зеркальном Зале.

Брахма разглагольствовал о Восьмеричном пути и прославлял нирвану.

Выкурив подряд три сигареты, Вишну прочистил наконец горло.

— Да, Владыка? — откликнулся Брахма.

— Могу ли я поинтересоваться, к чему сей буддистский трактат?

— А ты не находишь его впечатляющим?

— Не особенно.

— Ты лицемеришь.

— Что ты имеешь в виду?

— Учитель все-таки не может не выказывать хоть каплю заинтересованности в своем собственном учении.

— Учитель? Учение?

— Конечно, Татхагата. К чему было бы иначе богу Вишну воплощаться в наше время среди людей, кроме как ради обучения их пути просветления?

— Я?..

— Привет тебе, реформатор, искоренивший из людских умов страх перед подлинной смертью. Те, кто не возрождаются среди людей, отправляются отныне в нирвану.

Вишну улыбнулся.

— Лучше вместить, чем в борьбе истребить?

— Почти эпиграмма.

Брахма встал, поглядел на зеркала, поглядел на Вишну.

— Как только мы избавимся от Сэма, ты станешь настоящим Татхагатой.

— А как мы избавимся от Сэма?

— Я еще не решил, и я готов прислушаться к чужому мнению.

— Могу ли я предложить, чтобы он воплотился вороном?

— Можешь. Но кто-нибудь другой может захотеть, чтобы ворон перевоплотился в человека. Я чувствую, что у него есть сторонники.

— Хорошо, у нас вполне достаточно времени, чтобы рассмотреть эту проблему. Теперь, когда он на попечении Небес, нам нет нужды спешить. Я изложу тебе свои мысли по этому поводу, как только они у меня появятся.

— Ну хорошо, тогда на сегодня достаточно.

Они они они вышли вышли вышли из из Зала.

Вишну прошел через Сад радостей Брахмы, и, когда он выходил из него, на смену ему ступила под сень деревьев Госпожа Смерть. Она обратилась к восьмирукой статуе с виной, и та тронула струны.

Услышав музыку, подошел Брахма.

— Кали! Прекрасная леди... — объявил он.

— Могущественен Брахма, — ответствовала она.

247

— Да, — признал Брахма, — столь могуществен, сколь пожелает. А ты так редко навещаешь меня здесь, что я несказанно обрадован. Прогуляемся среди цветов и поговорим. Как красиво твое одеяние.

— Благодарю.

И они пошли по дорожке среди цветов.

— Как идут приготовления к свадьбе?

— Нормально.

— Вы проведете медовый месяц на Небесах?

— Мы планируем его подальше отсюда.

— Можно ли узнать где?

— Мы еще не договорились.

— Время проносится, как на крыльях ворона, моя дорогая. Если хотите, можете на какое-то время обосноваться с Высокородным Ямой у меня, в моем Саду радостей.

— Благодарю, Создатель, но это слишком роскошное место, чтобы два разрушителя могли коротать здесь время и чувствовать себя непринужденно. Мы подыщем для себя что-нибудь подходящее снаружи.

— Как пожелаешь, — он пожал плечами. — Что еще отягчает твои думы?

— Что с так называмым Буддой?

— Сэмом? Твоим старым любовником? А что с ним, в самом деле? Что бы ты хотела про него знать?

— Как его... Что будет с ним?

— Я еще не решил. Шива предложил немного подождать, прежде чем предпринять что-либо. Тем самым мы сумеем оценить степень его воздействия на небесную общину. Я решил, что Вишну станет впредь Буддой — в исторических и теологических целях. Что касается самого Сэма, я готов выслушать любые разумные предложения.

— Ты не предлагал ему еще раз божественность?

— Предлагал. Он, однако, ее не принял.

— Может, ты повторишь свое предложение?

— Почему?

— Нынешняя проблема не возникла бы, если бы он не был чрезвычайно талантливой личностью. Благодаря своим талантам он мог бы стать весьма ценным добавлением к пантеону.

— Я уже думал об этом. Уж на этот-то раз согласится, что бы он ни собирался делать. Я уверен, что он хочет жить.

— Но ведь есть способы, которыми можно увериться в подобных вопросах.

— Как-то?

— Психопроба.

— И если она покажет его несогласие с Небесами — что тогда?

— А нельзя ли затронуть и изменить сам его мозг? Например, Владыка Мара...

— Я никогда не подозревал, что ты подвластна сентиментальности, богиня. Складывается впечатление, что ты больше всех озабочена, чтобы он продолжал жить, в любой форме.

— Может быть, так и есть.

— Ты же знаешь, что он при этом может... гм, весьма измениться. Если с ним это сделать, он станет уже другим. Его «талант» может полностью исчезнуть.

— На протяжении веков все люди меняются естественным путем, меняются их мнения, верования, убеждения. Одни части ума могут спать, другие пробуждаться. Талант, я уверена, уничтожить трудно — пока продолжается жизнь. Лучше жить, чем умереть.

— Меня можно убедить в этом, богиня, — если у тебя есть на это время, обворожительнейшая.

— Сколько времени?

— Скажем, три дня.

— Тогда — три дня.

— Давай перенесем дальнейшее рассмотрение этого вопроса в мой Павильон Наслаждений.

— Отлично.

— А где нынче Господин Яма?

— Работает у себя в мастерской.

— Долгосрочный, полагаю, проект.

— Не менее трех дней.

— Хорошо. Да, для Сэма могут остаться кое-какие надежды. Мне придется все это получше обдумать, но я уже могу оценить эту идею. Да, вполне могу.

Восьмирукая статуя синей богини играла на вине, и под звуки музыки прошли они через сад тем летом.


Хельба обитала на самом краю Небес, там, где начинались дикие дебри. Столь близко от леса расположилась ее резиденция, именуемая Грабеж, что звери прокрадывались прямо за прозрачной стеной, задевая ее на ходу, а из комнаты, называемой Насилие, можно было разглядывать затененные лесные тропы.

В этой-то комнате, стены которой были увешаны украденными в прошлых жизнях сокровищами, и принимала Хельба гостя по имени Сэм.

Хельба был / была богом / богиней воров.

Никто не знал подлинного пола Хельбы, ибо была у него / у нее привычка менять его при каждой инкарнации.

Сэм поглядел на гибкую темнокожую женщину, одетую в желтое сари с желтым покрывалом. Как корица были ее сандалии и ногти, золотою диадема в черных как

— Я симпатизирую тебе, — сказала Хельба нежным, словно мурлыкающим голосом. — Но только в те сезоны своей жизни, когда я воплощаюсь мужчиной, Сэм, обретаю я свой Атрибут и иду на настоящий грабеж.

— Ты, наверно, и сейчас можешь принять свой Облик.

— Конечно.

— А овладеть Атрибутом?

— Вероятно.

— Но ты этого не сделаешь?

— Нет, покуда я в женской форме. Мужчиной я взялся бы украсть что угодно откуда угодно... Посмотри-ка туда, на дальнюю стену, там висят некоторые из моих трофеев. Огромный плащ из синих перьев принадлежал Шриту, главарю демонов Катапутны. Я стащил его прямо у него из пещеры, когда заснули усыпленные мною его неусыпные церберы. Меняющий форму самоцвет я выкрал не откуда-нибудь, а из самого Купола Нестерпимого Зноя; я карабкался по его своду, цепляясь присосками, которые приделал себе к запястьям, коленям, к обуви, а подо мною Матери...

— Хватит! — сказал Сэм. — Я знаю все эти истории, ты же рассказываешь их все время. Прошло уже так много времени, с тех пор как ты совершил по-настоящему дерзкую — как когда-то — кражу, что тебе приходится все чаще повторять рассказы об этом. Иначе даже старшие из богов забудут твою былую ушлость. Но я вижу, что обратился не по адресу, и попытаю удачу где-либо еще.

Он встал, словно собираясь идти.

— Подожди, — заволновавшись, сказала она.

Сэм замер.

— Да?

— По крайней мере, скажи мне о замышляемом тобою ограблении. Может, я помогу тебе советом...

— Чем может помочь мне даже лучший твой совет, Владыка Воров? Мне не нужны слова, мне нужны действия.

— Может быть, даже... рассказывай!

— Хорошо, — сказал Сэм, — хотя я и сомневаюсь, что тебя заинтересует столь сложная задача...

— Ты можешь пропустить все эти детские психологические уловки и сказать мне, что же ты хочешь украсть.

— В Небесном Музее, каковой, как известно, являет собой надежно построенное и постоянно охраняемое помещение...

— И всегда открытое. Продолжай.

— В этом здании, в витрине, подключенной к компьютерной охране...

— При достаточном умении ее можно вскрыть.

— В этой витрине на манекене висят серые чешуйчатые доспехи. А вокруг разложено и развешено множество оружия.

— Чье все это?

— Это древнее одеяние того, кто бился на севере в дни войн против демонов.

— Разве это был не ты?

Сэм заговорщицки улыбнулся и продолжал:

— Мало кто знает, что просто как часть экспозиции находится там и предмет, который когда-то был известен под именем Талисман Обуздателя. Не исключено, что он потерял с тех пор все свои достоинства, но, с другой стороны, не исключено и обратное. Он служил фокусом для особого Атрибута Бича, и вот он вновь ему понадобился.

252    — Так какой же предмет нужно тебе украсть?

— Широкий пояс из раковин, застегнутый на талии костюма. Раковины нежнейшего желто-розового оттенка; они заполнены сложнейшими цепями микросхем, которые, вероятно, в наши дни уже не воспроизвести.

— Не такая уж это и замечательная кража. Она мне по плечу даже в этой форме...

— Мне он нужен срочно — или не нужен вовсе.

— Насколько срочно?

— Боюсь, в ближайшие шесть дней.

— А что ты готов мне заплатить, чтобы заполучить его в свои руки?

— Я отдал бы все что угодно, если бы у меня было хоть что-то.

— О! Ты прибыл на Небеса налегке?

— Да.

— Легкомысленно.

— Если мне удастся ускользнуть, ты сможешь назвать свою цену.

— А если нет, я не получу ничего.

— Похоже, что так.

— Дай подумать. Меня может позабавить, что ты станешь моим должником.

— Прошу, думай, но не слишком долго.

— Сядь, Бич Демонов, рядом со мной и расскажи о славных днях обуздания, когда скакал ты по миру бок о бок с бессмертной богиней и сеял повсюду семена хаоса.

— Это было так давно, — сказал Сэм.

— Могут ли эти дни вернуться, если ты вырвешься на свободу?

— Могут.

— Приятно знать это. Да...

— Ты сделаешь это?

— Салют, Сиддхартха! Освободитель! Сбрось узду!

— Салют?

253

— И гром и молния. Пусть они грянут снова!

— Да будет так.

— Теперь расскажи мне о днях своей славы, а я опять поведаю тебе о своей.

— Хорошо.

Подпоясанный широким кожаным ремнем, птицей несся по лесу Владыка Кришна в погоне за Леди Ратри, которая, обманув его ожидания, отказалась сойтись с ним после репетиционного, как он думал, обеда. Безоблачный день источал вокруг них свои ароматы, но далеко было ему до благоухания, исходившего от темного, как полночь, синего сари, которое сжимал он в левой руке. Меж деревьями перед ним мелькал ее силуэт; он на секунду потерял его из виду, когда свернула вдруг богиня на незаметную тропу, тут же вынырнувшую на обширную прогалину.

Когда, выскочив из чащи, он вновь увидел ее, она стояла на невысоком холме, воздев над головой сведенные вместе обнаженные руки. Она полузакрыла глаза, а единственное одеяние — длинное черное покрывало волнами обтекало ее мерцающее белоснежное тело.

И он понял, что она приняла свой Облик и вот-вот обретет Атрибут.

Жадно хватая воздух широко раскрытым ртом, бросился он к ней по склону холма; и она, опуская руки, открыла глаза и улыбнулась, глянув на него сверху вниз.

Он был уже совсем рядом, когда она взмахнула своим покрывалом, и оно захлестнулось вокруг его головы; и послышался ее смех — где-то среди бескрайней ночи, накрывшей его.

Была та ночь черной, беззвездной, безлунной, без единого проблеска, без намека на мерцание, без искорки

254

или свечения на небосводе. Сродни полной слепоте была обрушившаяся на него темень.

Он засопел, и она тут же выхватила сари у него из руки. Вздрогнув, он пошатнулся и услышал, как где-то рядом зазвенел смех.

— Ты слишком много себе позволил, Господин Кришна, — сказала она ему, — ты покусился на святость Ночи. За что я и накажу тебя, окутав Небеса на время темнотой.

— Я не боюсь темноты, — со смешком ответил он.

— Значит, и вправду мозги у тебя в мошонке, Господин, как частенько про тебя злословят; затеряться ослепленным внутри Канибуррхи и полагаться на то, что не наткнешься на ее обитателей — или они на тебя не наткнутся, — это просто безрассудная храбрость. Пока, Темный Бог. Если повезет — тебе, — свидимся на свадьбе.

— Постой, прекрасная леди! Надеюсь, ты примешь мои извинения?

— Ну конечно, ведь я заслужила их.

— Тогда подыми завесу тьмы, что ты на нас опустила.

— Попозже, Кришна, когда я буду готова.

— Ну а как мне быть до тех пор?

— Говорят, сэр, что, играя на своей свирели, можешь ты зачаровать самых свирепых зверей. И я бы тебе предложила, если, конечно, это правда, прямо сейчас достать свирель свою и завести самую что ни на есть успокоительную мелодию, пока я не сочту нужным вернуть на Небеса дневной свет.

— Леди, ты жестока, — сказал Кришна.

— Се ля ви, Бог со Свирелью, — сказала она, уходя.

И он начал играть, и в голове у него клубились темные мысли.

Они приходили. С небосклона, оседлав полярные ветры, через моря и земли, сквозь пылающий снег — и под ним, и над ним — отовсюду приходили они. Способных менять свою форму сметало ветром через застланные белой скатертью поля, небесные странники осыпались с небосвода, словно осенние листья; над пустошами горланили трубы, с грохотом проносились мимо снежные колесницы, лучи света, как копья, разлетались во все стороны, отражаясь от их полированных боков; пылали меховые плащи, густые плюмажи молочно-белого пара тянулись над и за ними, златорукими и солнцеглазыми; лязгая и буксуя, мчась и кренясь, проносились и приходили они — блестящие перевязи, волчьи маски, огненные шарфы, дьяволовы ноги, инеистые поножи, горделивые шлемы... — приходили они; и по всему миру, что оставался у них за спиной, радость царила в Храмах, и полнились они песнопениями, процессиями и молебнами, приношениями жертв и раздачами милостыни, красочными и пышными церемониями. Ведь сеявшая повсюду страх богиня собиралась сочетаться браком со Смертью, и это сулило, как надеялись, смягчение их нравов и послабление в их требованиях к миру. И Небеса тоже оказались заражены праздничным духом, и пока собирались вместе боги и полубоги, герои и знать, первосвященники, преуспевающие раджи и высокопоставленные брамины, набрал дух этот силу и одним махом закрутился вдруг многоцветным смерчем, ударив в голову и Первым, и последним.

И приходили они, и стекались они в Небесный Град, гарцуя на спинах пернатых родичей Гаруды, по спирали спускаясь в покачивающихся небесных гондолах, поднимаясь все выше и выше по горным артериям, сверкая то тут, то там среди заснеженных, обледенелых просто-

ров; приходили, чтобы звенел Шпиль Высотою в Милю
от их песен, чтобы слышался в темноте их смех, когда
спустилась вдруг и, к счастью, ненадолго покрыла Град
необъяснимая темень; и в те дни и ночи походил сбор их,
как сказал один велеречивый поэт, сразу на шесть совершенно разных вещей (прославлен он был своей рас-
точительностью, когда дело касалось уподоблений): на
перелет птиц, светлых птиц, через застывший в штиль
молочный океан; на последовательность нот в мозгу
чуть свихнувшегося композитора; на косяк глубоковод-
ных рыб, чьи тела — не более чем завитки и струйки
света, кружащий вокруг какого-то светящегося расте-
ния в холодной и глубокой морской впадине; на спира-
левидную галактику, рушащуюся неожиданно на свой
центр; на грозу, каждая дождинка которой становится
то перышком, то певчей птахой, то драгоценным само-
цветом; и, наконец (и, может быть, в наибольшей степени), на Храм, заполненный богато убранными статуя-
ми, неожиданно ожившими, запевшими, неожиданно
ринувшимися под развевающимися на ветру штандарта-
ми в мир, сотрясая дворцы, опрокидывая башни, чтобы
воссоединиться в самом центре, чтобы разжечь неимоверное пламя и плясать вокруг него, ни на секунду не
лишая ни огонь, ни танец возможности полностью выйти из-под контроля. Они приходили.

Услышав разнесшийся по Архивам сигнал тревоги,
Так выхватил из висевшего на стене футляра Пресветлое Копье. В течение суток сигнализация оповещала
разных стражей. Предчувствуя истинную причину тревоги, Так возблагодарил судьбу, что не была она подня-
та в другой час. Поднявшись в лифте на уровень Града,
он помчался к высившемуся на холме Музею.

Но было уже поздно.

Открытая витрина, смотритель без сознания и ни души в Музее — по причине, вероятно, царившего в Граде праздника.

Музейный комплекс располагался столь близко от Архивов, что Так успел заметить двоих, спускавшихся по противоположному склону холма.

Он взмахнул Пресветлым Копьем, но побоялся пустить его в ход.

— Стой! — закричал он.

Они обернулись

— Тебе-таки не удалось перехитрить сигнализацию! — воскликнул в сердцах один из них.

Он поспешно застегивал на талии свой широкий пояс.

— Уходи, уходи отсюда! — сказал он. — Я беру его на себя!

— Этого не может быть! Сигнализация отключена! — закричал его спутник. — Я...

— Прочь отсюда!

И он обернулся, поджидая Така. Спутник его бросился дальше вниз с холма, и Так заметил, что это была женщина.

— Положи на место, — выдавил из себя запыхавшийся Так. — Что бы ты там ни взял, положи это на место — и я, может быть, смогу скрыть...

— Нет, — сказал Сэм. — Слишком поздно. Теперь я равен здесь любому, и это мой единственный шанс ускользнуть. Я знаю тебя, Так от Архивов, и не хочу причинять тебе вред. Уходи — и побыстрее!

— Вот-вот здесь будет Яма! И...

— Я не боюсь Яму. Нападай или оставь меня — ну же!

— Я не могу на тебя напасть.

— Тогда до свидания. — И с этими словами Сэм, как воздушный шарик, поднялся в воздух.

Но только оторвался он от поверхности земли, как на склоне холма появился Яма, и в руках у него было оружие: хлипкая поблескивающая трубка с крохотным прикладом, но весьма внушительным спусковым устройством.

Он поднял ее и прицелился.

— Последнее предупреждение! — закричал он, но Сэм продолжал свое вознесение.

Тогда Яма выстрелил, и в ответ ему где-то в вышине над головой оглушительно треснул купол свода.

— Он принял свой Облик и обрел Атрибут, — объяснил Так. — Он обуздал энергию твоего оружия.

— Почему ты не остановил его? — спросил Яма.

— Не мог, Господин. Я подпал под его Атрибут.

— Не имеет значения, — сказал Яма. — Третий страж его осилит.


Обуздав гравитацию по своей воле, он возносился.

И в полете ощутил, что его преследует какая-то тень.

Она пряталась в засаде где-то на самой периферии зрения. Как он ни крутил головой, она все время ускользала от его взгляда. Но она все время была там — и она росла.

А впереди, прямо у него над головой возвышались врата, ведущие наружу. Талисман мог бы отомкнуть их запор, мог согреть Сэма среди наружного хлада, мог унести его, куда ему заблагорассудится...

И тут пришел звук бьющих по воздуху крыльев.

— Беги! — загрохотал у него в мозгу голос. — Поднажми, Бич! Быстрее! Еще быстрее!

Это было одно из самых странных ощущений, какие он только когда-либо испытывал.

Он чувствовал, как движется вперед, мчится к цели. **259**

Но ничего не менялось. Врата не приближались. Несмотря на ощущение чудовищной скорости, он не двигался.

— Быстрее, Бич! Пошевеливайся! — кричал дикий, ревущий голос. — Постарайся обставить и ветер, и молнию!

Он попытался превозмочь ощущение движения.

И сразу же на него обрушились ветры, могучие ветры, бесконечно кружащие по Небесам.

Он справился с ними, но теперь голос звучал совсем рядом, хотя ничего, кроме тени, разглядеть ему так и не удавалось.

— «Чувства — это кони, а предметы — дороги их, — промолвил голос. — Если разум твой не сосредоточен, то теряет он свою проницательность».

И Сэм узнал в этих ревущих у него за спиною словах могущественные строки Катха упанишады.

— «И тогда, — продолжал голос, — не знают чувства узды, словно дикие, дурные кони у слабого колесничего».

И молнии раскололи над ним небо, и объяла его мгла.

Он попытался обуздать обрушившуюся на него энергию, но не нашел ничего.

— Все это не реально! — крикнул он.

— Что реально, а что нет? — вопросом ответил голос. — Ну а теперь кони сбежали от тебя.

И последовал миг жутчайшей черноты, словно двигался он в вакууме чувств. Потом — боль. Потом ничего.

Трудно быть старейшим действующим богом юности.

Он пришел в Палату Кармы, потребовал свидания с каким-нибудь наместником Колеса, предстал перед Владыкой, которому двумя днями ранее скрепя сердце пришлось отказаться от его зондирования.

**260**    — Ну? — поинтересовался он.

— Прошу прощения за отсрочку, Господин Муруган. Наш персонал задействован в приготовлениях к брачной церемонии.

— Они бражничают на стороне вместо того, чтобы готовить мое новое тело?

— Тебе не следует говорить, Владыка, так, будто это тело и в самом деле твое. Это тело, ссуженное тебе Великим Колесом в ответ на твои нынешние кармические нужды...

— И оно не готово, потому что твоя команда пирует где-то?

— Оно не готово, потому что Великое Колесо вращается так...

— Я хочу его не позднее завтрашнего вечера. Если оно не готово, смотри, как бы Великое Колесо не раздавило своих прислужников. Ты меня понял, Владыка Кармы?

— Я услышал неподобающие в подобном святилище речи и...

— Брахма посоветовал мне воплотиться в новое тело, чтобы иметь удовольствие видеть меня в нем во время свадебных церемоний в Шпиле Высотою В Милю. Мне что, сообщить ему, что Великое Колесо не может удовлетворить его желание из-за медлительности своего вращения?

— Нет, Господин. Тело будет готово в срок.

— Отлично.

Он повернулся и ушел.

У него за спиной Владыка Кармы сделал согнутой в локте рукой старинный мистический жест.

— Брахма.

— Да, богиня?

— О моем предложении...

261

— Будет сделано по вашему требованию, мадам.

— Я бы хотела иначе.

— Иначе?

— Да, Господин. Мне бы хотелось человеческого жертвоприношения.

— Нет...

— Да.

— Ты и в самом деле сентиментальнее, чем я полагал.

— Будет это сделано или нет?

— Честно говоря, в свете последних событий, я бы предпочел именно такой выход.

— Тогда решено?

— Будет, как ты хочешь. В нем больше силы, чем я думал. Если бы стражем не был Владыка Иллюзий... Да, я и не догадывался, что тот, кто так долго сидел тихо, может быть столь талантлив, если использовать твое выражение.

— Передаешь ли ты мне все полномочия в этом вопросе, Создатель?

— Охотно.

— Ну и подкинем на закуску Царя Воров?

— Да будет так.

— Благодарю тебя, Великий.

— Не за что.

— Будет за что. Доброго тебе вечера.

— И тебе.


Поведано, что в этот день, в этот великий день, Бог Вайю остановил поднебесные ветры, и неподвижность опустилась на улицы Небесного Града, на леса Канибуррхи. Читрагупта, слуга Господина Ямы, возвел у Миросхода величественный погребальный костер, сложив

пирамидой поленья сандала и другой ароматической древесины, добавив разнообразных смол, благовоний, масел, набросав сверху роскошных одежд; а на самую верхушку костра водрузил он Талисман Бича и огромный синеперый плащ, принадлежавший некогда Шриту, вожаку демонов Катапутны; положил он туда и изменяющий форму самоцвет Матерей из Купола Невыносимого Зноя и шафрановую рясу из пурпурной рощи в окрестностях Алундила, которая, как говорили, принадлежала раньше Татхагате, Будде. Мертвая тишина разлилась повсюду после ночного празднества Первых. Ничто не шелохнулось на Небесах. Говорят, что невидимыми порхали демоны в верхних слоях атмосферы, боясь приблизиться к месту средоточения огромной силы. Говорят, что имели место многочисленные знаки и знамения, предвещавшие падение одного из великих. А теологи и святые историки поведали, что отрекся прозванный Сэмом от своей ереси и положился на милосердие Тримурти. Говорят еще, что богиня Парвати, которая была когда-то ему то ли женой, то ли матерью, сестрой или дочерью, а может — всеми ими сразу, покинула Небеса и в трауре удалилась на восточный континент, к тамошним колдуньям, которых она считала своей родней. На рассвете великая птица по имени Гаруда, вахана Вишну, чей клюв сминает колесницы, заволновался, вдруг проснувшись, и испустил единственный хриплый вопль, разнесшийся из его клетки по всем Небесам, вдребезги разбивая стекла, эхом отдаваясь по поднебесным странам, заставляя в испуге вскочить даже спавших мертвецким сном. Среди неподвижного небесного лета начинался день любви и смерти.

Пустынны были улицы Небес. На время скрылись боги в ожидании внутри своих жилищ. Заперты были все двери на Небесах.

На волю были выпущены вор и тот, кого приспешники называли Махасаматманом, думая, что он бог. **263**

В соответствии с предзнаменованием странно стылым казался воздух.

Высоко-высоко над Небесным Градом, на небольшой площадке, венчающей собою верхушку Шпиля Высотою В Милю, стоял Владыка Иллюзий, Мара-Сновидец. Одет он был в плащ всех цветов — и не только радуги. Воздел он над головой руки, и, сливаясь воедино с собственной силой, хлынула через его тело мощь всех остальных богов.

В уме его обретала форму греза. И излил он ее наружу, как разливается по пляжу накатившаяся на берег высокая волна.

Век за веком, с тех пор как спланировал их Великий Вишну, сосуществовали бок о бок Град и глушь, примыкая друг к другу и, однако, не соприкасаясь, доступные, но разделенные огромным расстоянием — не в пространстве, а внутри разума. С умыслом устроил все так Вишну-Хранитель. И теперь не очень-то одобрял он снятие барьера между ними — даже частичное и временное. Не хотелось ему видеть, как проникает что-то дикое в Град, выпестованный его умом как чистый триумф формы над хаосом.

И однако даровано было силой сновидца призрачным кошкам узреть разок все Небеса целиком.

Без устали бродили они по темным извечным тропинкам в джунглях, были которые отчасти иллюзией. И вот в месте том, существовавшем лишь наполовину, обрели глаза их новое зрение, а вместе с ним обуяла кошек неукротимость и жажда немедленной добычи.

Среди мореходов, этих всемирных сплетников и переносчиков россказней, которым, кажется, ведомо все на свете, прошел слух, что не кошками были на самом деле некоторые из охотившихся в тот день призрачных кошек. По их словам, болтали потом не раз боги, когда случалось им бывать в мире, что кое-кто с Небес переселился на этот день в тела белых тигров Канибуррхи, дабы пройтись по аллеям Града и принять участие в охоте на вора-неудачника и того, кого называли когда-то Буддой.

Говорят, что когда брел он по улицам Града, древний ворон прокружил трижды над ним и уселся Сэму на плечо.

— Разве ты не Майтрея, Князь Света, — заговорил ворон, — которого заждался мир, увы, уже столько лет, — тот, приход кого я предсказал в стихотворении много лет назад?

— Нет, мое имя Сэм, — отвечал тот, — и я вот-вот покину этот мир, а не приду в него. А кто ты?

— Я — птица, бывшая однажды поэтом. Все утро летал я, стоило провозгласить новый день воплю Гаруды. Я облетел все небесные пути в поисках Рудры, надеясь замарать его своим пометом, и тут почувствовал, как легло на землю бремя заклятия. Далеко летал я и многое видел, Князь Света.

— И что же видел ты, ворон, бывший поэтом?

— Видел я незажженный погребальный костер, возведенный на краю мира, туман клубился вокруг него. Я видел богов, что пришли слишком поздно, они мчались сквозь снега, они пикировали из-под облаков, они кружили вокруг купола. Я видел актеров, репетирующих в масках представление театра жестокости для брачной церемонии Смерти и Разрушения. Я видел, как поднял руку Владыка Вайю и остановил ветры, безостановочно кружащие в Небесах. Я видел переливающегося всеми цветами Мару на верхушке самой башни, и я почувствовал, как ложится бремя его заклинания на призрачных кошек, и видел я, как не могли они найти в лесу места и устремились сюда. Я видел слезы мужчины и женщины. Я слышал смех богини. Я видел поднятое в лучах рассвета светлое копье и слышал клятву. И наконец, увидел я Князя Света, о котором давным-давно напророчил:

> Умирает всегда, никогда не умрет,
> На исходе всегда, никогда не в конце.
> Ненавидит он тьму,
> Облаченный во свет;
> Он придет в эту югу,
> Словно ночью рассвет.
> Я черкнул эти строки
> Своим вольным пером;
> В самый день своей смерти
> Я увижу его.

И птица взъерошила свои перья и замерла у него на плече.

— Я рад, птица, что тебе удалось многое повидать, — сказал Сэм, — и что в рамках вымысла своей метафоры удалось тебе достичь некоторого удовлетворения. К сожалению, поэтические истины разительно отличаются от истин повседневных.

— Привет тебе, Князь Света! — провозгласил ворон и поднялся в воздух.

И тут же его насквозь пронзила стрела, выпущенная из близлежащего окна одним воронененавистником.

Сэм поспешил прочь. Говорят, что настигшая его — а позже и Хельбу — призрачная кошка была на самом деле богом или богиней; ну что ж, это вполне вероятно.

А еще говорят, что кошка эта была не первой и не второй из тех, кто выследил искомую жертву. Много тигров погибло под Пресветлым Копьем, которое, проткнув их насквозь, само собой выдергивалось из тела, очищалось вибрацией от крови и возвращалось затем в руку, его метнувшую. Но и сам Пресветлый Копейщик Так пал, сраженный запущенным ему в голову стулом; это Ганеша бесшумно вошел у него за спиной в комнату. Кое-кто говорит, что Пресветлое Копье уничтожил потом Великий Агни, другие же утверждают, что сбросила его с Миросхода Леди Майя.

Не по душе было все это Вишну-Хранителю, и часто повторялись потом на разные лады его слова, что нельзя было осквернять Град кровью и что если однажды получил туда доступ хаос, то непременно найдет он себе дорогу и вновь. Но младшие боги подняли его на смех, ведь он считался последним в Тримурти, а идеи его, как все доподлинно знали, весьма устарели, поскольку был он одним из Первых. По причине этой отрекся он от всякого участия в происходящем и удалился на время в свою башню. И Владыка Варуна Справедливый отвернул лицо свое от небесных дел и посетил Павильон Молчания у Миросхода, где просидел некоторое время в комнате, называемой Страх.

Удачным оказалось представление Театра Масок, текст для которого написал велеречивый поэт, прославившийся элегантностью стиля и принадлежностью к антиморгановской школе. Сопровождалось представление и убедительными иллюзиями, навеянными по этому случаю Сновидцем. Говорят, что и Сэм провел тот самый день погруженным в иллюзии; что легло на него заклятие и бродил он по Граду во тьме, среди жутких запахов, встречаемый стенаниями и воплями; что предстали перед ним заново все ужасы, которые познал он в своей жизни, — сверкающие и темные, безмолвные и ревущие, — извлечены они были из его памяти и пропитаны сопровождавшими их в свое время эмоциями. А потом все это оборвалось.

Останки его были доставлены процессией к Миросходу, водружены поверх Погребального костра и сожжены под песнопения. Владыка Агни поднял свои темные очки, уставился на несколько секунд в костер, и охватили поленья языки пламени. Владыка Вайю поднял руку, и взъярились ветры, раздувая огонь. Когда костер догорел, Великий Шива взмахом своего трезубца исторг пепел за пределы этого мира.

По большому счету, основательными и впечатляющими получились эти похороны.

Давно не виданное на Небесах бракосочетание прошло в полном соответствии с традицией. Шпиль Высотою В Милю ослепительно сверкал, словно гигантский ледяной сталагмит. Снято было заклятие, и бродили призрачные кошки по улицам Града, опять ослепнув к его красотам, и словно бы поглаживал их шерсть ветерок; поднимались они по ступеням широких лестниц — нет, взбирались по каменистому склону; дома были для них отвесными скалами, статуи — деревьями. Кружащие без устали под сводом Небес ветры подхватили пение и разносили по земле его обрывки. Священное пламя загорелось в Квадрате, вписанном в центральный Круг Града. Специально завезенные по такому случаю в Град девственницы поддерживали огонь, подкладывая чистые, сухие поленья ароматической древесины, которые потрескивали и сгорали почти без дыма, лишь изредка вырывалось вдруг наружу его белоснежное облачко. Сурья, солнце, светил с таким блеском, что, казалось, дневной свет вибрировал в прозрачном воздухе. Жениха в сопровождении многочисленной свиты друзей и слуг в красном облачении препроводили через весь Град к Павильону Кали, где их встретили слуги богини и провели в огромную пиршественную залу. В качестве хозяина гостей там встречал Владыка Богатств Кубера; он рассадил алую свиту — числом в триста человек — по чередующимся черным и красным стульям, расставленным вокруг длинных столов черного дерева, инкрустированных костью. И там, в этой зале, всем им дали испить мадхупарки, смеси меда с творогом и наркотическим порошком; а пили они ее в компании облаченной в синее свиты невесты, вступившей в залу, неся по две чаши. Три сотни человек было и в этой свите, и когда все расселись и выпили мадхупарки, произнес Кубера небольшую речь, перемежая ее непристойными шутками и вставляя различные практические советы и цитаты из древних писаний. После чего отбыли свиты жениха и невесты в павильон, воздвигнутый в Квадрате, но шли они разными путями и подошли к нему с противоположных сторон. Яма и Кали вошли внутрь порознь и сели по разные стороны от небольшого занавеса. Кругом раздавались старинные песнопения, и вот развернул наконец Кубера занавес, и молодожены впервые за этот день увидели друг друга. Заговорил тогда Кубера и передал Кали на попечение Ямы в обмен на обещание, что обеспечит тот невесте добро, богатство и удовольствие. Пожал тогда Господин Яма ей руку, а Кали бросила в огонь, к которому подвел ее жених, приношение — горсть зерна; в это время один из ее слуг связал воедино их одежды. После этого наступила Кали на жернов и прошли они вдвоем семь шагов, причем Кали каждым шагом давила маленькую кучку риса. Потом на несколько мгновений окропил их слегка дождик, чтобы освятить происходящее водой. Объединившись в единую процессию, потянулись гости и слуги через весь город к темному павильону Ямы, где накрыты были столы для веселого пиршества и где давал свое представление Театр Кровавых Масок.

Когда повстречал Сэм последнего своего тигра, медленно кивнул тот головой, признавая свою добычу. **269**

Некуда было бежать Сэму, и он просто стоял и ждал. Не спешила и кошка. В этот миг попыталась спуститься на Град орда демонов, но отбросила их назад сила заговора. Не прошло незамеченным, что всхлипнула богиня Ратри, и имя ее было внесено в список. Так от Архивов заточен был до поры до времени в каземат глубоко под Небесами. Многие слышали, как промолвил Владыка Яма: «Жизнь не восстала», словно он почти ожидал от нее такого поступка.

С учетом всего, основательной и впечатляющей получилась эта смерть.

Семь дней длились свадебные гуляния, и все эти дни грезу за грезой насылал на пирующих Владыка Мара. Словно на волшебном ковре-самолете переносил он их из одной страны-иллюзии в другую, на фундаменте из воды и огня возводил дворцы из многоцветного дыма, уводил скамьи, на которых сидели они, в бездонные ущелья звездной пыли, кораллом и миррой увлекал их чувства за пределы самих себя, навлекал на них на всех их Облики, заставляя беспрестанно кружить вокруг архетипов, на которых утвердили некогда боги свою мощь, — и танцевал Шива на кладбище Танец Разрушения и Танец Времени, празднуя легендарный свой подвиг, разрушение трех летающих городов асуров, знаменитой Трипуры; Кришна Темный одно за другим выделывал все коленца Танца Борца в память победы своей над черным демоном Баной, пока Лакшми исполняла Танец Изваяния; и даже Великий Вишну подвигся вновь прославить свои шаги Танцем Амфоры, а Муруган во вновь обретенном теле смеялся над облаченным в океаны миром, танцуя по водам их, словно по священной поляне, свой безумный танец, который отплясывал он когда-то после убийства Шуры, пытавшегося скрыться в пучине моря. И по мановению руки Мары возникали магия и цвет, музыка и вино. И приходил черед поэзии и игр, песен и смеха. Не раз вспыхивали и соревнования, состязания в силе и искусности. Короче, поистине божественной выносливостью нужно обладать, чтобы выдержать целых семь дней удовольствий.

Учитывая это, основательной и впечатляющей получилась эта свадьба.

По ее окончании жених и невеста покинули Небеса постранствовать немного по свету, насладиться его разнообразием. Без слуг и свиты отправились они, чтобы попутешествовать на свободе. Не сочли нужным они оповестить и о своем маршруте, и о длительности своего медового месяца — чего вполне можно было ожидать, учитывая склонность их небесных приятелей к шуточкам и розыгрышам.

Веселье по их отбытии улеглось не сразу. Господин Рудра, поглотив неимоверное количество сомы, вскочил вдруг на стол и разразился речью касательно невесты — речью, по поводу которой возникли бы у него большие разногласия с Ямой, присутствуй последний при ней. Ну а в его отсутствие ударил Владыка Агни Рудру по лицу и немедленно был вызван на дуэль — в Обликах, во всем Небесном просторе.

Агни взлетел на вершину горы, возвышавшейся позади Канибуррхи, а Рудра занял позицию поблизости от Миросхода. По данному сигналу выпустил Рудра в соперника свою наводящуюся по теплу стрелу, и со свистом покрывала она милю за милей, пока не засек ее в пятнадцати милях от себя Владыка Агни и не сжег в полете вспышкой Всеприсущего Пламени. И, словно игла света, пронзил тот заряд все пространство между ними и дотронулся до Господина Рудры, обратив его в пригоршню праха, а затем пролетел дальше, пробив дыру в Небесном своде у него за спиной. Так не посрамил Агни честь локапал; ну а из среды полубогов выдвинут был новый Рудра — занять место павшего старого.

Новые погребальные костры были возведены, чтобы упокоить посиневшие останки весьма живописно отравленных двух верховных жрецов и одного раджи. Владыка Кришна, приняв свой Облик, сыграл такую музыку, после которой другой быть уже не может, и Гаури Белая смягчилась, потеплело ее сердце, и еще раз пришла она к нему, когда кончил он играть. Сарасвати с блеском исполнила Танец Наслаждения, после чего воссоздал Мара бегство Хельбы и Будды через Град. Многих, правда, взволновала последняя эта греза, и новые имена внесены были в список. А затем демон с телом юноши и головой тигра осмелился появиться среди них и с дикой яростью напал на Господина Агни. Отогнали его, объединив свои силы, Ратри и Вишну, но удалось ему ускользнуть в бестелесность прежде, чем смог Агни поднять на него свой жезл.

Многое изменилось на Небесах в последующие дни.

Пресветлый Копейщик Так от Архивов осужден был Властителями Кармы возродиться в теле обезьяны; и заложено было в мозг его предупреждение, дабы всякий раз, когда захочет он сменить тело, опять рождался он обезьяной, чтобы в этой форме и странствовал он по свету, пока наконец не соблаговолят Небеса проявить свое милосердие и снять с него проклятие. После чего отправили его избывать бремя своей кармы в южные джунгли.

Варуна Справедливый покинул, собрав своих слуг, Небесный Град и обосновался где-то в пределах мира. Связали некоторые клеветники исход его с бегством Ниррити Черного, бога темноты и порчи, который покинул в свое время Небеса, напитав их своей злой волей и миазмами чернейших проклятий. Немногочисленными, правда, были хулители эти, ибо знали все, что заслужил Варуна титул Справедливого, и, осуждая его, легко было бросить тень на свою собственную репутацию; посему уже через несколько дней стихли все пересуды о нем.

Много позже изгнаны были в мир и другие боги, случилось это уже во времена Небесных Чисток. Началось все это, однако, как раз в те дни, когда вновь проник на Небеса акселеризм.

Брахма, могущественнейший среди четырех чинов божественных, среди восемнадцати воинств Рая, Всесоздатель, Владыка Небес высоких и всего, что под ними, из чьего пупа произрастает лотос, руки чьи пахтают океаны, а ноги тремя шагами покрывают все миры, барабан славы которого ужасом наполняет сердца врагов, сжимающий в деснице колесо закона, вяжущий, как путами, змеею катастрофы, — в результате поспешно данного Хозяйке Смерти обещания чувствовал себя Брахма впоследствии все более и более неуютно. Хотя, с другой стороны, очень даже вероятно, что поступил бы он точно так же и без представленных ею доводов. И главным результатом ее действий стало, вероятно, то, что появился на некоторое время у него — известного как Брахма Непогрешимый — козел отпущения, на которого мог он с чистой совестью свалить все свои проблемы.

По окончании празднования в нескольких местах пришлось чинить купол небосвода.

В помещении Небесного музея нес отныне круглосуточное дежурство вооруженный охранник.

Запланировали несколько охотничьих экспедиций на демонов, но ни одна из них не продвинулась дальше стадии разработки.

Назначили нового архивариуса, который ничего не знал о своих предках.

По всей земле даровано было призрачным кошкам Канибуррхи символически присутствовать в Храмах.

В последнюю ночь празднеств вступил в Павильон Молчания у Миросхода одинокий бог, и долго оставался он в комнате, называемой Память. Потом засмеялся он, и долго смеялся, прежде чем вернуться в Небесный Град; и был смех его полон юности, красоты, силы и чистоты; и ветры, что кружили без устали по Небесам, подхватили смех этот и разнесли его по земле, где подивились слышавшие его странной, вибрирующей нотке торжества, в нем звучавшей.

Учитывая все это, весьма впечатляющим выдалось это время — время Любви и Смерти, Ненависти и Жизни, — и Безумия.

## VI

*После смерти Брахмы вступили Небеса в период смуты. Некоторых богов пришлось даже оттуда выслать. В то время почти каждый боялся, что его сочтут акселеристом, и так уж случилось, что в тот или иной момент почти каждый таковым и считался. Хотя мертв был Махатма Сэм, но говаривали, что дух его продолжает, посмеиваясь, жить. И вот в дни волнений и интриг, приведших к Великой Битве, прошел слух, что жив, может, не только его дух...*

Когда солнце страданья заходит,
нисходит покой,
Владыка спокойных звезд,
покой созиданья,
где кружась сереет мандала.
Молвит глупец про себя,
что мысли его — только мысли...

*Сараха (98—99)*

Стояло раннее утро. Около пруда с пурпурными лотосами, в Саду Наслаждений, у подножия статуи играющей на вине синей богини обнаружили Брахму.

Девушка, которая на него наткнулась, поначалу решила, что он отдыхает, ибо глаза его были открыты. Но почти сразу заметила она, что он не дышит, а лицо его искажено, но не меняет выражения.

Задрожав, стала ждать она конца света. Ну естественно, ведь бог же умер. Чуть попозже решила она, однако, что внутренняя сцепленность событий и предметов может поддержать мир еще часок-другой, а в таком слу-

**275**

чае, подумалось ей, целесообразно привлечь к делам завершающейся юги внимание кого-либо способного с ними совладать.

И она рассказала об этом Первой Наложнице Великого Брахмы; та убедилась во всем воочию и, согласившись, что ее Господин и в самом деле мертв, первым делом обратилась к статуе синей богини, которая немедля заиграла на вине, а потом послала за Вишну и Шивой.

И те тут же явились, захватив с собой Ганешу.

Осмотрев останки, они сошлись во взглядах на них и заперли обеих женщин до вынесения вердикта в их комнатах.

Потом они стали держать совет.

— Нам спешно нужен новый создатель, — сказал Вишну. — Слово предоставляется для выдвижения кандидатур.

— Я предлагаю Ганешу, — сказал Шива.

— Беру самоотвод, — сказал Ганеша.

— Почему?

— Я не люблю быть на авансцене. Предпочитаю оставаться за кулисами.

— Ну а какие у нас еще альтернативы? И поживее...

— Быть может, — спросил Вишну, — разумнее сначала выяснить причины случившегося?

— Нет, — отрезал Ганеша. — Первым делом — выбор преемника. Даже вскрытие подождет. Небеса никогда не должны оставаться без Брахмы.

— Может быть, кто-нибудь из локапал?

— Возможно.

— Яма?

— Нет. Он слишком серьезен, слишком добросовестен. Специалист, а не администратор. К тому же сдается мне, что он эмоционально неустойчив.

**276**     — Кубера?

— Слишком ушл. Куберы я опасаюсь.

— Индра?

— Слишком своеволен и упрям.

— Тогда Агни?

— Может быть. А может, и нет.

— Ну а Кришна?

— Слишком легкомыслен, ему не хватает рассудительности.

— Кого же предлагаешь ты?

— Какова важнейшая из стоящих сейчас перед нами проблем?

— На мой взгляд, никаких важных проблем перед нами сейчас не стоит, — заметил Вишну.

— Коли нет важных, самое разумное — заняться важнейшей, — изрек Ганеша. — Ну а важнейшая из наших проблем — это, как мне кажется, акселеризм. Сэм, появившись вновь, сильно замутил воду.

— Да, — поддержал Шива.

— Акселеризм? Зачем пинать дохлого пса?

— Э, он отнюдь не такой дохлый, как тебе кажется, и вполне способен кусаться. По крайней мере, среди людей. К тому же борьба с ним поможет отвлечь внимание от проблем преемственности внутри Тримурти и восстановит хотя бы поверхностную сплоченность здесь, в Граде. Если, конечно, вы не намерены развернуть кампанию против Ниррити и его зомби.

— Только не это...

— Не сейчас.

— Мм... да, тогда акселеризм на настоящий момент — важнейшая наша проблема.

— Ну хорошо. Акселеризм — наша важнейшая проблема.

— И кто ненавидит его больше всех?

— Ты сам?

277

— Абсурд. Кроме меня.

— Скажи же, Ганеша.

— Кали.

— А как же Яма?

— А что Яма? Оставьте Яму на меня.

— С удовольствием.

— Я тоже.

— Очень хорошо. Прочешите тогда весь мир — в громовой колеснице и на спине Гаруды. Отыщите Яму и Кали. Верните их на Небеса. Я подожду вашего возвращения и обдумаю последствия смерти Брахмы.

— Быть посему.

— Идет.

— Доброго вам утра.

— Погоди, достопочтенный Вама, я хотел бы поговорить с тобой!

— Да, Кабада. Что тебе угодно?

— Мне трудно подобрать подобающие слова... Это касается некого дельца, досточтимый купец, которое породило заметные, гм, чувства со стороны многих твоих ближайших соседей.

— Да? Так говори же.

— Касательно атмосферы...

— Атмосферы?

— Ветров и, гм, дуновений, что ли...

— Ветров? Дуновений?

— И того, что они разносят.

— Разносят? Что же они разносят?

— Запахи, добрый Вама.

— Запахи? Какие запахи?

— Запахи... гм... гм... запахи, в общем, фекальных масс.

— Чего?.. А! Да. Ну да. Ну конечно. Вполне может статься. Я об этом позабыл, к ним попривыкнув.

— Могу ли я спросить об их источнике?

— Они вызваны продуктами дефекации, Кабада.

— Это я понимаю. Меня, скорее, интересует, почему они тут, эти запахи, а не как и откуда взялись.

— Потому, что в задней комнате у меня стоят ведра, наполненные вышеозначенным веществом.

— Да?

— Да. Я сохраняю там все, что производит моя семья, — вот уже восемь дней.

— Для чего, достойнейший Вама?

— Не слышал ли ты о такой штуковине — поистине чудесной штуковине, в которую оные массы испускаются в воду, а затем дергаешь за рычаг, и с громким ревом все это уносится под землей далеко прочь?

— Я слыхал какие-то россказни...

— Это все правда, чистая правда. Такая штуковина и в самом деле существует. Изобрел ее совсем недавно один человек, имени которого упоминать я не стану; состоит она из большущих труб и сиденья без дна — или, скажем, без крышки. Это самое удивительное открытие нашей эпохи, и через пару-другую месяцев оно будет у меня!

— У тебя? Подобная вещь?

— Да. Она будет установлена в крохотной комнатенке, которую я пристроил сзади к своему дому. Я, пожалуй, устрою в ее честь обед и приглашу в этот день всех соседей ею воспользоваться.

— Воистину удивительно все это. Ты так любезен...

— Таков уж я...

— Ну а... запахи?..

— Исходят от ведер, в которых я держу эти массы до установки новшества.

— Но почему?

— Я бы предпочел, чтобы мои кармические записи гласили, что я начал пользоваться ею восемь дней тому назад, а не через несколько месяцев. Это будет свидетельствовать о стремительности моего прогресса в жизни.

— А! Теперь я вижу всю мудрость твоих поступков, Вама. Я бы не хотел, чтобы сложилось впечатление, будто мы стоим на дороге у человека, стремящегося продвинуться вперед. Прости, если так показалось.

— Прощаю.

— Твои соседи по-настоящему любят тебя — с запахами и всем прочим. Когда достигнешь более высокого положения, вспомни о нас.

— Естественно.

— Такой прогресс, должно быть, дорого стоит.

— Весьма.

— Достопочтенный Вама, мы станем находить в атмосфере этой удовольствие — со всеми ее пикантными предзнаменованиями.

— Я живу лишь вторично, добрый Кабада, но уже чувствую на себе перст судьбы.

— Да, я тоже его чувствую. Поистине, меняются ветры времени, и несут они человечеству много чудесного. Да хранят тебя боги.

— Тебя тоже. Но не забудь и благословения Просветленного, которого приютил мой троюродный брат Васу в своей пурпурной роще.

— Как могу я? Махасаматман тоже был богом. Как говорят, Вишну.

— Лгут. Он был Буддой.

— Добавь тогда и его благословение.

— Хорошо. Всего тебе доброго, Кабада.

— И тебе, достойнейший.

Яма и Кали вернулись из свадебного путешествия на Небеса. Прибыв вместе с Вишну на спине птицы по имени Гаруда, не теряя ни минуты, все втроем проследовали они сразу же в Павильон Брахмы. В Саду Наслаждений встречали их Шива и Ганеша.

— Послушайте, Смерть и Разрушение, — обратился к ним Ганеша, — Брахма мертв, и никто, кроме нас пятерых, об этом не знает.

— Как это произошло? — спросил Яма.

— Вроде бы его отравили.

— А что, вскрытия не было?

— Нет.

— Тогда я займусь этим.

— Хорошо. Но сейчас намного важнее другое.

— Что же?

— Имя его преемника.

— Да. Небеса не могут оставаться без Брахмы.

— Вот-вот... Кали, скажи мне, как ты относишься к тому, чтобы стать Брахмой — златоседлым и среброшпорым?

— Я не готова...

— Тогда начинай об этом думать, да поживее. Ты кажешься самым подходящим кандидатом.

— А владыка Агни?

— Его рейтинг заметно ниже. Он, похоже, не такой ярый антиакселерист, как мадам Кали.

— Я понимаю.

— И я...

— Ну, в общем, он замечательный бог, но не из великих.

— Да. А кто мог убить Брахму?

— У меня нет ни малейшей идеи. А у тебя?

— Пока нет.

— Но ты же отыщешь его, Владыка Яма?

— Ну да, приняв свой Облик.

— Вы, наверное, хотите посовещаться.

— Хотим.

— Тогда мы сейчас оставим вас наедине. А через час мы все вместе обедаем в этом самом Павильоне.

— Хорошо.

— Хорошо.

— Пока.

— Пока.

— Пока.


— Леди?

— Да?

— Со сменой тела автоматически свершается и развод, если только не было подписано продление брачного контракта на новый срок.

— Брахма должен быть мужчиной.

— Да.

— Откажись от этого.

— Мой Господин...

— Ты колеблешься?

— Все это так неожиданно, Яма...

— И ты хоть на секунду задумываешься, не принять ли это предложение?

— Я должна.

— Кали, ты мучишь меня.

— Я не хотела.

— Я требую, чтобы ты отказалась от этого предложения.

— Я полноправная богиня, а не только твоя жена, Господин Яма.

— Что это значит?

**282**    — Я сама решаю, что мне делать.

— Если ты согласишься, Кали, то между нами все кончится.

— По всей видимости...

— Почему, во имя риши, они так ополчились на акселеризм? Он же не более чем буря в стакане воды.

— Должно быть, они ощущают потребность быть против чего-либо.

— А почему ты собираешься встать во главе этого?

— Не знаю.

— Может быть, моя дорогая, у тебя есть особые причины быть антиакселеристкой?

— Я не знаю.

— По божественным меркам я молод, но много раз слышал о том, что герой, с которым прошла ты по этому миру в его ранние дни, — Калкин — был не кто иной, как все тот же Сэм. Если у тебя были причины ненавидеть своего давнишнего Господина, а им взаправду был Сэм, тогда я понимаю, почему они вербуют тебя против движения, им начатого. Правда ли это?

— Может статься.

— Тогда, если ты любишь меня, — а ты мне и жена, и возлюбленная, — пусть другой будет Брахмой.

— Яма...

— Они дали на решение час.

— Я успею принять его.

— Какое же?

— Мне очень жаль, Яма...


Не дожидаясь обеда, покинул Яма Сад Наслаждений. Хотя подобное поведение и казалось злостным нарушением этикета, Яма считался среди всех богов самым недисциплинированным и прекрасно об этом знал, как и о причинах терпимости всех остальных в этом вопросе. Так что ушел он из Сада и отправился туда, где кончаются Небеса.

Весь этот день и следующую ночь провел он у Миросхода, и никто не докучал ему там. Он побывал во всех пяти комнатах Павильона Молчания. Ни с кем не делился он своими мыслями, не будем гадать о них и мы. Утром он вернулся в Небесный Град.

И узнал о смерти Шивы.

Трезубец оного прожег очередную дыру в небосводе, но голова его хозяина была проломлена каким-то тупым предметом, обнаружить который пока не удалось.

Яма отправился к своему другу Кубере.

— Ганеша, Вишну и новый Брахма уже обратились к Агни с предложением занять место Разрушителя, — сказал ему Кубера. — Думаю, он согласится.

— Для Агни — превосходно, — сказал Яма. — А кто убил Бога?

— Я много думал об этом, — отвечал Кубера, — и пришел к выводу, что в случае с Брахмой это должен быть кто-то достаточно к нему близкий, ведь Брахма принял от него отравленное питье или закуску; ну а в случае с Шивой — кто-то достаточно знакомый, чтобы застать его врасплох. Дальше этого я в своих рассуждениях не продвинулся.

— Один и тот же?

— Готов побиться об заклад.

— Может ли это быть частью заговора акселеристов?

— В это трудно поверить. Симпатизирующие акселеризму не организованы. Ведь он совсем недавно вернулся на Небеса. Заговор? Может быть. Но более вероятно, что все это дело рук одиночки, действующего на свой страх и риск.

284     — А какие могут быть еще причины?

— Месть. Или одно из младших божеств ищет пути наверх. Почему вообще кто-то кого-то убивает?

— Ты не подозреваешь никого конкретно?

— Сложнее будет отбросить подозрения, чем их найти. А расследование передали в твои руки?

— Я в этом более не уверен. Думаю, что да. Но я найду, кто это сделал, кем бы он ни был, и убью его.

— Почему?

— Мне нужно что-нибудь сделать, кого-нибудь...

— Убить?

— Да.

— Жалко, мой друг.

— Мне тоже. Тем не менее это моя привилегия — и мое намерение.

— Я бы хотел, чтобы ты со мной на эти темы не разговаривал. Все это совершенно конфиденциально.

— Я никому ничего не скажу, если ты тоже сохранишь молчание.

— Даю слово, что не скажу.

— И знаешь, я присмотрю за кармическим прослеживанием — против психозондирования.

— Из-за него я об этом и упомянул. Пусть так и будет.

— Всего хорошего, мой друг.

— Всего доброго, Яма.

Яма покинул Павильон локапал. Вскоре туда заглянула богиня Ратри.

— Здравствуй, Кубера.

— Здравствуй, Ратри.

— Почему ты здесь сидишь один-одинешенек?

— Потому что некому развеять мое одиночество. А зачем пришла сюда ты — в одиночку?

— Потому что мне сейчас не с кем поговорить.

— Ты ищешь совета или беседы?

285

— И того, и другого.

— Садись.

— Спасибо. Я боюсь.

— Может, ты голодна?

— Нет.

— Возьми тогда что-нибудь из фруктов и чашечку сомы.

— Хорошо.

— Чего же ты боишься, и как мне тебе помочь?

— Я видела, как отсюда уходил Владыка Яма...

— Да.

— И когда я посмотрела на его лицо, я вдруг осознала, что он и в самом деле бог Смерти и что есть на свете сила, которой могут бояться даже боги...

— Яма силен, и он мой друг. Могущественна Смерть, и никому она не друг. Однако они сосуществуют — и это странно. Агни тоже силен. И он — Огонь. И он мне друг. Кришна мог бы быть сильным, если бы пожелал. Но он этого никогда не хочет. Он изнашивает тела с неимоверной скоростью. Он пьет сому и занимается только музыкой и женщинами. Он ненавидит прошлое и будущее. Он тоже мой друг. Я — последний из локапал, и я не силен. Любое тело, в которое я вселяюсь, оплывает жирком. Троим моим друзьям я скорее отец, чем брат. Я могу оценить их пьянство, музыку, влюбчивость и огонь, ибо все это проявления жизни, и посему под силу мне любить своих друзей как людей или богов. Но третий, Яма, пугает меня не меньше, чем тебя, Ратри. Когда он принимает свой Облик, то становится вакуумом, заставляющим меня, ничтожного толстяка, содрогнуться. И тогда он никому не друг. Так что не смущайся, если боишься моего друга. Ты же знаешь, когда бог в затруднении, его Облик спешит ему на помощь, богиня Ночи, как, например, сейчас воцарились в этой беседке сумерки, хотя день далек еще от своего завершения. Знай же, что встретила ты встревоженного Яму.

— Он вернулся так неожиданно.

— Да.

— Можно узнать почему?

— Боюсь, что это достаточно конфиденциальная тема.

— Касается ли это Брахмы?

— Почему ты спрашиваешь?

— Я думаю, что Брахма мертв. Я боюсь, что Яме поручили найти убийцу. Я боюсь, что он отыщет меня, даже если я накличу на Небеса ночь длиною в век. Он разыщет меня, а я не могу взглянуть в лицо вакууму.

— А что ты знаешь о предполагаемом убийстве?

— Думаю, что я была последней, кто видел Брахму живым, или первой, увидевшей его мертвым, в зависимости от того, что означали его конвульсии.

— Как это случилось?

— Я пришла к нему в Павильон вчера ранним утром — замолвить перед ним слово за леди Парвати, убедить его сменить гнев на милость и разрешить ей вернуться. Мне посоветовали поискать его в Саду Наслаждений, и я пошла туда...

— Посоветовали? Кто?

— Одна из его женщин. Я не знаю ее имени.

— Продолжай. Что произошло потом?

— Я нашла его у подножия синей статуи, играющей на вине. Он бился в конвульсиях. Дыхание отсутствовало, потом стихли и судороги, он замер. Я не смогла нащупать его пульс, не услышала сердцебиений. Тогда я призвала к себе частичку тьмы и, завернувшись в ее тень, покинула Сад.

— Почему ты не позвала на помощь? Может быть, было еще не поздно...

— Потому, конечно, что я хотела его смерти. Я ненавидела его за то, что он сделал с Сэмом, за то, что он удалил Парвати и Варуну, за то, что он сделал с архивариусом, Таком, за то...

— Постой, так можно продолжать весь день. Ты сразу ушла из Сада или вернулась обратно в Павильон?

— Я прошла через Павильон и опять увидела ту же девушку. Я сделалась видимой для нее и сказала, что не смогла найти Брахму и вернусь попозже. Он ведь и в самом деле мертв, не так ли? Что мне теперь делать?

— Взять что-нибудь из фруктов и глотнуть еще сомы. Да, он мертв.

— Явится ли за мной Яма?

— Ну конечно. Он возьмется за каждого, кого видели неподалеку. Это был, без сомнения, весьма быстродействующий яд, а ты была там практически в самый момент смерти. Так что он, естественно, выйдет на тебя и подвергнет, как и всех прочих, тебя психозондированию. Откуда и выяснится, что ты этого не делала. Поэтому я просто предлагаю тебе ждать, покуда тебя не вызовут. И больше никому ничего не рассказывай.

— А это мне сказать Яме?

— Если он доберется до тебя раньше, чем я доберусь до него, скажи ему все, включая и тот факт, что ты мне все рассказала, поскольку предполагается, что я не знаю ничего о происшедшем. Смерть одного из Тримурти всегда сохраняется в тайне как можно дольше, даже ценой жизней.

— Но Владыки Кармы прочтут это у тебя в памяти, когда ты предстанешь перед их судом.

— Ну да они не прочтут этого сегодня в твоей памяти. Информация о смерти Брахмы станет достоянием как можно меньшей группы богов и людей. Поскольку Яме, должно быть, поручат или уже поручили вести официальное расследование, да к тому же он сам и спроектировал психозонд, я думаю, вряд ли кто-либо из людей желтого колеса получит доступ к работе машин. Тем не менее я должен согласовать подобный подход с Ямой — или его ему предложить — немедленно.

— Прежде чем ты уйдешь...

— Да?

— Ты сказал, что лишь немногие могут об этом знать, даже если это зависит от чьей-то жизни. Не означает ли это, что я?..

— Нет. Ты будешь жить, поскольку я ограждаю тебя.

— Но почему?

— Потому что мы друзья.

Яма управлял зондирующей умы машиной. Он прозондировал уже тридцать семь душ; все они могли посетить Брахму в его Саду на протяжении предшествовавшего убийству дня. Одиннадцать из них были богами, и среди них — Ратри, Сарасвати, Вайю, Мара, Лакшми, Муруган, Агни и Кришна.

И среди всех тридцати семи богов и людей ни один не оказался виновным.

Кубера стоял рядом с Ямой и разглядывал распечатки психопроб.

— Что теперь, Яма?

— Не знаю.

— Может быть, убийца был невидимкой?

— Может.

— Но ты так не думаешь?

— Не думаю.

— А если каждого в Граде подвергнуть зондированию?

— Ежедневно множество людей посещает Град, прибывает и убывает через многочисленные входы и выходы...

— А ты не подумал, что здесь может быть замешан один из ракшасов? Они же опять скитаются по миру, как ты хорошо знаешь, — и они нас ненавидят.

— Ракшасы не отравляют своих жертв. А кроме того, я не верю, что один из них мог бы пробраться в Сад вопреки действию отпугивающих демонов благовоний.

— Ну а что теперь?

— Вернусь к себе в лабораторию и обдумаю все еще раз.

— Могу я проводить тебя в Безбрежные Чертоги Смерти?

— Если желаешь.

Кубера пошел с Ямой, и пока тот размышлял, толстый бог изучал каталог психолент, заведенный богом Смерти во времена первых его экспериментов с зондированием. Ленты эти никуда не годились, здесь были только какие-то обрывки; одни лишь Властители Кармы обладали доведенными до настоящего времени записями жизни всех и каждого в Небесном Граде. Кубера, конечно же, знал об этом.


Новое открытие печатного станка имело место в городе Дезирате на берегу реки Ведры. Там же проводились и очень смелые эксперименты с ватерклозетами. А еще появилось двое замечательных храмовых художников, а один старый стекольщик сделал пару бифокальных очков и принялся за следующую. Иными словами, налицо были признаки начинающегося в одном из городов-государств ренессанса.

Брахма решил, что пришла пора выступить против акселеризма.

На Небесах начало формироваться ополчение. По Храмам соседних с Дезиратом городов разослан был призыв к правоверным готовиться к священной войне.

Разрушитель Шива носил лишь символический трезубец, ибо по-настоящему он полагался на огненосный жезл, с которым никогда не расставался.

Златоседлый и среброшпорый Брахма вооружился мечом, колесом и луком.

Новый Рудра приспособился к луку и колчану своего предшественника.

Ну а Владыка Мара носил переливчатый плащ, который беспрерывно менял цвета, и никто не мог сказать, как он был вооружен или какой колесницей управлял. Стоило посмотреть на него чуть подольше, и все плыло в голове у смотрящего, предметы вокруг Сновидца меняли свои формы, лишь кони его оставались неизменны, и с губ их постоянно капала кровь, и капли ее дымились, упав на землю.

Затем отобрали полсотни полубогов, и они безуспешно учились обуздывать неловкие свои Атрибуты, мечтая усилить свой Облик и выслужиться в битве.

Кришна уклонился от предстоящего сражения и ушел играть на свирели в Канибуррху.


Он отыскал его валяющимся на травянистом склоне холма недалеко от Града, уставившимся прямо в наполненное звездами небо.

— Добрый вечер.

Он отвел взгляд от неба и кивнул.

— Как твои дела, добрый Кубера?

— Да ничего, Владыка Калкин. Ну а твои?

— Неплохо. Не найдется ли у тебя при всей твоей импозантности сигаретки?

— Никогда с ними не расстаюсь.

— Спасибо.

— Огоньку?

— Да.

— Не ворон ли кружил над Буддой, перед тем как мадам Кали выпустила ему кишки?

— Давай поговорим о чем-либо более приятном.

— Ты убил слабого Брахму, а на смену ему пришел Брахма сильный.

— Да?

— Ты убил сильного Шиву, но заменил его равный по силам.

— Жизнь полна перемен.

— Чего ты надеешься достичь? Отмщения?

— Месть — это часть персональной иллюзии. Как может человек убить то, что не живет и не умирает на самом деле, но существует лишь как отражение Абсолюта?

— Ты, однако, прекрасно со всем этим справился, даже если это, как ты утверждаешь, всего лишь перестановка.

— Спасибо.

— Почему ты за это принялся?.. И я бы предпочел трактату какой-либо ответ попроще.

— Я намеревался стереть с лица земли всю небесную иерархию. Хотя теперь начинает казаться, что этому намерению уготована участь всех благих побуждений.

— Скажи, почему ты сделал это.

— Если ты расскажешь мне, как ты меня разыскал...

— По рукам. Ну так почему?

— Я решил, что человечеству будет лучше жить без богов. Если я избавлюсь от них, люди опять начнут открывать консервные банки консервным ножом, не боясь гнева Небес. Мы уже и так достаточно задавили этих бедолаг. Я хотел дать им шанс на свободу, шанс построить то, что они хотят.

— Но они живут, и живут, и живут.

— Иногда да, иногда нет. Так же, как и боги.

— Ты был чуть ли не последним акселеристом во всем мире, Сэм. Никто бы не подумал, что к тому же и самым смертоносным.

— Как ты меня нашел?

— Мне подумалось, что не будь Сэм мертв, он бы, без сомнения, стал подозреваемым номер один.

— Я по простоте душевной полагал, что смерть — достаточное алиби.

— И я спросил себя, мог ли Сэм каким-то образом ускользнуть от смерти. Кроме смены тела, я ничего не сумел придумать. Кто, спросил я тогда себя, принял новое тело в день смерти Сэма? Только Бог Муруган. Логика, конечно, хромала, ибо сделал он это после смерти Сэма, а не до нее. И я временно отложил все это в сторону. Ты — Муруган — был среди тридцати семи подозреваемых и доказал при зондировании свою невиновность. Казалось, что я на ложном пути, пока я не подумал об очень простом способе проверить эту идею. Сам Яма может обойти зондирование, почему же это не под силу и кому-нибудь еще? Тут я вспомнил, что Атрибут Калкина на самом деле включал в себя и контроль над молниями и прочими электромагнитными явлениями. Он мог бы заблокировать и обмануть машину своим мозгом так, что она не заметила бы зла. Значит, чтобы проверить мою идею, нужно было посмотреть не что машина прочла, а как она это сделала. Как и отпечатки пальцев, общие схемы структур рассудка не совпадают у двух разных людей. Но, переходя из тела в тело, каждый переносит за собой подобную мозговую матрицу, хотя и запечатленную в различных мозгах. Независимо от содержащихся в уме мыслей, общая мыслительная структура у каждой личности при любой записи постоянна.

Я сравнил твою запись с записью Муругана, найденной в лаборатории Ямы. Они разные. Я не знаю, как тебе удалось сменить тело, но я узнал, кто ты такой на самом деле.

— Очень умно, Кубера. Кто-нибудь еще ознакомлен со столь странными рассуждениями?

—Еще никто. Однако я боюсь, что Яма догадается довольно скоро. Он всегда разрешает проблемы.

— Почему ты рискуешь жизнью, явившись ко мне со всем этим?

— Обычно человек не достигает твоего — или моего — возраста, не обладая некоторой долей рассудительности. Я знал, что ты, по крайней мере, выслушаешь меня, прежде чем нанести удар. А кроме того, я знаю, что поскольку я собираюсь сказать хорошее, ничего плохого со мной не случится.

— Что ты предлагаешь?

— Мне достаточно симпатичны твои поступки, чтобы помочь тебе ускользнуть с Небес.

— Спасибо, нет.

— Ты бы ведь хотел победить в этом соперничестве, разве нет?

— Да, и я добьюсь этого своим собственным путем.

— Как?

— Я вернусь сейчас в Град и уничтожу столько богов, сколько смогу, пока они меня не остановят. Если погибнут многие из важнейших, остальные не смогут удержать свою твердыню от падения.

— Ну а если ты проиграешь, если падешь ты сам? Что будет тогда с миром и идеями, за которые ты борешься? Сможешь ли ты восстать еще раз, чтобы защитить их?

— Не знаю.

— Как тебе удалось вернуться назад?

— Когда-то мною обладал демон. Он, похоже, преисполнился ко мне некоторой симпатии и, когда мы попали в переделку, сказал мне, что «усилил мое пламя», чтобы я мог существовать независимо от своего тела. Я забыл об этом и не вспоминал до самого того момента, когда увидел лежащее подо мною на улице Града свое собственное искалеченное тело. Я знал только об одном месте, где можно было раздобыть себе новое, — о Павильоне Властителей Кармы. Там оказался Муруган, требовавший, чтобы его обслужили. Как ты заметил, моя сила кроется в управлении электромагнитными явлениями. Ну и как там выяснилось, работает она и без поддержки мозга, — когда цепи были мгновенно переключены и я вошел в новое тело, ну а Муруган пошел ко всем чертям.

— То, что ты мне все это рассказываешь, означает, по-видимому, что меня ты намерен отправить по его стопам.

— Мне бы не хотелось, добрый Кубера, ибо я люблю тебя. Если ты дашь мне слово, что забудешь все, о чем узнал, и подождешь, пока это не откроет кто-нибудь другой, я отпущу тебя живым.

— Ты рискнешь?

— Я знаю, что ты никогда не нарушал своего слова, а ведь ты ровесник небесных холмов.

— Кого из богов ты убьешь первым?

— Яму, конечно, ибо он идет по моим следам.

— Тогда, Сэм, тебе придется убить и меня, ведь он мой брат-локапала и добрый друг.

— Я уверен, что мы оба будем сожалеть, если мне придется убить тебя.

— А может, твое знакомство накоротке с ракшасами привило и тебе некий вкус к азартным играм?

— Какого сорта?

— Выигрываешь ты — и я даю слово ни о чем не говорить. Выигрываю я — и ты улетаешь отсюда со мною на спине у Гаруды.

— А что за состязание ты предлагаешь?

— Ирландский ванька-встанька.

— С тобой, толстый Кубера?.. Ты предлагаешь это мне, в моем великолепном новом теле?

— Да.

— Тогда первый удар — твой.


На темном холме, на дальней окраине Небес Сэм и Кубера застыли друг напротив друга.

Кубера отвел назад правый кулак и затем послал его точно Сэму в челюсть.

Сэм упал, чуть-чуть полежал, медленно поднялся на ноги.

Потирая челюсть, он занял первоначальную позицию.

— Ты сильнее, чем кажешься, Кубера, — сказал он и ударил.

Кубера растянулся на земле, со свистом втягивая воздух.

Он попытался встать, обдумал, как лучше за это приняться, издал отрывистый стон и с трудом поднялся на ноги.

— Не думал, что ты встанешь, — сказал Сэм.

Кубера направился к нему, темная, влажная линия спускалась у него по подбородку.

Когда он занял свою позицию, Сэм дрогнул.

Кубера ждал, глубоко втягивая в себя воздух.

*Беги под покровом серой степи сумерек. Спасайся! За скалу. Прячься! Ярость обращает потроха твои в воду.*

— Бей! — сказал Сэм.

Кубера улыбнулся и ударил его.

Он лежал, и его била мелкая дрожь, и тут слились воедино все голоса ночи: шепот насекомых, дуновение ветра, вздохи трав, — и стали ему внятны.

*Дрожи, как забытый на ветке осенний лист. В груди у тебя глыба льда. В мозгу твоем не осталось слов, только цвета мечутся там в панике...*

Сэм затряс головой и привстал на колени.

*Падай обратно, свернись в клубок и плачь. Ибо так начинается человек, и так же он и кончается. Вселенная — это катящийся черный шар. Он раздавит все, к чему только ни прикоснется. Он катится на тебя. Спасайся! Ты можешь немного выиграть, быть может, час, пока он не настиг тебя...*

Он поднес руки к лицу, опустил их, свирепо уставился на Куберу, встал.

— Ты построил комнату, называемую Страх, — сказал он, — в Павильоне Молчания. Я вспомнил твою силу, старый бог. Но ее не хватит.

*Невидимый конь мчит сквозь угодья твоего разума. Ты узнаешь его по отпечаткам подков, каждый из которых — рана...*

Сэм занял свое место, сжал кулак.

*Небо трещит у тебя над головой. Земля вот-вот разверзнется под ногами. А что за высокая тень встала у тебя за спиной?*

Кулак Сэма дрогнул, но тут же устремился вперед.

Кубера отшатнулся назад, голова его мотнулась в сторону, но он остался на ногах.

Сэм стоял там, и его била дрожь, когда Кубера отвел назад свою правую руку для завершающего удара.

— Старый бог, ты жульничаешь, — сказал он.

Кубера улыбнулся сквозь кровь, и его кулак устремился вперед, словно черный шар.

Яма беседовал с Ратри, когда ночную тишину разорвал крик проснувшегося Гаруды.

— Раньше такого никогда не бывало, — пробормотал он.

Небеса медленно начали раскрываться.

— Быть может, это выезжает Великий Вишну...

— Он никогда не делал этого ночью. Когда я недавно с ним разговаривал, он об этом и словом не обмолвился.

— Значит, кто-то другой из богов рискнул использовать его транспорт.

— Нет! Скорей к загонам, леди! Мне может понадобиться твоя помощь.

И он потащил ее за собой к стальному гнезду Птицы.


Гаруда был уже разбужен и отвязан, но голову его все еще покрывал колпак.

Кубера, принеся сюда Сэма, привязал его, все еще не пришедшего в сознание, к седельному сиденью. Спустившись вниз, он сделал последние приготовления. Верхняя часть клетки откатилась в сторону. Затем, прихватив длинный металлический подкрыльный багор, он направился к веревочной лестнице. От птичьего запаха его мутило, кружилась голова. Гаруда пребывал в беспокойстве, не находя себе места, топорщил перья, каждое из которых вдвое превышало человеческий рост.

Медленно начал карабкаться наверх Кубера.

Когда он пристегивался к седлу, рядом с клеткой появились Яма и Ратри.

— Кубера! Ты что, сошел с ума? — закричал Яма. — Ты же всегда избегал высоты!

— Неотложное дело, Яма, — отвечал тот, — а на то, чтобы снарядить громовую колесницу, уйдет не меньше дня.

— Какое такое дело, Кубера? И почему тебе не взять гондолу?

— Гаруда быстрее. А о деле я расскажу тебе, когда вернусь.

— Я, может быть, могу тебе помочь.

— Нет. Спасибо.

— Ну а Господин Муруган может?

— В этом случае — да.

— Вы же всегда были не в ладах.

— Да и сейчас. Но мне нужна его помощь.

— Эй, Муруган!.. Почему он не отвечает?

— Он спит, Яма.

— У тебя, брат, на лице кровь.

— Да, тут со мной приключился один пустяк.

— Да и с Муруганом, похоже, плохо обошлись.

— Все тот же случай.

— Что-то здесь не так. Подожди, я сейчас зайду в клетку.

— Не ходи, Яма!

— Локапалы не отдают друг другу приказов. Мы равны.

— Не ходи. Яма! Я снимаю с головы Гаруды колпак!

— Не делай этого!

Глаза Ямы вдруг вспыхнули, и внутри своих алых одежд он вроде бы стал выше ростом.

Кубера наклонился вперед и, вытянув багор, сдернул колпак с головы птицы. Гаруда закинул назад голову и испустил новый крик.

— Ратри, — сказал Яма, — покрой тенью глаза Гаруды, чтобы он не мог видеть.

И Яма направился к входу в клетку. Темнота, словно клубящаяся грозовая туча, окутала птичью голову.

— Ратри! — крикнул Кубера. — Сними темноту и опусти ее на Яму — или все пропало!

Лишь миг колебалась Ратри, прежде чем сделать, как он сказал.

— Скорей ко мне! — прокричал он. — Забирайся на Гаруду, полетим вместе. Ты нам очень нужна!

Она вошла в клетку и пропала из виду, ибо темнота все прибывала и прибывала; Яма ощупью пытался найти дорогу в чернильном пруду.

Лестница раскачивалась и дергалась, пока Ратри взбиралась на птицу.

А затем Гаруда вдруг завопил и подпрыгнул, ибо Яма на своем пути размахивал вслепую клинком направо и налево.

На них нахлынула ночь, и через миг Небеса остались далеко внизу.

Когда они набрали высоту, небесный купол начал закрываться.

С новым воплем устремился Гаруда к вратам.

Они успели в них проскочить, и Кубера пришпорил Птицу.

— Куда мы направляемся? — спросила Ратри.

— В Дезират на реке Ведре, — отвечал тот. — А это Сэм. Он жив.

— Что случилось?

— Он — тот, кого разыскивает Яма.

— А не явится ли он за ним в Дезират?

— Без сомнения, леди. Без всякого сомнения. Но до того, как он его отыщет, мы успеем к этому подготовиться.


В предшествовавшие Великой Битве дни стекались в Дезират защитники. Кубера, Сэм и Ратри явились в город с предупреждением. В Дезирате уже знали о мобилизации в соседних городах, но известие о небесных карателях явилось здесь новостью.

Сэм проводил учения с войсками, которым предстояло сражаться против богов, а Кубера взял на себя тех, чьими противниками должны были стать люди.

Черные доспехи выкованы были для богини Ночи, о которой сказано было: «Храни же нас от волка и волчицы, храни от вора нас, о Ночь».

А на третий день перед палаткой Сэма на равнине у города возник столб пламени.

— Это Повелитель Адова Колодезя явился выполнить свое обещание, о Сиддхартха! — зазвенел в голове у Сэма голос.

— Тарака! Как ты нашел и узнал меня?

— Я смотрю на пламя, которое и есть твоя истинная сущность, а не на плоть, ее маскирующую. Ты же знаешь об этом.

— Я думал, ты мертв.

— Я был на грани. Те двое и в самом деле пьют глазами жизнь! Даже жизнь таких, как я.

— Я же тебе говорил. Привел ли ты с собой свои полчища?

— Да, привел.

— Хорошо. Скоро против этого города выступят боги.

— Знаю. Много раз посещал я Град на вершине ледяной горы, а лазутчики мои и сейчас находятся там. Поэтому мне известно, что готовятся они напасть на вас и побуждают людей принять участие в битве. Хотя они и не считают необходимой помощь людей, кажется им полезным объединиться с ними при разрушении Дезирата.

— Да, такую позицию нетрудно понять, — кивнул Сэм, изучая могучий вихрь желтого пламени. — Какие еще у тебя новости?

— Тот, что в Красном, грядет.

— Я его ждал.

— На погибель. Я должен сразить его.

— Учти, что на нем будет демонический репеллент.

— Значит, я найду способ удалить его, или же мне придется убить его на расстоянии. Он будет здесь еще засветло.

— А как он доберется?

— В летающей машине — не такой большой, как громовая колесница, которую мы тогда пытались угнать, но очень быстрой. Я не могу напасть на нее в полете.

— Он один?

— Да — если не считать машин.

— Машин?

— Множества механизмов. Его летательный аппарат просто набит странным оборудованием.

— Это может сулить большие неприятности.

Крутящееся пламя стало оранжевым.

— Но на подходе и другие.

— Ты же сказал, что он летит в одиночку.

— Ну да.

— Так что же ты имеешь в виду?

— Остальные идут не с Небес.

— Откуда же тогда?

— С тех пор как тебя забрали на Небеса, я много путешествовал, я буквально обшарил весь этот мир снизу доверху в поисках союзников среди тех, кто ненавидит Богов и Град. Кстати, в твоей последней инкарнации я на самом деле пытался спасти тебя от кошек Канибуррхи.

— Я знаю.

— Боги действительно сильны — сильнее, чем когда-либо раньше.

— Но скажи же, кто идет нам на помощь.

— Повелитель Ниррити Черный, который ненавидит всех и все, но более всего ненавидит Богов из Небесного Града. Он шлет сражаться на равнине у Ведры свою нежить — тысячу не душ, но штук. Он объявил, что после битвы мы, ракшасы, вольны выбирать себе любые уцелевшие тела выращенных им безмозглых мертвяков.

— Не по нраву мне помощь Черного, но выбирать не приходится. И когда они прибудут?

— Ночью. А раньше появится Далисса. Я уже чувствую ее приближение.

— Далисса? Кто это?..

— Последняя из Матерей Нестерпимого Зноя. Только она одна ускользнула в глубины, когда Дурга и Лорд Калкин обрушились на морской купол. Ей раздавили все яйца, и она больше не может ничего отложить, но внутри своего тела все еще несет она всесжигающую мощь морского зноя.

— И ты что, полагаешь, что она поможет мне?

— Она не поможет никому. Она последняя из своего рода. Она примет участие на равных.

— Тогда знай, что та, которую звали когда-то Дургой, облачена ныне в тело Брахмы, вождя наших врагов.

— Ага, это делает вас обоих мужчинами. Далисса могла бы принять ее сторону, останься Кали женщиной. Но она уже выбрала, на чью сторону встать. Она выбрала тебя.

— Это позволит немного подравнять шансы.

— На сей раз ракшасы пригонят сюда слонов, ящеров и огромных кошек, чтобы натравить их на наших врагов.

— Хорошо.

— И они призвали огненные элементали.

— Отлично.

— Далисса уже неподалеку. Она будет ждать на дне реки, чтобы подняться, когда потребуется.

— Передай ей от меня привет, — сказал Сэм, поворачиваясь, чтобы вернуться к себе в палатку.

— Передам.

И он опустил за собой полог.

Когда Бог Смерти спустился на равнину, тянущуюся вдоль Ведры, набросился на него в облике огромной кошки из Канибуррхи предводитель ракшасов Тарака.

И тут же отскочил назад. Ибо пользовался Яма демоническим репеллентом, и не мог из-за этого Тарака с ним сблизиться.

Взорвалась кошка, чтобы стать круговертью серебряных пылинок.

— Бог Смерти! — взорвались слова в голове у Ямы. — Помнишь Адов Колодезь?

И тут же всосал в себя смерч камни, щебень, обломки скал и швырнул все это издали в Яму, который завернулся в свой плащ, загородил его полою глаза и больше не пошевельнулся.

Через минуту-другую яростный напор иссяк.

Яма не пошевелился. Вся земля вокруг была усеяна мусором — кроме небольшого круга, в котором стоял он, но не было ни одного камня.

Яма опустил плащ и уставился на крутящийся вихрь.

— Что за колдовство? — послышались слова. — Как ты ухитрился устоять?

Яма не сводил с Тараки взгляда.

— Как ты ухитряешься крутиться? — спросил он в ответ.

— Я — величайший из ракшасов. На меня уже падал твой смертельный взгляд.

— А я — величайший из богов. Я выстоял в Адовом Колодезе против всей вашей орды.

— Ты лакей Тримурти.

— Ошибаешься. Я явился сюда, чтобы сражаться здесь с Небесами во имя акселеризма. Велика моя ненависть, и принес я с собой оружие, чтобы поднять его против Тримурти.

— Тогда придется мне, похоже, отложить до лучших времен удовольствие от продолжения нашей схватки...

— Что представляется весьма благоразумным.

— И ты, без сомнения, хочешь, чтобы тебя проводили к нашему вождю?

— Я и сам могу найти дорогу.

— Тогда — до следующей встречи, Владыка Яма...

— До свидания, ракшас.

И Тарака, пылающей стрелой вонзившись в небо, исчез из виду.

Одни говорят, что распутал Яма загадку, пока стоял в огромной клетке среди темноты и птичьего помета. Другие утверждают, что повторил он рассуждения Куберы чуть позже и проверил их с помощью лент, хранящихся в Безбрежных Чертогах Смерти. Как бы там ни было, вступив внутрь палатки, разбитой на равнине неподалеку от полноводной Ведры, обратился он к находившемуся там человеку по имени Сэм. Положив руку на свой клинок, встретил тот его взгляд.

— Смерть, ты опережаешь битву, — сказал он.

— Кое-что изменилось, — ответил Яма.

— Что же?

— Моя позиция. Я пришел сюда, чтобы выступить против воли Небес.

— Каким образом?

— Сталью. Огнем. Кровью.

— В чем причина этой перемены?

— На Небесах в закон вошли разводы. И предательства. Посрамление. Леди зашла слишком далеко,

305

и теперь я знаю причину, Князь Калкин. Я не принимаю ваш акселеризм и не отвергаю его. Для меня важно лишь, что он представляет ту силу, которая способна сопротивляться Небесам. Как к таковой я и присоединяюсь к вам, если ты примешь мой клинок.

— Я принимаю твой клинок, Господин Яма.

— И я подниму его против любого из небесного воинства — кроме только самого Брахмы, с которым от встречи уклонюсь.

— Хорошо.

— Тогда дозволь мне стать твоим колесничим.

— Я не против, но у меня нет боевой колесницы.

— Одну, весьма необычную, я захватил с собой. Разрабатывал я ее очень долго, и она все еще не завершена. Но хватит и этого. Нужно собрать ее сегодня же ночью, ибо завтра с рассветом разгорится битва.

— Я предчувствую это. Ракшасы к тому же предупредили, что неподалеку передвигаются войска.

— Да, пролетая над ними, я это заметил. Главное направление удара — с северо-востока, со стороны равнины. Позже вступят и боги. Ну а отдельные отряды будут, без сомнения, нападать и с других направлений, в том числе и с реки.

— Реку мы контролируем. Зной Далиссы дожидается на дне. Когда придет ее час, она сможет поднять могучие волны, вскипятить их и залить ими берега.

— Я думал, что Зной стерт с лица земли!

— Кроме нее. Она последняя.

— Как я понимаю, с нами будут и ракшасы?

— Да, и не только...

— А кто еще?

— Я принял помощь — полчище, отряд безмозглых тварей — от Властелина Ниррити.

Глаза Ямы сузились, ноздри раздулись.

— Это нехорошо. Рано или поздно, но его все равно надо будет уничтожить, и не стоило залезать к нему в долги.

— Знаю, Яма, но положение у меня отчаянное. Они прибывают сегодня ночью...

— Если мы победим, Сиддхартха, низвергнем Небесный Град, подорвем старую религию, освободим человека для индустриального прогресса — все равно останутся у нас противники. И тогда уже надо будет бороться и низвергать Ниррити, веками дожидавшегося, пока боги уйдут со сцены. А если нет, так опять все то же самое — а Боги Града обладали, по крайней мере, некоторой толикой такта в своих неправедных деяниях.

— Думаю, он пришел бы к нам на помощь в любом случае, просили бы мы его об этом или нет.

— Да, но, позвав его — или приняв его предложение, — ты теперь ему кое-чем обязан.

— Я начну разбираться с этим, когда на то будет нужда.

— Ну да, это политика. Но мне это не по нраву.

Сэм налил темного и сладкого вина Дезирата.

— Думаю, что Кубера будет рад тебя увидеть, — сказал он, поднося Яме кубок.

— А чем он занят? — спросил тот, принимая сосуд, и тут же его залпом осушил.

— Обучает войска и ведет курс лекций по двигателям внутреннего сгорания для всех местных ученых, — ответил Сэм. — Даже если мы проиграем, кто-то может уцелеть и всплыть где-то еще.

— Если это действительно будет когда-то использовано, им следовало бы знать не только устройство двигателей...

— Он уже охрип, он говорит целыми днями, а писцы трудятся, записывая все, что он сказал, — по геологии, горному делу, металлургии, нефтехимии...

— Будь у нас больше времени, я бы помог в этом. Ну а сейчас, даже если уцелеет всего процентов десять, этого может быть достаточно. Не завтра или послезавтра, но...

Сэм допил свое вино и вновь наполнил кубки.

— За день грядущий, колесничий!

— За кровь, Бич, за кровь и за погибель!

— Кровь может быть и нашей, Бог Смерти. Но коли мы прихватим за собой достаточно врагов...

— Я не могу умереть, Сиддхартха, кроме как по собственному выбору.

— Как это может быть, Господин Яма?

— Пусть у Смерти останутся свои маленькие секреты. Да я могу и отказаться от права выбора в этой битве.

— Как пожелаешь, Господин.

— За твое здоровье и долгую жизнь.

— За твои.

Рассвет в день битвы выдался розовым, как свежеотшлепанное девичье бедро.

С реки тянулся легкий туман. На востоке золотом горел Мост Богов, погружаясь другим своим, темнеющим концом в отступающую ночную мглу, словно пылающим экватором делил пополам небеса.

На равнине у Ведры ждали своего часа воины Дезирата. Пять тысяч человек, вооруженных мечами и луками, пиками и пращами, дожидались битвы. Стояла в первых рядах и тысяча зомби, ведомых живыми сержантами Черного, которые управляли всеми их движениями посредством барабанного боя; легкий утренний ветерок перебирал шарфы черного шелка, которые, словно змейки дыма, вились над их шлемами.

Сзади расположились пятьсот копейщиков. В воздухе серебряными вихрями висели ракшасы. Временами откуда-то из еще не рассеявшихся сгустков тени доносился рык какого-то дикого обитателя джунглей. Огненные элементали рдели на концах веток, на наконечниках копий, на флагштоках и вымпелах.

Ни одно облачко не омрачало небесную лазурь. Трава еще сохранила утреннюю влагу и сверкала россыпью росинок. В рассветной прохладе почва хранила ночную мягкость и готова была оставить на себе отпечатки попирающих ее ног. Под небесами глаза переполняли серые, зеленые, желтые тона.

Ведра вскипала меж берегов водоворотами, собирая листья с обступивших ее гурьбой деревьев. Говорят, что повторяет вкратце каждый день историю всего мира, медленно проступает из темноты и хлада, пробуждаемый чуть брезжущим светом и нарождающимся теплом, расцветает утро — и щурится уже пробудившееся сознание сквозь сумятицу алогичных мыслей и ералаш не связанных друг с другом эмоций, к полудню все дружно устремляется к строгости порядка, чтобы потом медленно, горестно течь под уклон, сквозь скорбный упадок сумерек, мистические видения вечернего полумрака, — к энтропийному концу, каковым снова оказывается ночь.

Наступил день.

На дальнем краю поля виднелась черная линия. Острый звук трубы прорезал воздух, и линия эта двинулась вперед.

Сэм стоял на боевой колеснице во главе своих войск, блестели его вороненые доспехи, смерть таило в себе длинное серое копье. Послышались слова облаченной в алое Смерти, его колесничего:

— Первая волна — это ящерная кавалерия.

Прищурясь, Сэм всматривался в далекую линию.

— Вот они, — сказал возница.

— Отлично.

Он взмахнул копьем, и, словно белопенный прибой, устремились вперед белые огни ракшасов. Шагнули вперед зомби.

Когда сошлись друг с другом белая волна и темная линия, разнесся по всему полю гвалт смешавшихся воедино голосов, шипение и бряцание оружия.

Остановилась темная линия, поднялись над нею огромные сгустки пыли.

А затем все покрыли звуки пробуждающихся джунглей, это во фланг противнику пущены были собранные по лесам хищники.

Под медленный, размеренный ритм барабанов маршировали зомби, а перед ними текли вперед огненные элементали, и блекла и выцветала трава на их пути.

Сэм кивнул Смерти, и их колесница медленно двинулась с места, мягко покачиваясь на своей воздушной подушке. У него за спиной зашевелилось воинство Дезирата. Владыка Кубера спал в это время мертвым сном, наглотавшись снотворных, в сокровенном укрытии под городом, Госпожа Ратри на черной кобыле следовала за рядами копейщиков.

— Их атака отбита, — сказала Смерть.

— Да.

— Вся их кавалерия расстроена, и звери все еще свирепствуют среди нее. Они до сих пор не перестроили свои порядки. Ракшасы обрушились на них с небес, как ливень. А теперь их настиг огненный поток.

— Да.

— Мы уничтожим их. Как раз сейчас видят они, как безмозглые выпестыши Ниррити наступают на них, вышагивая все как один, в ногу и без страха, под равномерный и жуткий барабанный бой, — и ничего нет у них в глазах, ничего. А над головами зомби видят они нас, словно окруженных грозовой тучей, и видят они, что

Смерть правит твоей колесницей. И чаще бьются их сердца, и холод сковывает их члены. Видишь, как рыщут среди них дикие звери?

— Да.

— Пусть не трубит никто в наших рядах победу, Сиддхартха. Ибо это не битва, а бойня.

— Да.

Зомби убивали всех, кто попадался им на пути, а когда падал кто-то из них самих, не раздавалось ни слова, ни звука, ибо им было все равно, а слова для нежити ничего не значат.

Они прошлись по всему полю, и все новые волны воинов обрушивались на них. Но кавалерия была разбита, пехотинцы же не могли устоять против копейщиков и ракшасов, зомби и пехоты Дезирата.

Острыми как бритва лезвиями прорезала колесница ряды врагов, словно пламя, пролетая по полю, управляемая Смертью. Посылаемые в нее снаряды и копья сворачивали в полете на полпути под прямым углом и падали далеко от боевой машины и ее экипажа. Темное пламя плясало в глазах Смерти, а сам колесничий, казалось, слился с двумя кольцами-близнецами, при помощи которых управлял он своим детищем. Снова и снова безжалостно направлял он его на врагов, и копье Сэма жалило, словно жало змеи, когда они проносились сквозь их ряды.

Откуда-то прозвучал сигнал к отступлению. Но почти некому было к нему прислушаться.

— Утри слезы, Сиддхартха, — сказала Смерть, — и перестрой войска. Пришло время усилить натиск. Меченосец Манжушри должен отдать приказ о наступлении.

— Да, Смерть, я знаю.

— Поле осталось за нами, но еще не вечер. Боги наблюдают, оценивая наши силы.

Сэм подал поднятым копьем сигнал, и его войска всколыхнулись. Затем они вновь замерли на месте. Вдруг все стихло, ни ветерка, ни звука, повсюду разлилась неподвижность. Синело небо. Утоптанное тысячами ног, серо-зеленым ковром расстилалось поле. Вдали, словно призрачная ограда, висела пыль.

Сэм оглядел ряды своего воинства и взмахнул копьем.

В этот миг ударил гром.

— На поле выходят боги, — сказала Смерть, глядя вверх.

Над ними пронеслась громовая колесница. Но ливень разрушения не хлынул им на головы.

— Почему мы еще живы? — спросил Сэм.

— Я думаю, они хотят, чтобы наше поражение было как можно более позорным. К тому же они, наверное, боятся обратить громовую колесницу против ее создателя — и правильно делают.

— В таком случае... — сказал Сэм и подал своим войскам сигнал к наступлению.

Колесница вынесла его вперед.

За ним двинулось воинство Дезирата.


Они порубили отставших. Они прорвались сквозь гвардию, которая пыталась их задержать. Под тучей стрел перебили они лучников. И лицом к лицу сошлись с основной массой святых воителей, давших обет стереть с лица земли город Дезират.

И тут протрубили небесные трубы.

Расступились ряды воителей-людей.

Выехало пятьдесят полубогов.

Сэм поднял копье.

— Сиддхартха, — сказала Смерть, — никогда не был Князь Калкин побежден в битве.

**312**      — Знаю.

— Со мной Талисман Бича. На костре у Миросхода сгорела подделка. Я подменил его, чтобы изучить на досуге. Досуга у меня, правда, не было. Постой минуту, я надену его на тебя.

Сэм поднял руки, и Смерть застегнула у него на талии пояс из раковин.

Он подал своим войскам знак остановиться.

Смерть мчала его в одиночку навстречу полубогам.

Над головами некоторых из них переливались нимбы зачаточных Обликов. Другие несли странное оружие, чтобы сфокусировать на нем странные свои Атрибуты. Языки пламени лизнули колесницу. Ветры налетели на нее. Обрушился грохот. Сэм взмахнул копьем, и первые трое из его противников зашатались и рухнули со спин своих ящеров.

Смерть устремила на них свою колесницу.

Как бритва остры были косы, которые приладила Смерть к своей колеснице; и была она втрое быстрее лошади и вдвое — ящера.

Туман окутал Сэма, туман, подкрашенный кровью. Навстречу ему неслись тяжелые снаряды — и исчезали то с одной, то с другой стороны от колесницы. Сверхзвуковой вой заполнял его уши, но что-то ослабляло его до терпимых пределов.

Не меняясь в лице, воздел Сэм свое копье высоко над головой.

И вдруг вспышка неожиданной ярости исказила его лицо, и с наконечника копья ударили в ответ молнии.

Опалило, обуглило ящеров и их всадников.

Ноздри Сэма раздулись от запаха горелой плоти.

Он засмеялся, и Смерть развернула колесницу для новой атаки.

— Смотрите ли вы на меня? — прокричал Сэм в небо. — Смотрите — и остерегайтесь! Ибо вы ошиблись!

— Не надо! — вмешалась Смерть. — Слишком рано! Никогда не насмехайся над богом, пока с ним не покончено!

И еще раз промчалась колесница сквозь ряды полубогов, и ни одному не удалось коснуться ее.

Разнесся призыв трубы, и священное ополчение ринулось на помощь.

Навстречу им двинулись воины Дезирата.

Сэм стоял на своей колеснице, и вокруг него с грохотом падали тяжелые снаряды, но ни один из них не достиг цели. Смерть раз за разом устремляла колесницу сквозь ряды врагов, то словно вбивая в них клин, то будто пронзая рапирой. Сэм пел. И копье его было словно жало змеи, иногда с наконечника слетали яркие искры, а Талисман светился бледным огнем.

— Мы их осилим! — обратился он к колесничему.

— Сейчас на поле только полубоги и люди, — отвечала Смерть. — Они все еще испытывают нашу мощь. Почти не осталось тех, кто помнит истинную силу Калкина.

— Истинную силу Калкина? — переспросил Сэм. — Ни разу не была она проявлена, о Смерть. За все века этого мира... Пусть же выступят теперь они против меня, и оплачет небо их тела, и обагрятся воды Ведры их кровью... Вы слышите меня? Вы слышите меня, боги? Где же вы? Я вызываю вас, здесь, на этом поле! Выходите против меня со всей вашей силой, явитесь сюда!

— Нет! — перебила Смерть. — Еще рано!

Над ними опять показалась громовая колесница.

Сэм поднял копье, и вокруг пролетающей машины разверзся пиротехнический ад.

— Тебе не следует выдавать себя! Пусть они пока не догадываются, на что ты способен!

Сквозь грохот боя и пение внутри собственного мозга до него донеслись слова Тараки:

— Они поднимаются по реке, Бич! А другой отряд осаждает ворота города!

— Передай Далиссе, чтобы она бралась за дело. Пусть вскипятит своим Зноем воды Ведры. А ты со своими ракшасами отправляйся к воротам Дезирата и уничтожь захватчиков!

— Слушаюсь, Бич! — и Тарака исчез.

Луч ослепительного света пронизал, вырвавшись из громовой колесницы, ряды защитников.

— Пора, — сказала Смерть и взмахнула плащом.

В задних рядах леди Ратри привстала в стременах своей вороной кобылы. Она откинула черную вуаль, покрывавшую ее доспехи.

И закричали от страха оба воинства, ибо прикрыло солнце лик свой, и тьма снизошла на ратное поле. Зачах росток света, пробивавшийся из громовой колесницы, не под силу ему больше было обжечь кого-нибудь, а затем и вовсе исчез.

Лишь слабое, непонятно откуда исходившее свечение окружало их, когда ринулся на поле Владыка Мара — в своей переливчатой колеснице изменчивых цветов и очертаний, влекомой лошадьми, изрыгающими реки дымящейся крови.

Навстречу ему устремился Сэм, но помешали ему толпы воинов, и прежде чем прорубился он сквозь них, умчался Мара прочь, убивая всех на своем пути.

Поднял тогда копье Сэм и нахмурился, но цель его колебалась, меняла очертания, и все его перуны падали то по сторонам от нее, то позади.

Вдалеке, в водах реки начал разгораться приглушенный свет. Он медленно пульсировал, и в какой-то момент над водой показалось нечто, напоминающее щупальце.

Со стороны города доносились звуки битвы. Воздух был наполнен демонами. Почва, казалось, шевелилась под ногами ратников.

Опять воздел Сэм свое копье, и ломаная линия света ударила из него в небосвод, заставляя его разразиться на головы сражающихся десятком-другим молний.

Дикие звери рычали, выли, ревели, опустошая без разбора ряды и того и другого воинства.

Подгоняемые сержантами, ведомые бесперебойным пульсом барабанов, продолжали убивать всех и каждого зомби; огненные элементали льнули к груди павших, будто питаясь плотью.

— Полубоги разбиты, — проговорил Сэм. — Перейдем к Владыке Маре.

В поисках его они пересекли поле — среди тех, кто скоро станет трупами, и среди тех, кто ими уже стал.

Завидев радужные цвета колесницы сновидца, пустились они в погоню.

Наконец он развернул свою колесницу и встретил их в коридоре темноты, куда с трудом, будто издалека, долетал шум боя. Смерть тоже натянула поводья, и они пожирали друг друга сквозь ночную тьму пылающими глазами.

— Может, ты все-таки остановишься и примешь бой? — закричал Сэм. — Или нам придется прикончить тебя походя, как собаку?

— Не говори мне о своем отродье, кобеле и суке, о Бич! — отвечал тот. — Это ведь ты, не так ли, Калкин? Это твой пояс. Это твой стиль боя, когда вызванные тобою молнии поражают без разбору друзей и врагов. Значит, ты как-то все-таки выжил?

— Да, это я, — сказал Сэм, взвешивая в руке копье.

— И бог падали правит твоей колымагой!

Смерть подняла свою левую руку ладонью вперед.

— Обещаю тебе, Мара, смерть, — сказала она. — Если не от руки Калкина, то от моей собственной. Если не сегодня, то позже.

Слева пульсация в реке все учащалась.

Смерть наклонилась вперед, и колесница устремилась к Маре.

Кони сновидца заржали и, выпустив из ноздрей струи пламени, прянули вперед.

Стрелы Рудры отыскали их в темноте, но и они пронеслись, не задев Смерть и ее колесницу, и взорвались поблизости, на мгновение чуть сильнее осветив окрестность.

Издалека доносился тяжелый топот и пронзительный визг слонов, которых гнали по равнине ракшасы.

Раздался оглушительный рев.

Мара вырос в гиганта, горою стала его колесница. Вечность ложилась под копыта его коней. Молния сорвалась с копья Сэма, словно брызги с фонтана. Вокруг него закружила вьюга, и сам холод межзвездных бездн выстудил вдруг все у него внутри.

В последний момент отвернул Мара свою колесницу в сторону и соскочил с нее.

Они врезались ей прямо в борт, снизу донесся скрежет, и они медленно опустились на землю.

К тому времени они, казалось, просто оглохли от рева; пульсирующий свет с реки разлился над нею ровным заревом. Волна смешанной с паром воды выплеснулась из Ведры на берег, покатилась по полю.

Раздались новые вопли, не затихая громыхало и лязгало оружие. Где-то в темноте едва различимо продолжали бубнить барабаны Ниррити, а сверху донесся странный звук, словно громовая колесница пикировала на них.

— Куда он делся? — прокричал Сэм.

— Спрятался, — отвечала Смерть. — Но он не может спрятаться навсегда.

— Проклятие! Что это, победа или поражение?

— Отличный вопрос. Но увы, я не знаю, каков на него ответ.

Волны пенились вокруг стоявшей на земле колесницы.

— Ты можешь опять запустить ее?

— Только не в темноте, когда все заливает вода.

— Что же тогда нам делать?

— Запастись терпением и перекурить это дело.

Он откинулся назад и зажег огонек.

Чуть погодя в воздухе над ними завис один из ракшасов.

— Бич! — обратился он к Сэму. — Новые отряды нападающих на город пропитаны той мерзостью, приблизиться к которой нам не дано!

Сэм поднял копье, и с его острия сорвалась молния.

На какое-то мгновение все поле осветилось ослепительной вспышкой.

Повсюду валялись убитые. Местами они образовали небольшие кучи. Некоторые и в смерти были сплетены с соперниками. Там и сям виднелись трупы животных. Кое-где еще крались в поисках поживы огромные кошки. Огненные элементали отступали перед водой, которая занесла илом и грязью павших и насквозь промочила тех, кто еще мог стоять. Холмами возвышались над равниной сломанные колесницы и павшие ящеры. И сквозь все это брели, продолжая подчиняться приказу, зомби, убивая все живое, что двигалось и шевелилось перед ними, и пусты были их глаза. Вдалеке, иногда запинаясь, продолжал рокотать один из барабанов. Со стороны города доносился шум непрекращающейся схватки.

— Найди леди в черном, — сказал Сэм ракшасу, — и скажи, чтобы она убрала мглу.

— Хорошо, — сказал демон и умчался обратно к городу.

Опять засверкало солнце, и Сэм прикрыл глаза от его лучей.

Еще ужаснее оказалась резня под голубым небом и золотым мостом.

Поперек поля высилась над землей громовая колесница.

Зомби убили последних уцелевших людей. Потом оглянулись, чтобы поискать очередную добычу, и в этот момент барабан стих и сами они упали на землю.

Сэм и Смерть стояли в своей колеснице и оглядывали поле в поисках признаков жизни.

— Ничто не движется, — сказал Сэм. — Где же боги?

— Быть может, в громовой колеснице.

Опять появился ракшас.

— Защитники не в состоянии удержать город, — доложил он.

— Участвуют ли в штурме боги?

— Там Рудра, и его стрелы наделали много бед. Там же Господин Мара. И Брахма, я думаю, тоже — и еще много других. Там все смешалось, а я торопился.

— А где леди Ратри?

— Она вступила в Дезират и ждет там в своем Храме.

— А где остальные боги?

— Не знаю.

— Я иду в город, — заявил Сэм, — его защищать.

— Ну а я отправлюсь к громовой колеснице, — сказала Смерть, — попробую использовать ее против врагов, если ее еще можно как-то использовать. Ну а нет — так остается еще Гаруда.

— Хорошо, — сказал Сэм и поднялся в воздух.

Смерть спрыгнула с колесницы.

— Удачи тебе!

— И тебе.

И они, каждый по-своему, покинули место гекатомбы.

Дорога шла чуть в гору, и его красные кожаные сапоги бесшумно ступали по влажному дерну.

Закинув алый плащ за правое плечо, он критически оглядел громовую колесницу.

— Она пострадала от молний.

— Да, — кивнул он.

И посмотрел на говорившего: тот стоял у самого хвостового оперения.

Доспехи его сверкали, как бронза, хоть и не из бронзы были они сделаны.

Казалось, что состоят они из множества змей.

Его вороненый шлем украшали бычьи рога, а в левой руке держал он сверкающий трезубец.

— Блестящая карьера, брат Агни.

— Я больше не Агни, я теперь Шива, Владыка Разрушения.

— Ты носишь на новом теле его доспехи и вооружен его трезубцем. Но никому не под силу так быстро научиться пользоваться этим трезубцем. Вот почему на правой твоей руке белеет перчатка, вот откуда очки у тебя на лбу.

Шива поднял руку и опустил очки на глаза.

— Да, так оно и есть. Брось трезубец, Агни. Отдай мне свою перчатку, жезл, пояс и очки.

Тот покачал головой.

— Я уважаю твою силу, бог Смерти, твою скорость и мощь. Но ты ушел слишком далеко от их источников, и они тебе больше не помогут. Тебе до меня не добраться, я сожгу тебя издалека, пока ты не приблизился. Ты, Смерть, умрешь.

**320**

И он потянулся к поясу за своим жезлом.

— Ты собираешься обратить дар Смерти против нее самой?

И в руке у него появилась кроваво-красная сабля.

— Пока, Дхарма. Дни твои подошли к концу.

Он поднял жезл.

— Во имя когда-то существовавшей между нами дружбы, — произнес облаченный в алое, — я сохраню тебе жизнь, если ты сдашься мне.

Жезл качнулся.

— Ты убил Рудру, защищая имя моей жены.

— Я защищал честь локапал, одним из которых был я сам. Ну а теперь я — Бог Разрушения, я одно с Тримурти!

Он нацелил огневой жезл, и Смерть взмахнула перед собой алым плащом.

Столь ослепительна была последовавшая вспышка, что в двух милях от громовой колесницы защитники Дезирата замерли на миг на стенах города, удивляясь ее источнику.

Захватчики вступали в Дезират. Их окружал огонь, стоны, удары металла о дерево, скрежет металла о металл.

Ракшасы обрушивали на врагов, с которыми не могли сойтись в схватке, целые здания. Немногочисленны были вступившие в город, немногочисленны были и его защитники. Большая часть обеих армий пала на равнине у реки.

Сэм стоял наверху самой высокой башни Храма и смотрел вниз, как рушится город.

— Я не смог спасти тебя, Дезират, — мрачно промолвил он. — Я пытался, но этого не хватило.

Далеко внизу, на улице, Рудра натянул свой лук.

Увидев это, Сэм поднял копье.

И ударили в Рудру молнии, взорвались его стрелы.

Когда дым рассеялся, на месте Рудры виднелся лишь небольшой кратер в середине выжженной площадки земли.

Вдалеке, на одной из крыш появился Господин Вайю, он посылал ветра раздувать пожары. Опять поднял было Сэм свое копье, но уже дюжина Вайю стояла на дюжине крыш.

— Мара! — воззвал Сэм. — Покажись, сновидец! Если осмелишься!

Сразу отовсюду донесся до него смех.

— Когда я буду готов, Калкин, — донесся до него голос из пропитанного дымом воздуха, — я осмелюсь. Но выбирать буду я... А у тебя не кружится голова? Что произойдет, если ты бросишься вниз? Явится и подхватит тебя ракшас? Спасут ли тебя твои демоны?

И тут ударили молнии сразу во все дома, стоявшие вокруг Храма, но покрыл грохот разрушений смех Мары. И растаял вдали под треск новых костров.

Уселся Сэм и продолжал смотреть, как горит город. Затихли звуки сражения. Осталось одно пламя.

Острая боль пронзила его мозг, отступила. Затем вновь пришла и более уже не уходила. Затем охватила все его тело, и он закричал.

Внизу, на улице стояли Брахма, Вайю, Мара и четыре полубога.

Он попытался поднять копье, но рука его дрожала, он не удержал древко в руке, копье со стуком упало на камень и откатилось в сторону.

Скипетр, состоявший из колеса и черепа, уставил свои глазницы прямо на него.

— Спускайся, Сэм! — крикнул, слегка пошевелив им, Брахма, и боль огненной волной перекатилась по телу. — Кроме тебя и Ратри, в живых никого не осталось! Ты последний! Сдавайся!

Он боролся, чтобы подняться на ноги, ему удалось положить руки на пояс, на свой светящийся пояс.

Покачнувшись, он пробормотал сквозь крепко сжатые зубы:

— Хорошо! Я спущусь, среди вас упадет бомба!

Но тут небо потемнело, посветлело, вновь потемнело. Оглушительный крик покрыл рев ненасытного пламени.

— Это Гаруда! — воскликнул Мара.

— Что здесь делать Вишну — теперь-то?

— Гаруду же украли! Ты что, забыл?

Огромная птица пикировала на охваченный пожаром город, словно стремящийся к своему пылающему гнезду исполинский феникс.

Сэм с трудом взглянул вверх и увидел, как вдруг на глаза Гаруде опустился колпак. Птица взмахнула крыльями и, словно свинцовая, продолжала падать туда, где перед Храмом стояли боги.

— Красный! — вскричал Мара. — Седок! Он в красном!

Брахма повернулся и обеими руками направил свой вопящий скипетр на голову пикирующей птицы.

Мара взмахнул рукой, и крылья Гаруды, казалось, вспыхнули.

Вайю поднял вверх обе руки, и ураганный ветер обрушился на вахану Вишну, чей клюв сминает колесницы.

Еще раз вскричал Гаруда, расправив крылья, чтобы замедлить падение. Вокруг его головы суетились ракшасы, тычками и подзатыльниками подталкивая вниз.

Падение его замедлялось, замедлялось, но прекратиться не могло.

Боги бросились врассыпную.

Гаруда рухнул на землю, и земля содрогнулась.

Среди перьев на его спине появился Яма с клинком в руке, он сделал три шага и повалился на мостовую. Из развалин возник Мара и дважды ударил его сзади по затылку ребром ладони.

Еще до второго удара Сэм прыгнул вперед, но не успел достичь земли вовремя. Вновь завопил скипетр, и все закружилось вокруг него. Изо всех сил боролся он, чтобы остановить падение, но смог его лишь замедлить.

Земля была под ним в пятнадцати метрах... в десяти... в пяти...

Сначала она была подернута мутно-кровавой пеленой, потом стала просто черной...

— Наконец-то Князь Калкин сражен в битве, — мягко сказал кто-то.


Брахма, Мара да два полубога, Бора и Тикай, вот и все, больше некому было конвоировать Сэма и Яму из умирающего города Дезирата на реке Ведре. А перед ними брела леди Ратри с веревочной петлей на шее.

Они забрали Сэма и Яму в громовую колесницу, которая была в еще более плачевном состоянии, чем сразу после падения: в правом борту ее зияла огромная дыра, а часть хвостового оперения исчезла неизвестно куда. Они сковали пленников цепями, сняв с них предварительно Талисман Бича и малиновый плащ Смерти. Они связались с Небесами, и вскоре за ними прибыла гондола.

— Мы победили, — сказал Брахма. — Дезирата больше нет.

— Дорогая победа, на мой взгляд, — сказал Мара.

— Но мы победили!

— А Черный опять шевелится.

— Он хотел лишь испытать нашу силу.

— И что он должен о ней решить? Что мы потеряли всю армию? И даже нескольких богов?

— Мы бились со Смертью, ракшасами, Калкином, Ночью и Матерью Зноя. После такой победы Ниррити не осмелится вновь поднять на нас руку.

— Могуч Брахма, — сказал Мара и отвернулся.


Властители Кармы вызваны были, чтобы судить пленных.

Леди Ратри изгнана была из Града и осуждена на пребывание в мире простой смертной, воплощенной всегда в располневшие немолодые тела, которые не могли принять на себя ее Облик или Атрибуты. Так милостиво обошлись с ней, поскольку решено было, что стала она заговорщицей случайно, неосторожно доверившись Кубере.

Когда послали за Владыкой Ямой, дабы предстал он перед судом, то обнаружили в камере лишь его мертвое тело. Оказалось, что у него в тюрбане спрятана была маленькая металлическая коробочка. И она взорвалась.

После вскрытия Властители Кармы дали свои разъяснения.

— Почему он не принял яд, если хотел умереть? — спросил Брахма. — Легче скрыть пилюлю, чем мину.

— Теоретически возможно, — сказал один из Властителей, — что где-то в мире он заготовил другое тело, в которое намеревался себя переслать при помощи самовзрывающегося по завершении работы устройства.

— Такое возможно?

— Нет, конечно. Аппаратура для передачи громоздка и сложна. Яма, правда, хвастался, что он может все. Однажды он пытался меня убедить, что подобный прибор можно построить. Но контакт между двумя телами должен быть непосредственным и осуществляться при помощи многих проводов и кабелей. И никакое миниатюрное устройство не способно развить нужную мощность.

— Кто построил вам психозонд? — спросил Брахма.

— Господин Яма.

— А Шиве громовую колесницу? А Агни огневой жезл? Грозный лук Рудре? Трезубец? Пресветлое Копье?

— Яма.

— Я бы хотел сообщить вам, что примерно в то же время, когда, должно быть, работала эта крошечная коробочка, сам собою включился главный генератор в Безбрежных Чертогах Смерти. Он проработал неполных пять минут и сам же отключился.

— Была передача?

Брахма пожал плечами.

— Пора наказать Сэма.

Что и было сделано. И поскольку один раз он уже умирал и это не дало желаемого эффекта, на сей раз решено было не ограничиваться смертным приговором.

И он был перенесен. Но не в другое тело.

Возвели радиобашню, Сэма, накачав наркотиками, должным образом подготовили к переносу, облепив проводами и датчиками. Но связаны те были не с другим телом, а с особым преобразователем.

И излучен был его атман через открывшийся купол прямо в огромное магнитное облако, окружавшее всю планету и прозывавшееся Мостом Богов.

И даровано ему было затем уникальное отличие: единственным на Небесах дважды прошел он через погребальные обряды. Ну а для Ямы это были первые похороны, и, глядя, как поднимается ввысь дым от костров, гадал Брахма, где он сейчас на самом деле.

— Будда погрузился в нирвану, — возвестил Брахма. — Молитесь по Храмам! Пойте на улицах! Во славе ушел он! Преобразовал он старую религию, и лучше мы теперь, чем были когда-либо! Пусть всякий, кто не согласен, вспоминает Дезират!

Так оно и было.

Но так и не нашли они Владыку Куберу.

Демоны разгуливали на свободе.

Наращивал силы Ниррити.

То тут, то там находился кто-то, кто помнил бифокальные очки или бурление ватерклозета, нефтехимию или двигатели внутреннего сгорания — и день, когда отвратило солнце лик свой от правосудия Небес.

А Вишну говаривал, что наконец-то явилось на Небеса запустение.

## VII

*Еще одним именем, которым его называли, было Майтрея, что означает Князь Света. Вернувшись из Золотого Облака, отправился он во Дворец Камы в Хайпуре, чтобы собраться с силами и приготовиться к последнему дню юги. Обмолвился однажды один мудрец, что никому не дано встретить этот день, лишь потом узнаешь, что же произошло. Ибо не отличить его рассвет от любого другого рассвета, и течет он, как все, переиначивая историю мира. Иногда звали его Майтрея, что значит Князь Света...*

Мир — это жертвенный огонь, солнце — его топливо, солнечные лучи — дым, день — пламя, стороны света — угли и искры. На этом огне вершат боги подношение веры. Из подношения этого рождается Царь Луна.

Дождь, о Гаутама, это огонь, год — его топливо, облака — дым, молния — пламя, угли, искры. На этом огне вершат боги подношение Царя Луны. Из подношения этого рождается дождь.

Мир, о Гаутама, это огонь, земля — его топливо, огонь — дым, ночь — пламя, луна — угли, звезды — искры. На этом огне вершат боги подношение дождя. Из подношения этого возникает пища.

Мужчина, о Гаутама, это огонь, его открытый рот — это топливо, дыхание — дым, речь — пламя, глаз — угли, ухо — искры. На этом огне вершат боги подношение пищи. Из подношения этого возникает детородная сила.

Женщина, о Гаутама, это огонь, тело ее — его топливо, волосы — дым, лоно — пламя, наслаждения — угли и искры. На этом огне вершат боги подношение детородной силы. Из подношения этого рождается человек. Он живет столько, сколько суждено ему прожить.

Когда человек умирает, уносят его, чтобы предать огню. Огонь становится его огнем, топливо — его топливом, дым — дымом, пламя — пламенем, угли — углями, искры — искрами. На этом огне вершат боги подношение человека. Из подношения этого выходит человек в сияющем величии.

*Брихадараньяка упанишада (VI, 2, 9—14)*

В высоком синем дворце, увенчанном стройными шпилями и украшенном филигранью резных дверей, где воздух пропитан терпкой морской солью и пронизан криками населяющих прибрежье тварей, отчего быстрее бьется сердце и сильнее жаждешь жизни и ее удовольствий, Господин Ниррити Черный допрашивал приведенного к нему человека.

— Как тебя зовут, мореход? — спросил он.

— Ольвагга, Господин, — отвечал капитан. — Почему перебил ты всю мою команду, а меня оставил в живых?

— Потому что я желаю допросить тебя, Капитан Ольвагга.

— О чем же?

— О многом. О том, что старый морской волк может вызнать в своих скитаниях. Хорошо ли я контролирую южные морские линии?

— Лучше, чем я думал, иначе меня здесь не было бы.

— Многие боятся рисковать, да?

— Да.

Ниррити подошел к окну и, повернувшись к пленнику спиной, долго смотрел на море. Потом снова заговорил:

— Я слышал, что немалых успехов добилась на севере наука со времен, гм, битвы при Дезирате.

— Я тоже слыхивал об этом. И знаю, что так оно и есть. Сам видел паровую машину. Печатные станки вошли в обиход. Ноги мертвых ящеров дергаются от знакомства с гальванизмом. Повысилось качество стали. Вновь изобрели микроскоп и телескоп.

Ниррити обернулся к нему, и некоторое время они изучали друг друга.

Ниррити был маленьким человечком с огоньком в глазах, мимолетной улыбкой, темными волосами, забранными серебряным обручем, вздернутым носом и глазами под цвет его дворца. Одет он был во все черное, а кожа его, похоже, давно не встречала солнечных лучей.

— А почему Боги из Града не смогли это предотвратить?

— Мне кажется, что они просто ослабели, в чем ты, наверное, и хочешь убедиться, Господин. После холокоста на Ведре они вроде бы боятся искоренять прогресс машинерии силой. А еще говорят, что внутри Града сейчас свои распри — между полубогами и уцелевшими из старших. К этому добавляется проблема новой религии. Люди нынче не боятся Небес, как раньше. Они способны постоять за себя; и теперь, когда они лучше подготовлены, боги уже не спешат вступать с ними в открытые конфликты.

— Значит, Сэм победил. Через годы он разбил их.

— Да, Ренфрю. Думаю, ты прав.

Ниррити бросил быстрый взгляд на двух стражников, стоявших по бокам Ольвагги,

— Ступайте, — приказал он и затем, когда они вышли, добавил: — Ты знаешь меня?

— Угу, капеллаша. Я ведь Ян Ольвегг, капитан «Звезды Индии».

— Ольвегг. Это кажется невозможным.

— И однако так оно и есть. Это ныне старое тело я получил в тот день, когда Сэм разгромил Властителей Кармы в Маратхе. Я был там.

— Один из Первых и — да! — христианин!

— По случаю, когда у меня истощаются индийские ругательства.

Ниррити положил руку ему на плечо.

— Значит, само твое существо изнемогает, должно быть, от боли, внимая насаждаемому ими богохульству!

— Не очень-то я их жалую, да и они меня тоже.

— Еще бы. Но вот Сэм — он же делал то же самое, преумножая число ересей, еще глубже погребая истинное Слово...

— Оружие, Ренфрю, — сказал Ольвегг. — Оружие и ничего более. Я уверен, что он хотел стать богом не больше, чем ты или я.

— Может быть. Но лучше бы он подыскал другое оружие. Хоть он и побеждает, души их все равно потеряны.

Ольвегг пожал плечами.

— Я, в отличие от тебя, не богослов...

— Но ты поможешь мне? Веками я накапливал силы, наращивал свою мощь. У меня есть люди и есть машины. Ты сказал, что враг ослаблен. Моя нежить — отродья не мужчины и женщины — не ведают страха. У меня есть небесные гондолы — множество гондол. Я могу добраться до их Града на полюсе. Я могу разрушить их Храмы по всему миру. Полагаю, пришла пора очистить мир от этой скверны. Вновь должна воцариться истинная вера! Скоро! Уже недолго ждать!

— Как я сказал, я не богослов. Но мне тоже хочется увидеть, как падет Град, — сказал Ольвегг. — Я помогу тебе всем, чем смогу.

— Тогда мы захватим для начала несколько их городов и оскверним их Храмы, чтобы посмотреть, что они предпримут в ответ.

Ольвегг кивнул.

— Ты будешь моим советником. Окажешь мне моральную поддержку, — сказал Ниррити и опустил голову. — Молись со мною, — велел он.


Долго стоял старик перед Дворцом Камы в Хайпуре, разглядывая его мраморные колонны. Наконец одна из девушек сжалилась над ним и вынесла ему хлеба и молока. Он съел хлеб.

— Выпей и молоко, дедушка. Оно полезно для всех и укрепит твою плоть.

— К черту! — сказал в ответ старик. — К черту молоко! И мою треклятую плоть! Впрочем, если уж на то пошло, так и дух.

Девушка отпрянула назад.

— Так-то ты отвечаешь на проявленное милосердие!

— Я ругаю не твое милосердие, детка, а твой вкус в том, что касается напитков. Ты что, не могла нацедить мне на кухне глоток-другой самого дрянного винца?.. Того, которое не придет в голову заказывать даже забулдыгам, а повар не осмелится брызнуть на самый дешевый кебаб. Я жажду выжатого из гроздьев, а не из коровы!

— Может быть, тебе подать меню? Уходи отсюда, покуда я не позвала слуг!

Он посмотрел ей в глаза.

— Не обижайся, леди, прошу тебя. Попрошайничество, видишь ли, дается мне с трудом.

Она взглянула в его черные как смоль глаза, затеряв-
332  шиеся в лабиринте испещривших задубевшую от загара

кожу морщинок. В бороде у него проглядывали черные пряди, неуловимая улыбка играла в уголках рта.

— Хорошо... ступай за мной, мы пройдем через черный ход на кухню, может, там найдется что-нибудь для тебя. Хотя, по правде говоря, я не знаю, почему это делаю.

Пальцы его дернулись, когда она от него отвернулась, а на губах заиграла улыбка, он направился за ней следом, присматриваясь к ее походке.

— Потому что я так захотел, — сказал он.


Не по себе было вожаку ракшасов Тараке. Расположившись на проплывавших в полуденной лазури облаках, размышлял он о путях силы. Случилось ему когда-то быть могущественнейшим. Во дни, предшествовавшие обузданию, некому было встать поперек его пути. И тут явился Бич, Сиддхартха. И когда узнал о нем Тарака — о Калкине, наделенном немалой силой, — понял он, что рано или поздно суждено будет им сойтись, чтобы смог он испытать силу того Атрибута, которым, как говорили, обзавелся Калкин. И когда наконец пересеклись их пути — в тот великий, давно ушедший день, когда вспыхивали факелами от их неистовства вершины гор, — победил тогда Бич. И когда встретились они вторично, уже через века, так или иначе, но опять сломил он ракшаса, и было это поражение еще тяжелее первого. Но только ему и удалось такое, а сейчас ушел он из мира. Более же никому было не под силу превозмочь Владыку Адова Колодезя. Но тут оспорить его силу явились боги. Когда-то смеялся он над их ничтожеством, над их неуклюжими попытками подчинить себе свои принесенные мутациями способности, используя наркотики, гипноз, медитацию, нейрохирургию, выковать из них Атрибуты, — но выросли за века их силы. Четверо, всего четверо из них явились в Адов Колодезь — и все его легионы не в силах оказались их отразить. Силен был тот, кого звали Шивой, но Бич позднее убил его. Так и должно было быть, ибо признавал Тарака Бича себе равным. Женщину в расчет он не принимал, ведь была она всего-навсего женщиной, и понадобилась ей помощь Ямы. Но вот Бог Агни, душа которого сверкала ярким, нестерпимым пламенем, — его Тарака почти боялся. Опять вспомнил владыка ракшасов тот день, когда в Паламайдзу явился в одиночку во дворец к нему Агни и бросил вызов. Не под силу оказалось ракшасу тогда остановить пришельца, как он ни пытался, и сам дворец его пал жертвой пламени. Повторилось то же и в Адовом Колодезе, опять ничего не могло остановить пламенного бога. И дал тогда Тарака себе обещание, что придет день и испытает он его силу, как было то уже с Сиддхартхой, чтобы либо победить, либо подчиниться. Но так ему это и не удалось. Бог Огня сам пал перед Красным — четвертым в Адовом Колодезе, — который повернул неведомым образом пламя его на свой же источник в день великого побоища у Дезирата на реке Ведре. И означало это, что он, Красный, и есть величайший. Разве сам Бич не предостерегал его от Ямы-Дхармы, бога Смерти? Да, из всех живущих ныне на белом свете выпивающий жизнь глазами был могущественнейшим. Однажды Тарака чуть не пал жертвой его силы, было это в громовой колеснице. Еще раз попытался он испытать его силу, но вынужден был тут же остановиться, ибо оказались они в тот раз на время союзниками. Потом рассказывали, что умер Яма в Небесном Граде. Позднее же говорили, что разгуливает он все еще по свету. Что не может он, будучи Владыкой Смерти, умереть без собственной на то воли. И поверил в это Тарака, принял все последствия, отсюда проистекающие.

334

И значило это, что вернется он, Тарака, на далекий южный остров с синим дворцом, где дожидается его ответа Повелитель Зла, Ниррити Черный. И примет он его предложение. И, отправившись из Махаратхи от моря на север, присоединят ракшасы свою мощь к силам темного Властелина, разрушат вместе с ним один за другим Храмы шести крупнейших городов юго-запада, зальют улицы их кровью горожан, смешанной с кровью лишенных проблеска души легионеров Черного, — пока не выступят на защиту их боги и не встретят свою судьбу. Если же боги не выступят, явится это признанием полной их немощи. Тогда пойдут ракшасы на приступ Небесного Града, и разрушит Ниррити его и сравняет с землей; падет Шпиль Высотою В Милю, расколется свод Небес, увидят огромные белые кошки Канибуррхи вокруг развалины, и покроет наконец павильоны богов и полубогов толстая пелена полярного снега. И все это на самом-то деле с одной всего целью, если оставить в стороне, что развеет это отчасти скуку и приблизит наступление последних дней богов и людей в мире ракшасов. Где бы ни разгорелось большое сражение и вершились великие деяния огнем и мечом, — всюду, знал Тарака, явится он, Красный, ибо там его царство и тянет его туда его Образ. И знал Тарака, что будет искать, ждать, делать что угодно, как бы долго это ни продлилось, пока не наступит наконец тот день, когда взглянет он опять в черное пламя, бушующее в глубине глаз Смерти...


Брахма бросил взгляд на карту, а затем вновь обернулся к хрустальному экрану, вокруг которого, зажав в зубах собственный хвост, обвился бронзовый нага.

— Пожар, жрец?

— Пожар, Брахма... в огне все склады!

— Прикажи людям потушить огонь.

— Они уже борются с ним.

— Тогда зачем же ты меня беспокоишь?

— Здесь царит страх, Великий.

— Страх? Перед чем?

— Перед Черным, чье имя я не могу произнести в твоем присутствии, силы которого ежечасно растут на юге и перерезали все торговые пути.

— Почему это ты должен бояться произнести имя Ниррити в моем присутствии? Мне ведомо о Черном. Ты полагаешь, что пожар — это его рук дело?

— Да, Великий, — или скорее какого-то нанятого им негодяя. Ходят упорные слухи, что он намерен отрезать нас от остального мира, подорвать наше благосостояние, уничтожить наши запасы, посеять в душах сомнения, ибо он планирует...

— Захватить вас, конечно.

— Твои слова, Всемогущий.

— Быть может, так оно и есть, жрец. Скажи мне, вы не верите, что боги вступятся за вас, если Повелитель Зла осмелится напасть?

— В этом никогда не было и тени сомнения, Могущественнейший. Мы просто хотим напомнить тебе о подобной возможности и освежить наши постоянные мольбы о прощении и божественном покровительстве.

— Ты услышан, жрец. Не бойтесь.

Брахма выключил связь.

— Он нападет.

— Конечно.

— Насколько он силен, вот что меня интересует. Никто не знает, каковы в действительности его силы. Не так ли, Ганеша?

— Ты спрашиваешь меня, Владыка? Твоего смиренного политического советника?

— Больше я никого здесь не вижу, смиренный бого-дел. Не знаешь ли ты о ком-нибудь, кто мог бы это знать?

— Нет, Владыка, не знаю. Все избегают нечистого, будто он настоящая смерть. В общем-то, так оно и есть. Ты же знаешь, что ни один из трех посланных мною на юг полубогов так и не вернулся.

— Но они же были сильны, как бы их там ни звали, не так ли? И давно это было?

— Последний — год тому назад. Тогда мы послали нового Агни.

— Да, он, правда, был не очень-то хорош — все еще пользовался гранатами и взрывчаткой... но силен.

— Морально, может быть. Когда богов становится меньше, приходится обходиться полубогами.

— В былые дни я просто взял бы громовую колес-ницу...

— В былые дни не было громовой колесницы. Яма...

— Замолчи! Теперь-то у нас есть громовая колесни-ца. Я думаю, что высокий гриб дыма изогнется вскоре над дворцом Ниррити.

— Брахма, мне кажется, Ниррити может остановить громовую колесницу.

— С чего ты взял?

— Судя по некоторым полученным из первых рук со-общениям, он, кажется, использует против наших бое-вых судов, посылаемых бороться с его бандитами, само-наводящиеся ракеты.

— Почему ты не сказал мне об этом раньше?

— Это совсем новые донесения. Мне еще не пред-ставлялось возможности тебе о них сообщить.

— Тогда ты считаешь, что нападать нам не стоит?

— Не стоит. Подождем. Пусть первый ход сделает он сам, чтобы мы смогли оценить его силу.

— Тем самым нам придется принести в жертву Маха-ратху?

— Ну и что? Ты что, никогда не видел падения горо-да? Какой ему будет толк от временного владения Маха-ратхой? А ежели мы не отберем ее обратно — ну так пусть этот самый гриб со своей белой шляпкой вырастет там, в Махаратхе.

— Ты прав. Игра стоит свеч, мы оценим его силы и отчасти истощим их. Ну а пока нам надо подготовиться.

— Да. Каковы будут твои приказания?

— Привести в состояние готовности все силы в Гра-де. Отозвать Владыку Индру с восточного континен-та — немедленно!

— Будет сделано.

— И оповестить остальные пять городов на реке — Лананду, Хайпур, Килбар...

— Тотчас же.

— Тогда ступай!

— Уже ушел.


Время как океан, пространство как его воды, в сере-дине же — Сэм — покоясь, решая...

— Бог Смерти, — позвал он, — перечисли наши силы.

Яма потянулся и зевнул, потом поднялся с алого ложа, на котором подремывал, почти невидимый на его фоне. Он пересек комнату и посмотрел Сэму в глаза.

— Оставляя в стороне Облик, вот мой Атрибут.

Сэм встретил его взгляд и выдержал его.

— Это что, ответ на мой вопрос?

— Отчасти, — ответил Яма, — но в основном это испытание твоей собственной силы. Она вроде бы воз-вращается. Ты выдерживал мой смертельный взгляд дольше, чем это под силу любому смертному.

338

— Я знаю, что моя мощь возвращается. Я чувствую это. И не она одна, многое возвращается сейчас ко мне. Все эти дни, проведенные здесь, во дворце Ратри, продолжал я размышлять о прошлых своих жизнях. И ты знаешь, бог смерти, сегодня я пришел к выводу, что не были они одной сплошной неудачей. Хотя раз за разом и побеждали меня Небеса, многого стоила им каждая очередная победа.

— Да, вполне может статься, что ты — орудие в руках судьбы. Они сейчас и в самом деле слабее, чем в те времена, когда ты пошел наперекор их воле в Махаратхе. К тому же слабее они и относительно, поскольку люди стали с тех пор сильнее. Боги уничтожили Дезират, но не смогли уничтожить акселеризм. Потом попытались они похоронить буддизм в недрах своего собственного учения, но не смогли. В действительности, я не могу сказать, принесла ли твоя религия акселеризму пользу своими — то есть твоими — россказнями, поддержала ли она акселерацию хоть каким-нибудь образом, но тогда-то усомниться в этом не могло прийти в голову никому из богов. Ну а туману она напустила мастерски: отвлекла внимание богов от того вреда, который они сами себе нанесли, ведь после того, как их угораздило ее «принять» в качестве учения, все направленные против нее усилия возбуждали одновременно и антидеикратические настроения. Не будь ты столь практичен, ты мог бы показаться озаренным.

— Благодарю. Хочешь, я тебя благословлю?

— Нет, может, я тебя?

— Очень может быть, Смерть, но попозже. Но ты не ответил на мой вопрос. Пожалуйста, расскажи мне, какими силами мы располагаем.

— Хорошо. Вскоре прибудет Властитель Кубера...

— Кубера? А где он?

— Целые годы провел он в укрытии, впрыскивая в мир научные познания.

— Так много лет? Дряхлым, должно быть, стало его тело! Как он справляется?

— Ты не забыл Нараду?

— Моего старого врача из Капила?

— Его самого. Когда ты распустил своих копейщиков после сражения в Махаратхе, он удалился с помощью твоих вассалов в захолустье, прихватив с собой все оборудование, которое вы забрали из Палаты Кармы. Я засек его много лет назад. После падения Дезирата я, ускользнув с Небес путем Черного Колеса, вывел Куберу из его бункера под павшим городом. А потом он уже сам вступил в союз с Нарадой, который заправляет нынче в горах подпольной лавкой тел. Они работают на пару. Мы открыли подобные пункты и в нескольких других местах.

— И Кубера будет здесь? Отлично!

— А Сиддхартха все еще Князь Капила. И призыв к войскам княжества будет, вне всякого сомнения, услышан. Мы уже призвали их.

— Горсточка, вероятно. Но все равно приятно об этом узнать, да...

— Еще Господин Кришна.

— Кришна? Что ему делать на нашей стороне? Где он?

— Он был здесь. Я наткнулся на него в первый же день по прибытии. Он как раз заходил с одной из девиц. Весьма патетично.

— Патетично? Почему?

— Он стар. Достойный жалости слабый старик, но все еще пьяница и развратник. И однако Облик все еще служит ему, время от времени наделяя его долей былой харизмы и частью его колоссальной витальности. Его из-

340

гнали с Небес после Дезирата — всего лишь за то, что он не пожелал сражаться против Куберы и меня, как сделал, например, Агни. Более полувека скитался он по свету, пьянствуя, занимаясь любовью, играя на своей свирели — и старея. Мы с Куберой несколько раз пытались отыскать его, но он нигде не задерживался подолгу, и где его только не носило! Чего еще ждать от отставного божества плодородия.

— А какая нам от него польза?

— В тот же день я послал его к Нараде за новым телом. Они прибудут вместе с Куберой. Он тоже всегда быстро восстанавливает свои силы после перерождения.

— Но нам-то какая от него польза?

— Не забывай, что ведь именно он уничтожил черного демона Бану, повстречать которого боялся даже Индра. Когда он трезв, трудно найти на свете бойца опаснее. Яма, Кубера, Кришна и — если ты пожелаешь — Калкин! Мы станем новыми локапалами, мы будем заодно.

— Согласен.

— Так тому и быть. Пусть шлют они против нас команды богов-практикантов! Я спроектировал новое оружие. Досадно, что приходится иметь дело с таким количеством его совершенно разных, чаще всего экзотических типов. Я распыляю свой гений, доводя каждый экземпляр до состояния произведения искусства, вместо того чтобы разработать массовое производство нескольких конкретных средств нападения. Но диктуется это многообразием паранормального. Всегда отыщется кто-нибудь, чей Атрибут окажется противоядием против данного конкретного оружия. Ну да ладно, пусть свернется у них в жилах кровь от моего ружья «Геенна», пусть скрестят они клинки с электромечом, пусть предстанут перед фонтанирующим струйками цианида и диметилсульфаксида щитом — и поймут, что противостоят им локапалы.

— Теперь я вижу, Смерть, почему любой бог — даже Брахма — может исчезнуть, и его заменит другой; любой, но не ты.

— Спасибо. Есть ли у тебя какой-либо план?

— Пока нет. Мне понадобится больше информации о имеющихся у Града силах. Демонстрировали ли Небеса свою мощь за последние годы?

— Нет.

— Если бы нашелся какой-нибудь способ испытать их, не выдавая себя... Может быть, ракшасы...

— Нет, Сэм. Я им не доверяю.

— Я тоже. Но подчас с ними можно иметь дело.

— Как ты — в Адовом Колодезе и Паламайдзу?

— Хороший ответ. Может, ты и прав. Я еще подумаю об этом. А еще меня интересует Ниррити. Как идут дела у Черного?

— В последние годы он добился господства на море. Слухи гласят, что растут его легионы и что занят он постройкой военных машин. Я же когда-то уже говорил тебе о моих опасениях в его отношении. Давай-ка держаться от Ниррити как можно дальше. У него с нами только одно общее — желание низвергнуть Небеса. Он не акселерист и не деикрат, стоит ему прийти к власти, и он насадит повсюду такое темное средневековье, какое и не снилось тому строю, с которым мы боремся. Быть может, лучшей линией поведения для нас было бы спровоцировать конфликт, битву между Ниррити и Богами из Небесного Града, а самим выждать, чтобы потом напасть на победителя.

— Вполне может быть, что ты прав, Яма. Но как это

сделать?

— Но это вполне может случиться само собой — и скоро. Махаратха затаилась, сжалась в комок, косясь с опаской на омывающее ее море. Ты же стратег, Сэм, а я — всего-навсего тактик. Мы отозвали тебя как раз для того, чтобы ты сказал нам, что делать. Прошу, обдумай все хорошенько, ведь ты теперь снова стал самим собой.

— Ты все время подчеркиваешь эти последние слова.

— Угу, проповедник. Ты же еще не испытан в бою после своего возвращения из блаженства нирваны... Скажи, а по-буддистски-то ты сможешь сражаться?

— Вероятно, но мне пришлось бы стать личностью, которая представляется мне ныне отвратительной.

— Хорошо... а может, нет. Но не забывай об этом, коли мы окажемся в затруднении. Или, по крайней мере, чтобы быть в безопасности, тренируйся каждую ночь перед зеркалом, читай лекции по эстетике вроде той, что ты прочел в монастыре Ратри.

— Не хотелось бы.

— Знаю, но надо.

— Лучше я попрактикуюсь с клинком. Добудь его мне, и я дам тебе пару уроков.

— Ого! Ну ладно! Если урок будет хорош, ты добудешь себе новообращенного.

— Ну так пошли во двор, и я просветлю тебя.


Когда поднял в своем синем дворце руки Ниррити, с ревом сорвались с палуб его кораблей ракеты и дугой перечеркнули небо над Махаратхой.

Когда закрепил он на груди черный свой доспех, упали ракеты на город, извергая из себя пламя.

Когда натянул сапоги, вошел его флот в гавань.

Когда запахнул он черный плащ и, застегнув его на груди, надвинул на лоб шлем из вороненой стали, завели под палубами свой негромкий перестук его сержанты.

Когда застегнул он свой пояс с ножнами, зашевелились в трюмах зомби.

Когда натянул кожаные со стальными пластинами перчатки, приблизился флот его, подгоняемый поднятым ракшасами ветром, к причалу.

Когда дал он знак юному своему адъютанту, Ольвагге, следовать за собою во двор, бессловесные воины поднялись на палубы кораблей и уставились на пылающую гавань.

Когда зароцотали моторы темной небесной гондолы и дверь ее открылась перед ними, первый из его кораблей бросил якорь.

Когда вошли они в гондолу, первый отряд его войск вступил в Махаратху.

Когда прибыли они в Махаратху, город пал.


В зеленом сплетении веток высоко над землей пели в саду птицы. Рыбы, словно старые монеты, лежали на дне в голубом пруду. Пунцовые, с мясистыми лепестками цветы изливали в воздух благоухание, рядом с ее нефритовой скамьей проглядывал кое-где и желтый львиный зев. Упершись левой рукой о белую кованую спинку скамьи, она смотрела, как, шаркая по каменным плитам дорожки, к ней не спеша приближаются его сапоги.

— Сэр, это частный сад, — заявила она.

Он остановился перед скамьей и взглянул на нее сверху вниз. Мускулистый, загорелый, темноглазый и темнобородый, он смотрел на нее безо всяких эмоций, потом улыбнулся. Из синей ткани и кожи были его одежды.

— Для гостей, — продолжала она, — предназначен сад с другой стороны здания. Пройдешь под арку и...

— У себя в саду я всегда был рад тебя видеть, Ратри, — сказал он.

344     — Себя?..

— Кубера.

— Боже, Кубера! Ты не...

— Нет, не толстый. Я знаю. Ничего удивительного: новое тело и ни минуты покоя. Мастерить это дьявольское оружие Ямы, перевозить его...

— Когда ты прибыл?

— Сию минуту. Прихватив с собой Кришну и партию взрывчатки, гранат и противопехотных мин...

— Боги! Как давно было все...

— Да. Очень. Но я все равно должен принести тебе свои извинения. Меня это угнетало все эти долгие годы. Я корю себя, Ратри, что тогда, той ночью втянул тебя во все эти междоусобицы. Мне нужен был твой Атрибут, и я впутал в это дело тебя. Терпеть не могу пользоваться кем бы то ни было подобным образом.

— Я бы все равно покинула вскоре Небеса, Кубера. Так что не очень-то переживай и не вини себя. Вот разве что тело хотелось бы посимпатичнее... Ну да это не главное.

— Я дам тебе новое тело, леди.

— Попозже, Кубера. Прошу, садись. Вот сюда. Ты голоден? Хочешь пить?

— Да и еще раз да.

— Вот фрукты, сома. Или ты предпочитаешь чай?

— Нет, спасибо, лучше сома.

— Яма говорит, что Сэм оправился от своей святости.

— Это хорошо, он нам все нужнее. Ну как, он еще не разработал для нас план действий?

— Яма мне не говорил. Но возможно, что Сэм не говорил Яме.

На соседнем дереве вдруг заколыхались ветви, и на землю спрыгнул Так, приземлившись прямо на четвереньки. Пробежав по плитам, он замер у скамьи.

— Ваши пересуды разбудили меня, — проворчал он. — Что это за тип, Ратри?

— Господин Кубера, Так.

— Ежели так оно и есть, то до чего же он изменился! — сказал Так.

— То же можно сказать и про тебя, Так от Архивов. Почему ты все еще обезьянничаешь? Яма может вернуть тебя в человеческое тело.

— Обезьяной я полезней, — ответил Так. — Я — замечательная ищейка и шпион, даже лучше собаки, а с другой стороны, я сильнее человека. А кто сможет отличить одну обезьяну от другой? Так что я останусь в этом теле, пока не пройдет нужда во всех этих достоинствах.

— Похвально, похвально. Ну а об активности Ниррити ничего нового не слышно?

— Его суда подбираются все ближе и ближе к большим портам, — сказал Так. — И их, похоже, становится все больше. А в остальном — ничего нового. Судя по всему, боги его побаиваются, коли не рассеивают они его силы.

— Ну да, — заметил Кубера, — он же теперь — величина неизвестная. Я склоняюсь к тому, что он — ошибка Ганеши. Ведь именно Ганеша дозволил ему убраться с Небес, да еще и прихватить с собой все свое оборудование. Я думаю, Ганеше хотелось иметь под рукой какого-нибудь врага богов, если вдруг в нем возникнет экстренная надобность. Он даже и представить себе не мог, что гуманитарий сумеет так распорядиться этим оборудованием и накопить подобные силы.

— Логично, — согласилась Ратри. — Даже я слышала, что именно такими соображениями Ганеша зачастую и руководствуется. Ну и что он будет делать теперь?

— Отдаст Ниррити первый город, на который тот нападет, чтобы присмотреться к его атакующим возможностям и оценить его силы, — если, конечно, ему удастся удержать Брахму от активных действий. А потом — ударит по Ниррити. Махаратха должна пасть, а нам следует держаться поблизости. Интересно будет даже просто понаблюдать.

— Но ты думаешь, что одним наблюдением дело для нас не окончится? — спросил Так.

— Ну да. Сэм отлично понимает, что мы должны быть готовы произвести нужное количество нового оружия, а кое-что из него и употребить. Мы должны будем сразу среагировать на их действия, а они, Так, скорее всего не заставят себя ждать.

— Наконец-то, — ответил тот. — Я всегда хотел сражаться в битве бок о бок с Бичом.

— В ближайшие недели, уверен, что многие желания исполнятся, а многие потерпят крах.

— Еще сомы? Фруктов?

— Спасибо, Ратри.

— А тебе, Так?

— Разве что банан.

Под сенью леса, у вершины высокого холма восседал Брахма, словно химера, водруженная на водосток готического храма, и не отрываясь глядел вниз, на Махаратху.

— Они оскверняют Храм.

— Да, — отвечал Ганеша. — Чувства Черного с годами не меняются.

— С одной стороны, жалко. С другой — страшновато. У них винтовки и пистолеты.

— Да. Они сильны. Вернемся в гондолу.

— Чуть позже.

— Я боюсь. Владыка... они, быть может, слишком сильны — здесь и сейчас.

— Что ты предлагаешь?

— Они не могут подняться на кораблях вверх по реке. Если они захотят атаковать Лананду, им придется передвигаться по суше.

— Конечно. Если только у него не хватит кораблей воздушных.

— А если они захотят напасть на Хайпур, они должны будут углубиться еще дальше.

— Ну! А если они захотят напасть на Килбар, то еще дальше! Не тяни! На что ты намекаешь? К чему ведешь?

— Чем дальше они зайдут, тем больше перед ними встанет проблем, тем уязвимее они будут для партизанских атак на всем протяжении...

— Ты что, предлагаешь, чтобы я ограничился легкими нападками, насоками на его войска? Чтобы я позволил им промаршировать по стране, занимая город за городом? Они окопаются в ожидании подкреплений, чтобы удержать завоеванное, и только потом двинутся дальше. Только идиот поступил бы иначе. Если мы будем ждать...

— Посмотри-ка вниз!

— Что? Что это?

— Они готовятся к выступлению.

— Невероятно!

— Брахма, ты забываешь, что Ниррити — фанатик, безумец. Ему не нужна Махаратха — точно так же, как Лананда или Хайпур. Он хочет уничтожить наши Храмы и нас самих. Помимо этого, волнуют его в этих городах души, а не тела. Он пройдет по стране, уничтожая всякий попадающийся ему на пути символ нашей религии, пока мы не решим сразиться с ним. Если же мы этого не сделаем, он, вероятно, разошлет миссионеров.

— Но мы должны же что-то сделать!

— Для начала дать ему ослабеть от его же похода. Когда он будет достаточно слаб, ударить! Отдай ему Лананду. И Хайпур, если понадобится. Даже Килбар и Хамсу. Когда он ослабнет, сотри его с лица земли. Мы можем обойтись без этих городов. Сколько там мы разрушили сами? Тебе, наверное, даже не припомнить!

— Тридцать шесть, — промолвил Брахма. — Вернемся на Небеса, и я обдумаю все это. Если я последую твоему совету, а он отступит раньше, чем мы сочтем его достаточно слабым, велики будут наши потери.

— Готов побиться об заклад, что он не отступит.

— Жребий кидать не тебе, Ганеша, а мне. Взгляни, с ним эти проклятые ракшасы! Быстро уходим, пока они нас не засекли.

— Да, быстрее!

И они пустили своих ящеров обратно в лес.

Кришна отложил свою свирель, когда к нему пришел посланник.

— Да? — спросил он.

— Махаратха пала... Кришна встал.

— А Ниррити готовится выступить на Лананду.

— А что предпринимают боги для ее защиты?

— Ничего. Абсолютно ничего.

— Пойдем со мной. Локапалам надо посовещаться.

На столе оставил Кришна свою свирель.


В эту ночь стоял Сэм на самом верхнем балконе дворца Ратри. Струи дождя, словно ледяные гвозди, протыкали насквозь ветер и рушились сверху на него. А на левой его руке светилось изумрудным сиянием железное кольцо.

Падали, падали и падали с небес молнии — и оставались.

Он поднял руку, и загрохотал гром, загрохотал предсмертным ревом всех драконов, что обитали, быть может, где-то, когда-то...

Ночь отступила, ибо стояли перед Дворцом Камы в ту ночь огненные элементали.

Поднял Сэм обе руки, и как один поднялись они в воздух и закачались высоко в ночном небе.

Он сделал знак, и пронеслись они над Хайпуром с одного конца города на другой.

И закружили по кругу.

Затем разлетелись во все стороны и заплясали среди грозы.

Он опустил руки.

Они вернулись и вновь вытянулись перед ним.

Он не шевелился. Он ждал.

Сотню раз ударило сердце, и из темноты пришел к нему голос:

— Кто ты, дерзнувший командовать рабами ракшасов?

— Позови ко мне Тараку, — сказал в ответ Сэм.

— Я не подчиняюсь приказам смертных.

— Тогда взгляни на пламя истинного моего существа, пока я не приковал тебя к вон тому флагштоку — до скончания его века.

— Бич! Ты жив!

— Позови ко мне Тараку, — повторил он.

— Да, Сиддхартха. Будет исполнено.

Сэм хлопнул в ладоши, и элементали взмыли в небо, и снова темна была ночь над ним.


Приняв человеческое обличье, Владыка Адова Колодезя вошел в комнату, где в одиночестве сидел Сэм.

— В последний раз я видел тебя в день Великой Битвы, — заявил он. — Потом услышал, что они нашли способ тебя уничтожить.

— Как видишь, не нашли.

— Как ты вернулся в мир?

— Господин Яма отозвал меня назад — ты знаешь, Красный.

— Велика действительно его сила.

— Ее, по крайней мере, хватило. Ну а как нынче дела у ракшасов?

— Хорошо. Мы продолжаем твою борьбу.

— В самом деле? А каким образом?

— Мы помогаем твоему былому союзнику — Черному, Владыке Ниррити — в его войне против богов.

— Я так и подозревал. Поэтому-то я и решил с тобой встретиться.

— Ты хочешь соединиться с ним?

— Я все это тщательно продумал и, вопреки протестам и возражениям моих товарищей, я и в самом деле хочу с ним объединиться — при условии, что он заключит с нами соглашение. Я хочу, чтобы ты отнес ему мое послание.

— Что за послание, Сиддхартха?

— Гласящее, что локапалы — сиречь Яма, Кришна, Кубера и я — выступят вместе с ним на борьбу с богами, выступят во всеоружии, со всеми своими силами, машинами и помощниками, если откажется он от преследования исповедующих буддизм и индуизм — в той форме, в какой сложились они в мире, — с целью обращения их в свою секту; и кроме того, если не будет он подавлять в отличие от богов акселеризм, коли будет победа на нашей стороне. Погляди на пламя его существа, когда даст он свой ответ, и сообщи мне, правду ли он сказал.

351

— Ты думаешь, он согласится на это, Сэм?

— Да. Он знает, что, как только боги сойдут со сцены и перестанут насаждать индуизм, за ним последуют новообращенные, он мог убедиться в этом на моем буддистском примере — и это при ожесточенном противодействии богов. Ну а свой путь, свое учение считает он единственно верным, судьбоносным и верит, что оно победит любое другое. Вот почему я думаю, что он согласится на честное соперничество. Передай ему мое послание и принеси мне его ответ. Хорошо?

Тарака заколебался. Лицо и левая рука его частично испарились.

— Сэм...

— Что?

— Какой же путь — истинный?

— Гм? Вот что ты у меня спрашиваешь? Откуда мне знать?

— Смертные зовут тебя Буддой.

— Только потому, что они обременены языком и неведением.

— Нет. Я смотрел на твое пламя и зову тебя Князем Света. Ты обуздываешь их, как обуздывал нас, ты выпускаешь их на волю, как выпустил нас. Тебе дана была власть дать им веру. Ты — тот, кем себя провозглашал.

— Я лгал. Сам я никогда в это не верил — да и сейчас не верю. Я мог бы точно так же выбрать другой путь, например религию Ниррити, только распятие болезненно. Я мог выбрать то, что называется исламом, но я знал, как ловко смешивается он с индуизмом. Мой выбор основывался на выкладках, а не на вдохновении, и я — ничто.

352 — Ты — Князь Света.

— Отправляйся же с моим посланием. На темы религии мы сможем поспорить позднее.

— Локапалы, ты говоришь, это Яма, Кришна, Кубера и ты сам?

— Да.

— Значит, он и в самом деле жив. Скажи мне, Сэм, до того, как я уйду, можешь ли ты победить в бою Господина Яму?

— Не знаю. Хотя — вряд ли. Не думаю, чтобы кто-нибудь мог.

— Ну а он может победить тебя?

— Вероятно — в честном поединке. Когда бы мы ни встречались в прошлом как враги, мне либо везло, либо удавалось его провести. В последнее время я фехтовал с ним, и тут ему нет равных. Уж слишком он ушел во всем, что касается разрушения и уничтожения.

— Ясно, — сказал Тарака, и его правая рука, прихватив с собой добрую половину грудной клетки, уплыла прочь. — Ну хорошо, спокойной тебе, Сиддхартха, ночи. Я ухожу с твоим посланием.

— Благодарю и — спокойной ночи и тебе.

Клуб дыма, струйка — и Тарака растворился в грозе.


Высоко над миром смерч; это Тарака.

Пусть гроза бушует вокруг него, нет ему дела до ее слепой ярости.

Грохотал гром, разверзлись хляби небесные, утонул во мраке Мост Богов.

Но все это его не беспокоило.

Ибо он — Тарака, вожак ракшасов, Владыка Адова Колодезя...

И он был могущественнейшим существом на свете, если не считать Бича.

А теперь Бич объявил ему, что и он не самый могущественный... и что опять они будут биться заодно.

Как высокомерно держался он со своею Силой и в своем Красном! В тот день... более полувека назад. У Ведры.

Уничтожить Яму-Дхарму, победить Смерть... это бы доказало превосходство Тараки над всеми...

А доказать это важнее, чем победить богов, которые все равно когда-нибудь уйдут из мира, ибо они не ракшасы.

Стало быть, послание Бича Ниррити — на которое, как сказал Сэм, Черный согласится, — поведано будет только грозе, а Тарака, глядя на ее огонь, увидит, что она не лжет.

Ибо гроза никогда не лжет... и всегда говорит *Нет!*

Черный сержант провел его в лагерь. Он был великолепен в своих доспехах с блестящими украшениями, и он не был пленником: просто подошел к дозорному и сказал, что у него послание к Ниррити, поэтому и решил сержант сразу его не убивать. Он отобрал у него оружие и повел в ставку, расположившуюся в лесу неподалеку от Лананды; там он оставил его на попечение караульных, а сам пошел доложить своему Господину.

Ниррити и Ольвегг сидели внутри черного шатра. Рядом с ними была расстелена карта Лананды.

Когда по его приказу внутрь ввели пленника, Ниррити посмотрел на него и отпустил сержанта.

— Кто ты такой? — спросил он.

— Ганеша из Града. Тот самый, кто помог тебе бежать с Небес.

Ниррити вроде бы обдумал это.

— Припоминаю старинного дружка, — сказал он. —

Почему ты пришел ко мне?

— Потому что настал подходящий момент. Ты наконец предпринял крестовый поход.

— Да.

— Я хотел бы обсудить его с тобой частным образом.

— Тогда говори.

— А этот приятель?

— Говорить при Яне Ольвегге — все равно что говорить при мне. Говори все, что у тебя на уме.

— Ольвегг?

— Да.

— Ну ладно. Я пришел сказать тебе, что слабы Боги Града. Слишком слабы, я чувствую, чтобы победить тебя.

— Сдается мне, что ты прав.

— Но не настолько слабы, чтобы не причинить тебе огромный урон, когда сделают они свой ход. А если приложат они все свои силы в подходящий момент, так и вовсе может наступить равновесие.

— Я иду в бой, не забывая об этом.

— Лучше, чтобы твоя победа не стала слишком уж дорогостоящей. Ты знаешь, я же симпатизирую христианам.

— Так что же у тебя на уме?

— Я вызвался развернуть здесь некую партизанскую войну против тебя, только чтобы сообщить, что Лананда — твоя. Они не будут ее защищать. Если и дальше ты будешь продолжать наступление в том же духе — то есть не закрепляясь в завоеванных пунктах, — и двинешься на Хайпур, Брахма сдаст без боя и его. Ну а когда доберешься ты до Килбара, а силы твои несколько поредеют и ослабнут от битв за три первых города и от рейдов моих людей на протяжении всего пути, вот тут-то Брахма и обрушит на тебя всю мощь Небес, и нет никаких гарантий, что не потерпишь ты поражение под стенами Килбара. Наготове все силы Небесного Града. Они ждут тебя у врат четвертого на этой реке города.

— Ясно. Полезно знать об этом. Стало быть, они боятся того, что я несу им.

— Конечно. Донесешь ли ты это до Килбара?

— Да. И моею будет победа под его стенами. До того, как напасть на город, я пошлю за самым мощным своим оружием. Я придерживал его для осады самого Небесного Града, но теперь я обрушу мощь его на своих врагов, когда явятся они на защиту обреченного Килбара.

— Но и они воспользуются могучим оружием.

— Значит, когда встретимся мы с ними, исход битвы будет не у них и не у нас в руках. Все воистину в руце божией.

— Но можно и перевесить одну чашу весов, Ренфрю.

— Да? Что еще ты задумал?

— Многие полубоги не удовлетворены ныне ситуацией, сложившейся в Граде. Они хотели продолжить кампанию против акселеризма и последователей Татхагаты. Их разочаровало, что после Дезирата эта программа не получила должного развития. А с восточного континента отозван Великий Индра, который вел там войну с ведьмами. Индра вполне в состоянии посочувствовать полубогам — а его приспешники разгорячены предыдущими баталиями.

Ганеша оправил свой плащ.

— Продолжай, — сказал ему Ниррити.

— Когда они явятся к Килбару, — проговорил Ганеша, — вполне может статься, что не станут они сражаться в его защиту.

— Ясно. А что выигрываешь на всем этом ты, Ганеша?

356     — Удовлетворение.

— И ничего более?

— Я надеюсь, ты когда-нибудь вспомнишь, что я нанес этот визит.

— Быть посему. Я не забуду, и ты получишь вознаграждение от меня после... Стражник!

Откинув полог шатра, внутрь вступил приведший сюда Ганешу сержант.

— Отведи этого человека туда, куда он захочет, и смотри не причини ему никакого вреда, — приказал Ниррити.

— И ты ему доверишься? — спросил Ольвегг, когда они удалились.

— Да, — ответил Ниррити, — но свои сребреники он получит после.


Локапалы собрались на совет в комнате Сэма во Дворце Камы, украшающем собою славный Хайпур. Присутствовали также Так и Ратри.

— Тарака говорит, что Ниррити не принял наших условий, — начал Сэм.

— Ну и хорошо, — сказал Яма. — Я почти боялся, что он согласится.

— А утром они атакуют Лананду. Тарака убежден, что они возьмут город. Это будет посложнее, чем с Махаратхой, но он абсолютно уверен, что город падет. Я тоже.

— И я.

— И я.

— Тогда он отправится к следующему городу, к Хайпуру. Далее — Килбар, Хамса, Гаятри. И он знает, что где-то на этом маршруте на него нападут боги.

— Конечно.

— Итак, мы в самой серединке, и у нас есть который выбор. Мы не смогли договориться с Ниррити. Не думаете ли вы, что нам удастся сделать это с Небесами?

— Нет! — воскликнул, ударив кулаком по столу, Яма. — На чьей стороне ты сам, Сэм?

— Акселеризма, — был ответ. — И если я смогу преуспеть путем переговоров, без никому не нужного кровопролития, то буду этому только рад.

— Уж лучше якшаться с Ниррити, чем с Небесами!

— Тогда давайте за это проголосуем — точно так же, как голосовали за переговоры с Ниррити.

— И тебе нужно согласие лишь одного из нас, чтобы склонить чашу весов в свою сторону.

— На таких условиях согласился я войти в локапалы. Вы просили меня вас возглавить, и я в ответ потребовал полномочий трактовать ничью в свою пользу. Ну да лучше дайте мне изложить свои соображения, прежде чем переходить к голосованию.

— Ну хорошо — говори!

— Как я понимаю, в последние годы Небеса выработали более терпимую линию поведения в отношении акселеризма. Никаких официальных перемен в доктрине не было, но и никаких новых шагов против акселеризма не предпринималось — скорее всего из-за той взбучки, которую они получили под Дезиратом. Я прав?

— По сути — да, — кивнул Кубера.

— Кажется, что пришли они к выводу, что слишком расточительно будет реагировать подобным образом всякий раз, когда поднимает свою уродливую голову Наука. В той битве против них, против Небес, сражались люди, человеческие существа. А люди, в отличие от нас, имеют семьи, имеют связи, которые их ослабляют, и они связаны по рукам и ногам необходимостью иметь чистые кармические анкеты, — если хотят возродиться. И тем не менее они сражались. И это, похоже, несколько смягчило позицию Небес в последующие годы. Поскольку та-

**358**

кая ситуация объективно сложилась, они могут, ничего не теряя, это признать. На самом деле они могут даже обратить ее себе на пользу, представив это как милостивый жест божественного милосердия. Я думаю, что они согласятся пойти на уступки, на которые Ниррити не пошел бы.

— Я хочу увидеть, как Небеса падут, — сказал Яма.

— Конечно. И я тоже. Но поразмысли хорошенько. Со всем тем, что ты дал людям за последние полвека, — долго ли смогут Небеса удерживать весь этот мир в вассальной зависимости? Небеса пали в тот день у Дезирата. Еще одно, может быть, два поколения — и их власть над смертными улетучится. В битве с Ниррити, даже и победив, понесут они новые потери. Дайте им еще несколько лет декадентской славы. С каждым годом они все бессильнее и бессильнее. Их расцвет уже позади. Идет увядание.

Яма зажег сигарету.

— Ты хочешь, чтобы кто-нибудь убил для тебя Брахму? — спросил Сэм.

Яма помолчал, затянулся сигаретой, выпустил дым.

— Может быть, — сказал он. — Может быть, и так. Не знаю. И не хочу об этом думать. Хотя, вероятно, так оно и есть.

— Не хочешь ли ты моих гарантий, что Брахма умрет?

— Нет! Только попробуй, и я убью тебя!

— Вот видишь, на самом деле ты даже и не знаешь, чего Брахме желаешь — жизни или смерти. Быть может, все дело в том, что ты и любишь, и ненавидишь одновременно. Ты был стар, прежде чем стал молодым, Яма, а она была единственной, кого ты когда-либо любил. Я ведь прав?

— Да.

— Тогда нет у меня для тебя совета, нет панацеи от твоих напастей, сам должен ты разграничить свои чувства и одолевающие нас заботы.

— Хорошо, Сиддхартха. Я за то, чтобы остановить Ниррити здесь, в Хайлуре, если Небеса поддержат нас.

— Есть ли у кого-нибудь возражения?

Молчание.

— Тогда нам надо в Храм, реквизировать его средства связи.

Яма потушил сигарету.

— Но разговаривать с Брахмой я не буду, — сказал он.

— Переговоры я беру на себя, — откликнулся Сэм.


Или, пятая нота гаммы, сорвавшись со струны арфы, зазвенела в Саду Пурпурного Лотоса.

Когда Брахма включил связь в своем павильоне, на экране возник какой-то человек в зелено-голубом тюрбане Симлы.

— А где жрец? — спросил Брахма.

— Связан снаружи. Можно, если ты желаешь выслушать пару-другую молитв, притащить его сюда...

— Кто ты такой, что носишь тюрбан Первых и вступаешь в Храм при оружии?

— У меня такое странное ощущение, будто все это со мной уже однажды было, — промолвил в ответ человек.

— Отвечай на мои вопросы!

— Хочешь ли ты, чтобы Ниррити был остановлен, Леди? Или же ты намерена отдать ему все эти города, от Махаратхи до самых верховий?

— Ты испытываешь терпение Небес, смертный! Ты не уйдешь из Храма живым.

— Твои смертельные угрозы ничего не значат для
главного из локапал, Кали.

— Локапал больше нет, и, стало быть, нет среди них и главного.

— Ты видишь его перед собой, Дурга.

— Яма? Это ты?

— Нет, хотя он здесь, со мной, — так же, как Кришна и Кубера.

— Агни мертв. Новые Агни умирают один за другим, с тех пор как...

— С Дезирата. Я знаю, Чанди. Я не выходил на поле в стартовом составе. Рилд не убил меня. Призрачная кошка, которая так и останется безымянной, поработала на славу, но и этого оказалось мало. А теперь я вновь пересек Мост Богов. И локапалы выбрали меня старшим. Мы намерены оборонять Хайпур и разбить Ниррити, если Небеса нам помогут.

— Сэм... ты... не может быть!

— Тогда зови меня иначе: Калкин ли, Сиддхартха, Татхагата или Махасаматман, Бич, Будда или Майтрея. Все равно это я, Сэм. Я пришел поклониться тебе и заключить сделку.

— Какую же это?

— Люди смогли ужиться с Небесами, но Ниррити — другое дело. Яма и Кубера буквально напичкали город своим оружием. Мы можем укрепить его и противостоять даже массированным атакам. Если Небеса объединят свои силы с нашими, Ниррити найдет здесь, у Хайпура, свой конец. И мы пойдем на это, если Небеса санкционируют акселеризм и религиозную веротерпимость и положат конец господству Хозяев Кармы.

— Не много ли, Сэм...

— Первые два пункта касаются того, что уже и так существует; это просто даст им право спокойно существовать и в дальнейшем. Третье же все равно произойдет,

**361**

нравится тебе это или нет, так что я даю тебе шанс выступить в роли благодетеля.

— Я подумаю...

— Минуту-другую. Я подожду. Ну а если ты скажешь нет, мы уйдем из города и позволим Ренфрю его захватить, осквернить Храм. После того как он возьмет еще несколько городов, тебе все равно придется с ним столкнуться. Нас, однако, уже не будет рядом. Мы подождем, чем все это кончится. Если после всей этой передряги ты еще останешься у власти, не тебе уже будет решать о тех принципах, о которых я упомянул. Ну а нет — так мы сможем тогда осилить Черного и остановить его зомби. В любом случае мы добьемся своих целей. Но путь, который я тебе предлагаю, для тебя явно приемлемей.

— Хорошо! Я немедленно разворачиваю свои силы. Бок о бок пойдем мы в последнюю битву, Калкин. Ниррити умрет у Хайпура! Пусть кто-нибудь останется здесь на связи, чтобы мы не теряли контакта.

— Я размещу здесь свою ставку.

— А теперь развяжи жреца и приведи его сюда. Он сподобится получить несколько божественных повелений и, чуть погодя, лицезреть теофанию.

— Да, Брахма.

— Погоди, Сэм! После битвы, если мы останемся живы, я хотела бы поговорить с тобой — о взаимном поклонении.

— Ты хочешь стать буддистом?

— Нет, снова женщиной...

— Каждому событию нужно подобающее место и время, а сейчас у нас нет ни того, ни другого.

— Когда придет время и найдется место, тогда там я и буду.

362 — Сейчас пришлю твоего жреца. Не отключайся.

Теперь, после падения Лананды, Ниррити совершал службу среди ее руин, моля о победе над остальными городами. Его сержанты перешли на медленный, монотонный ритм, и зомби как один пали на колени. Ниррити молился, пока капельки пота не покрыли его лицо, словно маска из стекла и света, и не начал стекать пот под его доспехи-протезы, дарующие ему силу многих. Тогда поднял он лицо свое к небу, взглянул на Мост Богов и произнес:

— Аминь.

После чего резко повернулся и зашагал к Хайпуру, и вся его армия двинулась за ним по пятам.

Когда подошел Ниррити к Хайпуру, его там ожидали боги.

Ополченцы из Килбара ждали его рядом с войсками Хайпура.

Дожидались его и полубоги, герои, знать.

И ждали брамины высокого ранга, ждали многие последователи Махасаматмана. Последние прибыли сюда во имя Божественной Эстетики.

Посмотрел Ниррити через заминированные поля, раскинувшиеся вокруг города, и увидел четырех всадников, ожидавших у ворот, четырех локапал, за спинами которых развевались штандарты Небес.

Он опустил забрало и повернулся к Ольвеггу.

— Ты был прав. Интересно, там ли Ганеша?

— Скоро узнаем.

И Ниррити продолжил свой путь.

В этот день осталось поле битвы за Князем Света. Так и не вступили полчища Ниррити в Хайпур. Ганеша пал от клинка Ольвегга, когда пытался нанести предательский удар в спину Брахме, который сошелся в поединке с Ниррити на склоне холма. Пал тогда и Ольвегг, зажимая руками рану в животе, и начал медленно отползать к валуну.

Брахма и Черный замерли лицом к лицу, и голова Ганеши прокатилась между ними и заскакала вниз по склону.

— Это он рассказал мне о Килбаре, — сказал Ниррити.

— Он хотел, чтобы там все и решилось, — сказал Брахма, — и склонял меня к этому. Теперь ясно почему.

И они сошлись в схватке, и бились доспехи Ниррити за него с силою многих.

Яма пришпорил своего коня, торопясь к холму, как вдруг на него налетел вихрь пыли и песка. Он заслонил глаза полою своего плаща, и вокруг него зазвенел смех.

— Где же твой смертельный взгляд, а, Яма-Дхарма?

— Ракшас! — прорычал тот.

— Да. Это я, Тарака!

И вдруг на Яму обрушился поток воды, под напором которого споткнулся и упал на спину его конь.

В тот же миг был уже Яма на ногах и сжимал в руке свой клинок, а пылающий смерч уплотнился перед ним в человекообразную фигуру.

— Я отмыл тебя от этой непереносимой гадости, бог смерти. Теперь ничто не спасет тебя от моей руки!

Яма, подняв клинок, ринулся вперед.

Он рубанул своего серого противника, и клинок наискось прошел через все его туловище от плеча к бедру, но ни крови, ни каких-либо признаков раны не появилось на теле ракшаса.

— Ты не можешь ранить меня, как ранил бы человека, о Смерть! Но погляди, что могу сделать с тобой я!

И Тарака вспрыгнул на него, накрепко прижав ему руки к туловищу, пригнул к земле. Взвился фонтан искр.

364

Вдалеке уперся Брахма коленом в хребет Ниррити и потянул изо всех сил назад его голову, пытаясь превозмочь силу черных доспехов. Тогда-то и спрыгнул Бог Индра со спины своего ящера и поднял на Брахму свой меч, Громоваджру. И услышал, как хрустнула шея Ниррити.

— Тебя спасает только твой плащ! — вскричал Тарака, продолжая бороться с Ямой, и в этот миг взглянул он в глаза Смерти...

Стремительно слабел Тарака, но не стал ждать Яма и сразу, как только смог, отбросил его в сторону.

Он вскочил и бросился к Брахме, даже не успев подобрать свой меч. Там, на холме, раз за разом отбивал Брахма удары Громоваджры, и кровь ключом била из обрубка его левой руки, ручейками стекала из ран на голове и груди. Ниррити стальной хваткой впился ему в лодыжку.

Громко закричал Яма, выхватывая на бегу свой кинжал.

Индра отступил назад, туда, где его не мог достать клинок Брахмы, и оглянулся на него.

— Кинжал против Громоваджры, да, Красный? — спросил он.

— Да, — выдохнул Яма и нанес удар правой рукой, перебросив кинжал в левую для настоящего удара.

Лезвие вошло Индре в предплечье.

Индра выронил Громоваджру и ударил Яму в челюсть. Яма упал, но падая, успел дернуть соперника за ногу и повалить его рядом с собой на землю.

И тут полностью овладел им его Облик, и под взглядом его побелел и как-то пожух Громовержец, как трава осенью. Когда обрушился на спину Смерти Тарака, Индра был уже мертв. Попытался было Яма освободиться от хватки ракшаса, но словно ледяная гора пригвоздила его плечи к земле.

Лежащий рядом с Ниррити Брахма оторвал клок от своей пропитанной демоническим репеллентом одежды и бросил его правой рукой, стараясь, чтобы упал он поближе к Яме.

Отшатнулся Тарака, и, оглянувшись, уставился на него Яма. В этот миг подскочил в воздух лежавший на земле меч Индры и устремился прямо Яме в грудь.

Обеими руками схватил бог смерти лезвие Громоваджры, когда оставались тому до его сердца лишь считанные дюймы. Но продолжало смертоносное оружие надвигаться, и потекла на землю кровь из разрезаемых им ладоней Ямы.

Обратил Брахма на Владыку Адова Колодезя свой смертный взгляд, взгляд, который черпал теперь жизнь и из него самого.

Острие коснулось Ямы.

Он, поворачиваясь боком, ринулся в сторону, и вспороло оно ему кожу от ключицы до плеча.

Копьями стали тогда глаза его, и потерял ракшас человеческий облик, обратившись в дым. Голова Брахмы упала ему на грудь.

И сумел возопить еще Тарака, завидев, что скачет к нему на белом коне Сиддхартха, а воздух вокруг него потрескивает и пахнет озоном:

— Нет, Бич! Умерь свою силу! Моя смерть принадлежит Яме...

— Глупый демон! — откликнулся Сэм. — Не надо было...

Но Тараки уже не было.

Яма, упав рядом с Брахмой на колени, затягивал жгут вокруг того, что осталось у павшего бога от левой руки.

— Кали! — звал он. — Не умирай! Ответь мне, Кали!

Брахма судорожно втянул воздух, глаза его на миг приоткрылись, но тут же закрылись вновь.

— Слишком поздно, — пробормотал Ниррити.

Он повернул голову и посмотрел на Яму.

— Или, скорее, как раз вовремя. Ведь ты же Азраил, не так ли? Ангел Смерти...

Яма ударил его ладонью по лицу, и полоса крови из его руки осталась на лице у Черного.

— «Блаженны нищие духом, ибо их есть Царство Небесное, — сказал Ниррити. — Блаженны плачущие, ибо они утешатся. Блаженны кроткие, ибо они наследуют землю».

Яма еще раз ударил его.

— «Блаженны алчущие и жаждущие правды, ибо они насытятся. Блаженны милостивые, ибо они помилованы будут. Блаженны чистые сердцем, ибо они Бога узрят...»

— «И блаженны миротворцы, — перебил Яма, — ибо они будут наречены сынами Божьими». Где ты найдешь здесь место для себя, Черный? Чей сын ты, что сотворил все это?

Ниррити улыбнулся и сказал:

— «Блаженны изгнанные за правду, ибо их есть Царство Небесное».

— Ты безумец, — сказал Яма, — и поэтому я не буду лишать тебя жизни. Подыхай сам, когда придет твое время. Его уже недолго ждать.

И, подняв с земли Брахму, он направился с ним на руках в сторону города.

— «Блаженны вы, когда будут поносить вас, — продолжал Ниррити, — и гнать и всячески неправедно злословить за Меня...»

— Воды? — спросил Сэм, доставая флягу и приподнимая голову Ниррити.

Ниррити взглянул на него, облизнул губы и слабо кивнул. Сэм влил ему в рот немного воды.

— Кто ты? — спросил умирающий.

— Сэм.

— Ты? Ты вновь восстал?

— Это не в счет, — промолвил Сэм. — Я тут, в общем-то, ни при чем.

Слезы наполнили глаза Черного.

— Значит, победа будет за тобой, — выдавил он из себя. — Не могу понять, как Он допустил такое...

— Это лишь один из миров, Ренфрю. Кто знает, что происходит на других? И к тому же это отнюдь не та борьба, в которой я хотел бы победить, ты же знаешь. Мне жаль тебя и жаль, как все сложилось. Я согласен со всем, что ты сказал Яме, согласны с этим и все последователи того, кого они называли Буддой. Я уже и не припомню, был ли им я сам, или же это был кто-то иной. Но теперь я ухожу от него. Я опять стану человеком, и пусть люди сохраняют того Будду, который есть у них в сердце. Каким бы ни был источник, послание было чистым, верь мне. Только поэтому оно обрело корни и разрослось.

Ренфрю сделал еще один глоток.

— «Так всякое дерево доброе приносит и плоды добрые», — сказал он. — Воля превыше моей положила, чтобы умер я на руках у Будды, положила миру сему такой путь... Даруй мне свое благословение, Гаутама, ибо я умираю...

Сэм опустил голову.

— Ветер мчит на юг и вновь возвращается на север. Весь мир — круговращение, и следует ветер его круговороту. Все реки текут в море, и однако море не переполняется. К истоку рек возвращаются вновь их воды. То, что было, это то, что будет; то, что свершено, будет свершено. Нет воспоминаний о бывшем, и не будет воспоминаний о том, что будет с теми, кто придет позже...

И он накрыл Черного своим белым плащом, ибо тот был мертв...


Яна Ольвегга принесли в город на носилках. Сэм сразу же послал за Куберой и Нарадой, чтобы они встречали его в Палате Кармы, ибо ясно было, что в нынешнем своем теле Ольвеггу долго не протянуть.

Когда они вошли в Палату, Кубера споткнулся о мертвое тело, лежавшее чуть ли не на пороге.

— Кто это? — спросил он.

— Один из Хозяев.

Тела еще троих служителей желтого колеса лежали в коридоре, ведущем к центральным передатчикам. Все трое были вооружены.

Еще одного обнаружили уже у самых машин. Выпад неведомого клинка пришелся точно в центр желтого круга у него на груди, отчего он стал похож на использованную мишень. Из открытого рта так и не успел вырваться предсмертный вопль.

— Уж не горожан ли рук это дело? — спросил Нарада. — С каждым годом к Хозяевам относились все хуже и хуже. Должно быть, в горячке битвы...

— Нет, — возразил Кубера, приподняв покрытую пятнами крови простыню, прикрывавшую лежавшее на операционном столе тело. Поглядев на него, он вновь расправил полотнище.

— Нет, это не горожане.

— Кто же тогда?

Он вновь посмотрел на стол.

— Это Брахма, — объяснил он.

— О!

— Кто-то, вероятно, заявил Яме, что не даст ему использовать машины для переноса.

— Ну а где тогда Яма?

— Понятия не имею. Но мы должны поспешать, если собираемся обслужить Ольвегга.

— Да. Вперед!


Высокий юноша явился во Дворец Камы и спросил Господина Куберу. На плече у него ослепительно сверкало копье, когда он нетерпеливыми шагами мерил в ожидании комнату.

Кубера вошел, смерил взглядом копье, юношу и сказал всего одно короткое слово.

— Да, это Так, — ответил копейщик. — Новое копье, новый Так. Больше нет надобности в обезьяне, и я вновь стал человеком. Я скоро уйду... и я пришел попрощаться — с тобой и Ратри...

— Куда ты направляешься, Так?

— Я хочу повидать остальной мир, Кубера, пока тебе не удалось замеханизировать всю его магию.

— Этот день всегда маячит где-то за горизонтом, Так. Оставайся здесь подольше...

— Нет, Кубера. Благодарю тебя, но капитан Ольвегг подгоняет со сборами. Мы отправляемся вместе.

— А куда вы собираетесь направиться?

— На восток, на запад... кто знает? Куда глаза глядят... Скажи-ка, Кубера, а кому теперь принадлежит громовая колесница?

— Исходно она, конечно, принадлежала Шиве. Но Шивы больше нет. Какое-то время ею пользовался Брахма...

— Но нет больше и Брахмы. Впервые обходятся без него Небеса, где правит, сохраняя, Вишну. Итак...

— Ее построил Яма. Если она принадлежит кому-то, то, наверно, ему...

— А ему она не нужна, — подытожил Так. — Так что я думаю, мы с Ольвеггом можем воспользоваться ею для нашего путешествия.

— А почему ты думаешь, что она ему не нужна? Ведь никто не видел Яму за все три дня, прошедшие после битвы...

— Привет, Ратри, — перебил Так, завидя вошедшую в комнату богиню Ночи. — «Храни же нас от волка и волчицы, храни от вора нас, о Ночь, и дай же нам продлиться».

Он поклонился, и она коснулась рукой его чела.

И он взглянул ей в лицо, и на один ослепительный миг богиня переполнила обширное пространство — и в глубину, и в вышину. Сияние ее развеяло мрак...

— Мне пора идти, — сказал он. — Спасибо, спасибо тебе за благословение.

Он быстро повернулся и вышел из комнаты.

— Подожди! — крикнул Кубера. — Ты говорил о Яме. Где он?

— Ищи его в таверне Трехголовой Огнеквочки, — бросил через плечо Так, — если тебе это нужно. Может, было бы лучше подождать, пока он сам не станет тебя искать.

И Так ушел.

Подходя к Дворцу Камы, Сэм увидел, как по лестнице оттуда сбегает Так.

— Доброго тебе утра, Так! — окликнул он юношу, но тот не отвечал, пока чуть ли не наткнулся прямо на Сэма. Тогда он резко остановился и прикрыл рукой глаза, будто от солнечного света.

371

— Сэр! Доброе утро.

— Куда ты так спешишь? Невтерпеж испробовать свое новое тело?

Так хмыкнул.

— Да, Князь Сиддхартха. У меня рандеву с приключением.

— Слышал об этом. Вчера вечером я беседовал с Ольвеггом... Желаю тебе в путешествии удачи.

— Я хотел сказать тебе, — промолвил Так, — что я был уверен в твоей победе. Я знал, что ты отыщешь решение.

— Это не было, как ты говоришь, решение, нет, просто решеньице, так себе, ничего особенного, Так. И небольшое сражение. Все можно было провернуть и без меня.

— Я имею в виду, — уточнил Так, — все сразу. Ты участвовал буквально во всем, что к этому привело. Ты должен был быть там.

— Полагаю, что так... да, я и в самом деле так считаю... Всегда что-то притягивало меня к тому дереву, в которое готовилась ударить молния.

— Судьба, сэр.

— Боюсь, что скорее случайно прорезавшаяся социальная совесть и счастливый дар ошибаться.

— Что ты собираешься делать теперь, Князь?

— Не знаю, Так. Я еще не решил.

— Может, составишь компанию мне и Ольвеггу? Постранствуешь по свету вместе с нами? Поищешь приключений?

— Спасибо, нет. Я устал. Быть может, я испрошу себе старую твою работу и стану Сэмом от Архивов.

Так хмыкнул еще раз.

— Сомневаюсь. Я еще увижу тебя, Князь. Так что — до свидания.

— До свидания... Что-то...

— Что?

— Ничего. На какой-то миг ты напомнил мне об одном человеке, которого я когда-то знал. Пустое. Удачи!

Он хлопнул его по плечу и пошел дальше.

Так поспешил прочь.


Хозяин сказал Кубере, что и вправду у него остановился подходящий под описание постоялец, он снял заднюю комнату на втором этаже, но вряд ли захочет он кого-либо видеть.

Кубера поднялся на второй этаж.

На стук в дверь никто не ответил, и Кубера попытался ее открыть.

Изнутри дверь была заперта на засов, и он начал в нее колотить.

На это наконец раздался голос Ямы:

— Кто там?

— Кубера.

— Уходи.

— Нет. Открой, я не уйду отсюда, пока ты не откроешь.

— Ну хорошо, погоди минуту.

И Яма отодвинул засов; дверь приоткрылась внутрь на несколько дюймов.

— Алкоголем от тебя не пахнет, наверно, ты подцепил девку, — заявил Кубера.

— Нет, — сказал Яма, глядя на него. — Что тебе нужно?

— Выяснить, что тут не в порядке. Помочь, если смогу.

— Не можешь, Кубера.

— Почем ты знаешь? Я тоже, как и ты, недурной ремесленник, — иного типа, конечно.

373

Яма поразмыслил и, отступив в сторону, распахнул дверь.

— Заходи, — сказал он.

На полу перед грудой всякой всячины сидела совсем юная девушка. Еще почти ребенок, она крепко прижимала к себе коричневого с белыми пятнами щенка и смотрела на Куберу широко раскрытыми испуганными глазами, пока он не улыбнулся и не сделал успокаивающий жест.

— Кубера, — сказал Яма.

— Ку-бра, — сказала девушка.

— Это моя дочь, — сказал Яма. — Ее зовут Мурга.

— Я никогда не знал, что у тебя есть дочь.

— Она отстает в развитии. Мозговая травма...

— Врожденная или в результате переноса? — спросил Кубера.

— Результат переноса.

— Ясно.

— Она моя дочь, — повторил Яма. — Мурга.

— Да, — сказал Кубера.

Яма встал на колени рядом с ней и поднял с пола кубик.

— Кубик, — сказал он.

— Кубик, — сказала девушка.

Он взял ложку.

— Ложка, — сказал он.

— Ложка, — сказала девушка.

Он поднял мяч и показал его ей.

— Мяч, — сказал он.

— Мяч, — сказала она.

Он опять взял кубик и показал его ей.

— Мяч, — повторила она.

Яма выронил кубик.

**374**
— Помоги мне, Кубера, — сказал он.

— Помогу, Яма. Если есть какой-то способ, мы отыщем его.

Он уселся рядом с ними и поднял руки вверх.

Ложка тут же ожила, одушевленная ложка-востью, мяч исполнился мяч-ности, кубик — кубик-овости, и девочка рассмеялась. Даже щенок, казалось, внимательно изучал предметы.

— Локапалы непобедимы, — сказал Кубера, а девочка подняла кубик и долго-долго разглядывала его, прежде чем назвать.


Как известно, Владыка Варуна вернулся после Хайпура в Небесный Град. Примерно тогда же начала отмирать система небесного чинопродвижения. Властителей Кармы сменили Смотрители Переноса, а функции их отделены были от Храмов. Заново изобретен был велосипед. Возведено семь буддистских святынь. Во дворце Ниррити разместились художественная галерея и Павильон Камы. Продолжал ежегодно праздноваться Фестиваль в Алундиле, и не было равных его танцорам. Не исчезла и пурпурная роща, о которой с любовью заботились правоверные.

Кубера остался с Ратри в Хайпуре. Так с Ольвеггом отправились в громовой колеснице странствовать в поисках неведомой судьбы по свету. На Небесах правил Вишну.

Те, кто молился семерым риши, возносили им благодарности за велосипед и за своевременную аватару Будды, за Майтрею, что означает Князь Света; звали его так то ли за то, что мог он разбрасывать молнии, то ли за то, что старался он этого не делать. Другие продолжали звать его Махасаматман и утверждали, что он бог. Он, однако, по-прежнему предпочитал опускать громкие Маха- и -атман и продолжал звать себя просто Сэмом.

Никогда не провозглашал он себя богом. С другой стороны, и не отказывался, конечно, от этого. В сложившихся условиях ни то, ни другое не сулило ему никакой выгоды. К тому же и не оставался он среди людей достаточно долго, чтобы дать пищу сложным теологическим хитросплетениям. О днях же его ухода рассказывают несколько противоречивых историй.

Одна деталь присутствует во всех этих легендах: однажды в сумерках, когда скакал он на лошади вдоль реки, слетела к нему невесть откуда большая красная птица, и был хвост ее втрое длиннее остального тела.

И еще до рассвета покинул он Хайпур, и больше его никто никогда не видел.

И вот утверждают одни, что чистым совпадением было появление птицы и его отбытие и ничем они не связаны. И ушел он в поисках покоя, даруемого шафранной рясой, ибо исполнил уже все, ради чего возвращался в мир, и успел устать от шума и молвы, сопутствовавших его победе. Быть может, птица просто напомнила ему о преходящести всего яркого и блестящего. А может, и нет, если он уже принял тогда свое решение.

Другие говорят, что не надел он более рясы, а птица была посланником Сил Превыше Жизни, призвавшим его вернуться назад к покою нирваны, вновь познать Великий Покой, нескончаемое блаженство, услышать песни, которые поют звезды на берегу великого океана. Они говорят, что перешел он через Мост Богов. Они говорят, что он не вернется.

Другие говорят, что стал он новой личностью и до сих пор странствует среди рода людского, оберегая и помогая ему в дни смуты, оберегая простой люд от угнетения пришедших к власти.

Некоторые утверждают, что и вправду была птица посланцем, но не из другого мира, а все из этого же, и что послание несла она не ему, а обладателю Громоваджры, Богу Индре, который, как известно, посмотрел в глаза Смерти. Никто никогда не видывал до тех пор подобных птиц, хотя, как стало теперь известно, обитают их сородичи на восточном континенте, там, где вел Индра войны с ведьмами. Если была в пламенеющей головке птицы искорка разума, могла она принести из далекой страны послание о помощи. А надо вспомнить, что Леди Парвати, которая была когда-то Сэму то ли женой, то ли матерью, сестрой или дочерью, а может — всеми ими сразу, ускользнула туда с Небес, когда взглянули на них призрачные кошки Канибуррхи, чтобы жить среди тамошних колдуний, считала она которых своей родней. Если принесла птица такую весть, то не сомневаются сказители этой истории, что тут же отправился он на восточный континент, чтобы оберечь ее от любой грозящей ей напасти.

Таковы четыре версии истории о Сэме и Красной Птице, Которая Возвестила Его Уход, — как рассказывают ее моралисты, мистики, социальные реформаторы и романтики. Каждый может, осмелюсь я добавить, выбрать из них подходящую себе версию. Единственное, о чем действительно он должен помнить, — это достоверный факт, что на западном континенте подобные птицы не обнаружены, хотя они, по-видимому, достаточно многочисленны на восточном.

Примерно через полгода покинул Хайпур и Яма-Дхарма. Ничего особенного не известно о его уходе, и большинство считает это вполне достаточной информацией. Свою дочь Мургу он оставил на попечение Ратри и Кубере, и она выросла в женщину поразительной красоты. Возможно, он отправился на восток и, может быть, даже переправился через море. Ибо бытует где-то в чужих краях легенда о том, как выступил Некто в

Красном против объединенной мощи Семи Князей Комлата в краю ведьм. Но достоверно знаем мы об этом не больше, чем об истинном конце Князя Света.

Но взгляни вокруг себя...

Всегда, везде и всюду — Смерть и Свет, они растут и убывают, спешат и ждут; они внутри и снаружи Грезы Безымянного, каковая — мир; и выжигают они в сансаре слова, чтобы создать, быть может, нечто дивно прекрасное.

А пока облаченные в шафранные рясы монахи продолжают медитировать о пути света; и каждый день ходит девушка по имени Мурга в Храм, чтобы положить перед темным силуэтом внутри святилища то единственное подношение, которое он согласен принять, — цветы.

# СОДЕРЖАНИЕ

I . . . . . . . . . . . . . . . . . . . . . . . . . . . . . . . . 7

II . . . . . . . . . . . . . . . . . . . . . . . . . . . . . . . 59

III . . . . . . . . . . . . . . . . . . . . . . . . . . . . . . 111

IV . . . . . . . . . . . . . . . . . . . . . . . . . . . . . 167

V . . . . . . . . . . . . . . . . . . . . . . . . . . . . . . 221

VI . . . . . . . . . . . . . . . . . . . . . . . . . . . . . 275

VII . . . . . . . . . . . . . . . . . . . . . . . . . . . . . 328

*Литературно-художественное издание*

# РОДЖЕР ЖЕЛЯЗНЫ

# КНЯЗЬ СВЕТА

Ответственный редактор *Марина Стукалина*
Художественный редактор *Алексей Горбачев*
Технический редактор *Любовь Никитина*
Корректор *Елена Румянцева*
Верстка *Ульяны Буторовой*

Налоговая льгота — общероссийский классификатор
продукции ОК-005-93, том 2; 953000 — книги, брошюры.

Подписано в печать 25.04.2000.
Формат $80 \times 100 ^1/_{32}$. Печать высокая.
Усл. печ. л. 17,76. Тираж 8000 экз.
Заказ № 781.

ЛП № 000029 от 04.11.98.
Издательство «Амфора».
197101, Санкт-Петербург, ул. Льва Толстого, д. 19.
E-mail: amphora@mail.ru

Отпечатано с готовых диапозитивов в ГПП «Печатный Двор»
Министерства РФ по делам печати,
телерадиовещания и средств массовых коммуникаций.
197110, Санкт-Петербург, Чкаловский пр., 15.

**н о в а я**

# Коллекция

*Вышли в свет:*

Жоржи Амаду
## МЕРТВОЕ МОРЕ

Марсель Пруст
## ЛЮБОВЬ СВАНА

Норман Мейлер
## АМЕРИКАНСКАЯ МЕЧТА

Хулио Кортасар
## ЭКЗАМЕН

**н о в а я**

# Коллекция

*Вышли в свет:*

Василий Розанов
## ОПАВШИЕ ЛИСТЬЯ

Эрнест Хемингуэй
## СТАРИК И МОРЕ

Морис Бланшо
## ОЖИДАНИЕ ЗАБВЕНИЕ

Анаис Нин
## ДЕЛЬТА ВЕНЕРЫ

**н о в а я**

# Коллекция

*Вышли в свет:*

Даниил Хармс
## ВЕЩЬ

Хуан Карлос Онетти
## БЕЗДНА

Альбер Камю
## ЧУМА

Илья Ильф
## ЗАПИСНЫЕ КНИЖКИ

Эксклюзивную продажу книг
серии «Новая коллекция»
на территории Москвы
осуществляет
ООО «Фирма "Столица-Сервис"».
109028, Москва,
Казарменный пер., д. 8, строение 3.
Телефон: (095) 916-18-82
Телефон/ факс: (095) 917-70-70
E-mail: jupiter@aha.ru
для «Столица-Сервис»


Эксклюзивный дистрибьютор издательства
в Северо-Западном регионе —
компания «Снарк»
Телефон: (812) 327-54-32
Сеть фирменных магазинов
Книжный клуб «Снарк»
Санкт-Петербург, Загородный пр., д. 21
Телефон: (812) 327-62-60